ESPOSA Excelente

UMA PERSPECTIVA BÍBLICA

MARTHA PEACE

ESPOSA
Excelente

UMA PERSPECTIVA BÍBLICA

FIEL
Editora

P355e   Peace, Martha
           Esposa excelente : uma perspectiva bíblica / Martha
Peace ; [traduzido por Laura Macal Jorge]. – São José dos
Campos, SP : Fiel, 2008.

           280 p. ; 21cm.
           Traduzido de: The excelent wife.
           Inclui índice.
           ISBN 9788599145364

           1. Esposas – Vida religiosa. 2. Vida cristã – Ensino
bíblico. I. Título.

CDD: 248.8/435

Catalogação na publicação: Mariana C. de Melo – CRB07/6477

A ESPOSA EXCELENTE
- Uma perspectiva bíblica
Traduzido do original em inglês
The Excelent Wife – A Biblical Perspective

(revised edition) por Martha Peace
Copyright © 1995,1999 por Focus Publishing, Inc.

●

Primeira Edição em Português
© Editora FIEL 2008

Todos os direitos em língua portuguesa reservados
por Editora Fiel da Missão Evangélica Literária

●

Diretor: Tiago J. Santos Filho
Editor: Tiago J. Santos Filho
Tradução: Laura Makal Lopez
Revisão: Gwen Kirk e Marilene Paschoal
Capa e diagramação: Edvânio Silva

ISBN: 978-85-99145-36-4

 **FIEL** Editora

Caixa Postal, 1601
CEP 12230-971
São José dos Campos-SP
PABX.: (12) 3919-9999
www.editorafiel.com.br

Este livro é dedicado

a meu marido, Sanford.

SUMÁRIO

....

Parte 1 - O que a esposa deve entender
Verdades fundamentais para uma esposa excelente

Parte 2 - A responsabilidade da esposa
Compromissos fidedignos da esposa excelente

Parte 3 - A submissão da esposa
A realização da esposa excelente

Parte 4 - Preocupações específicas da esposa
Situações pecaminosas da esposa excelente

INTRODUÇÃO

....

A Esposa Excelente começou há mais de dez anos, em "forma de semente", quando eu dava aula para senhoras na Escola Dominical. Mais tarde, quando comecei a aconselhar mulheres no Centro de Aconselhamento Bíblico de Atlanta, percebi a necessidade de material para estudo em casa, a fim de suplementar as sessões de aconselhamento. Assim, desenvolvi *A Esposa Excelente* em caderno de atividades e fitas cassete. Há alguns anos, Lou Priolo (Diretor do Centro de Aconselhamento Bíblico de Atlanta), Sanford Peace (meu marido) e Ed Sherwood (nosso amigo e antigo pastor) começaram a encorajar-me a colocar este material em forma de livro.

Escrevi este livro para ser um amplo recurso para pastores, conselheiros, professores, missionários e mulheres cristãs, para seu aprendizado pessoal ou para usarem no ensino do que realmente significa ser uma esposa piedosa. Começo o primeiro capítulo com meu testemunho, porque a mudança que Deus operou em mim é positivamente surpreendente, e pode dar esperança a muitas mulheres!

Os capítulos dois a seis abrangem verdades fundamentais a respeito de Deus, do pecado e do casamento. A partir do capítulo sete, o foco do livro aponta para as responsabilidades individuais da esposa para com Cristo, em sua casa e com seu marido (amá-lo, respeitá-lo e relacionar-se sexualmente com ele).

Os capítulos treze a quinze são o coração deste livro – a submissão da esposa. Os capítulos dezesseis e dezessete auxiliam a esposa a superar qualquer comunicação antibíblica ou a praticar hábitos de resolução de conflitos. A última seção trata de preocupações especiais e problemas específicos de pecado, tais como raiva, medo, solidão e dor.

Sendo o foco amplo ou sucinto, cada capítulo é parte do quadro completo de como ser a esposa que Deus deseja, *A Esposa Excelente*.

PARTE UM

....

O que a esposa deve entender

VERDADES FUNDAMENTAIS
PARA UMA ESPOSA EXCELENTE

CAPÍTULO 1

A esposa excelente
Quem a pode encontrar?

❦

A ESPOSA QUE EU FUI

"Submissa? Eu, ser uma esposa submissa?" Com um grito enraivecido, peguei a Bíblia e atirei em meu velho amigo. Ed e sua esposa Jackie testemunhavam a meu marido Sanford e eu durante semanas. Ed havia acabado de me mostrar 1 Pedro 3.5, que diz: "Pois foi assim também que a si mesmas se ataviaram, outrora, as santas mulheres que esperavam em Deus, estando submissas a seu próprio marido". Ele não precisou esperar muito pela minha resposta. De todas as coisas que eu desejava ser na vida, submissa não era uma delas.

Felizmente, embora ainda esteja vivo em minhas lembranças, o incidente acima ocorreu há mais de quinze anos. É um retrato perfeito de minha antiga visão de submissão. Contudo, logo depois, tornei-me cristã e submeti minha vida ao Senhor Jesus Cristo e ao meu marido. Alma, outra boa amiga, certa vez ressaltou, após ouvir meu testemunho, que minha conversão fora como domar um cavalo xucro! E ela estava certa! Mas, deixe-me começar do início.

Como filha única, meus pais me amaram e mimaram. Eu era cheia de vontades! Imagine meu choque, aos dezenove anos, quando meu amor do colegial e eu nos casamos e descobri que o mundo não girava ao meu redor! Eu era egoísta, obstinada e irascível. Quando olho para aquele período, vejo que, se Sanford não me amasse o bastante para estar a meu lado, nosso casamento teria fracassado logo no início.

Pensei equivocadamente que me casar e ter filhos me faria feliz. Isto me contentou durante algum tempo, mas logo já estava procurando algo mais. Busquei felicidade em organizações comunitárias, educação, trabalhos e festas. Cada uma destas atividades entreteve-me durante algum tempo; no entanto, sempre ansiava por algo mais. Nunca me satisfazia. Com o passar do tempo, decidi dedicar-me a uma carreira profissional. Tinha certeza de que isto resolveria meu problema. Então, fiz um curso avançado na área de enfermagem e, finalmente, dava aulas no curso de enfermagem numa faculdade local.

Eu gostava realmente de ensinar enfermagem; contudo, todos os meus esforços eram centrados em agradar a mim mesma e em desenvolver-me em minha profissão. Logo, meu casamento começou a desmoronar. Eu me tornara uma feminista vaidosa, que deixaria sua marca no mundo – à minha maneira. Na época em que comecei a lecionar, começamos a construir a casa de nossos sonhos, no estilo vitoriano, com uma ampla varanda em três lados. À medida que o tempo passava, descobrimos que o construtor estava nos roubando grande quantia de dinheiro. Ele nos deixou uma casa inacabada com mais de 15.000 dólares em penhor da propriedade. Tentei fugir de toda aquela pressão, bebendo e indo a festas. Afinal, decidi que realmente precisava de liberdade. Comecei a fazer planos secretos de deixar minha família. Pensei em deixar as crianças com Sanford, aliviando minha consciência com o pensamento de que Sanford era bem mais estável do que eu. Felizmente, Deus tinha outro plano para mim.

Deus interveio, enviando três pessoas à minha vida. Uma delas é Katrina, minha querida amiga cristã, com quem dividi um escritório na faculdade. Sentia-me como que acorrentada ao apóstolo Paulo! Eu debochava de sua fé cristã e gritava com ela quando ela tentava falar comigo a respeito do Senhor. Algumas vezes, ela ia para casa em lágrimas, por minha causa. Foi nesta época, em que eu dividia meu escritório com Katrina, que o Senhor enviou Ed e Jackie de volta a Atlanta. Renovamos a amizade que havia começado anos antes, na faculdade. Mas admito que tinha curiosidade a respeito deles, porque ouvira um boato de que eles estavam "seguindo uma religião". E eles estavam! Estando entre eles dois e Katrina, não havia como evitar falar sobre Deus ou sobre sua Palavra.

Debaixo de convicção

Enquanto meus planos de abandonar minha família progrediam, tornava-me mais e mais apreensiva. Logo comecei a ficar cheia de ansiedade e daquilo que o mundo chama de "síndrome do medo". Afogar minha dor emocional na bebida só me deixava mais ansiosa e deprimida. Ed continuava dizendo para eu orar e ler o Evangelho de João. Por fim, totalmente desesperada, aceitei seu conselho. Eu estava "tendo um colapso" e pensei que precisava de ajuda psiquiátrica. Entretanto, eu não marcava uma consulta, porque sabia que os remédios que o psiquiatra me prescreveria me impediriam de lecionar enfermagem. Sanford insistiu. Imaginando que estava para ser arrastada de casa numa camisa de força, finalmente concordei em ir, com uma condição: Sanford primeiro me deixaria conversar com o pastor de uma igreja local. Ele relutou, mas concordou.

Em breve, estávamos freqüentando uma igreja com nossos amigos, Ed e Jackie. Durante esse tempo, continuei a ler o Evangelho de João, repetidas vezes. Muito do que lia, eu já sabia e cria – Jesus era Deus, o único Salvador, e Ele havia morrido na cruz para pagar a penalidade por meus pecados. Eu havia aprendido esses fatos quando criança, mas não conhecia a Deus pessoalmente. Apesar de querer, eu não sabia como conhecê-Lo. Uma noite, contudo, enquanto Sanford estava no trabalho e nossos filhos, Anna e David, dormiam, eu estava na cama lendo o Evangelho de João, como vinha fazendo por muitas noites. Aquela noite seria diferente.

Quando cheguei a João 14, li aquelas que se tornaram as palavras muito conhecidas de Jesus: "Se me pedirdes alguma coisa em meu nome, eu o farei" (João 14.14). Disse em voz alta: "Isto não é verdade. Tenho pedido e pedido a Ele que tire minha ansiedade, que nos traga de volta nosso dinheiro que o construtor roubou e que restaure nosso casamento". Ele não tem feito nenhuma dessas coisas! Mas lembrei que Ed dissera: "Continue lendo, Martha". Então, li o versículo novamente. Dessa vez, li um pouco mais do texto. "E tudo quanto pedirdes em meu nome, isso farei, a fim de que o Pai seja glorificado no Filho" (João 14.13). De repente, entendi. Todas as minhas orações eram egocêntricas. Nada do que queria era para a glória de Deus. Curvei minha cabeça em submissão e recebi a Cristo como meu Senhor e Salvador. Passei um bom tempo confessando meus pecados. Então orei: "Senhor, agora sei que Tu tens poder para tirar minha ansiedade; porém, se o Senhor o fará ou não, o Senhor decide. Quero que a minha vida Te glorifique!" Apaguei as luzes e fui dormir.

Na manhã seguinte, em vez da ansiedade que por meses vinha me inundando, despertei com uma incrível sensação da paz de Deus. Levantei-me e andei pelo quarto, parei para acender a luz e pensei: "Minha vida nunca mais será a mesma". Finalmente encontrei o que vinha procurando. Jesus Cristo, não eu, era agora o Senhor da minha vida.

COMO MINHA VIDA MUDOU

Minha vida tem mudado drasticamente por causa do que tenho aprendido, ao longo dos anos, sobre ser uma esposa piedosa. Queria poder dizer a você que agora sou uma esposa perfeita. É claro que não sou. Entretanto, Deus tem me concedido o profundo desejo de ser a esposa que Ele quer que eu seja. Mesmo que eu falhe miseravelmente, Ele está no processo de moldar-me naquela direção. Deus não só tem me dado um profundo amor por meu marido, como também paixão por sua Palavra e por ensinar mulheres mais jovens a serem a esposa excelente descrita na Escritura. Pela graça de Deus, este livro é minha "obra de amor" para você. Minha oração é que Deus lhe dê um amor por Cristo e sua Palavra e um desejo de fazer a sua vontade, idênticos aos que me tem dado.

A VONTADE DE DEUS PARA CADA ESPOSA

A vontade de Deus para cada esposa cristã é que seu mais importante ministério seja para o seu marido (Gênesis 2.18). Depois do relacionamento pessoal da esposa com o Senhor Jesus Cristo, nada deve ter maior prioridade. O marido deve ser o maior beneficiado do tempo e da energia de sua esposa, e não o receptor daquilo que possa ser o resto, no final do dia. Sendo o seu marido um cristão fiel ou um incrédulo, Deus quer que toda mulher cristã seja uma esposa devotada – uma esposa excelente. Esta verdade é tão importante para Deus que Ele a revelou clara e completamente em sua

Palavra, a Bíblia. De fato, a Escritura por si só é suficiente para prover a sabedoria que a esposa precisa para viver a vida cristã. Uma das passagens mais importantes da Escritura concernentes à vontade de Deus para a esposa cristã encontra-se em Provérbios 31. Observe que neste capítulo de Provérbios estão as palavras do rei Lemuel "as quais lhe ensinou sua mãe" (Provérbios 31.1, grifo meu). No versículo 10, o rei Lemuel faz a pergunta:

> *Mulher virtuosa, quem a achará?*
> *O seu valor muito excede o de finas jóias.*

Quem pode encontrar uma esposa excelente? O que é uma esposa excelente? Como pode ser reconhecida? Com quem se parece? O que ela faz? Estas questões e outras são respondidas em Provérbios 31.10-31. Minha vida foi radicalmente transformada pela aplicação desta e de outras passagens da Escritura. Por Deus ter me dado um coração disposto a obedecer a sua Palavra e a sua vontade em minha vida, tenho me tornado a esposa piedosa que Ele quer que eu seja. Ele pode fazer isto em sua vida também, se você é cristã. Você pode, com o auxílio de Deus, tornar-se uma esposa piedosa, uma esposa excelente! Este é o propósito deste livro – que você considere primeiramente o que significa ser uma esposa excelente e, então, se comprometa fielmente a esta finalidade, para que se torne a esposa que Deus quer que você seja! O propósito deste capítulo é dar-lhe um vislumbre do que uma esposa excelente é, na esperança de que você também se torne uma esposa desta espécie. Comecemos por observar...

As características da esposa excelente

Em Provérbios 31, versos 10 a 31, Deus descreve vinte características de uma esposa excelente. À medida que estas características, ou qualidades, são desenvolvidas numa mulher, sua vida começa a glorificar a Deus. Como uma linda flor à luz do sol da manhã reflete a glória da criação de Deus, uma esposa excelente reflete a glória de Deus através de suas atitudes e ações. Ela assemelha-se a algo assim:

Que glorioso reflexo de Deus uma mulher se torna, ao desenvolver seu ministério como uma esposa virtuosa! Você deveria se perguntar: "São

estas as qualidades que desejo em minha vida?" Se a resposta é "Sim!", você deve estar pensando...

MAS QUEM PODE MOSTRAR-SE TÃO EXCELENTE?

Muitas mulheres possuem o desejo de ser a mulher excelente de Provérbios 31. Elas apenas não acreditam que isso seja possível, pelo menos não para elas. Estas vinte características, entretanto, podem distinguir a vida de qualquer mulher cristã. Estas características são apresentadas em Provérbios como verdades gerais. Qualquer mulher cristã que conhece e obedece a estas verdades pode tornar-se uma mulher virtuosa, uma esposa excelente! Seu ministério pode crescer sob a mão educadora de um

Deus fiel e amoroso, porque:

> *Pelo seu divino poder, nos têm sido doadas todas as coisas que con-*
> *duzem à vida e à piedade, pelo conhecimento completo daquele que*
> *nos chamou para a sua própria glória e VIRTUDE.*
>
> 2 Pedro 1.3 (grifo meu)

Deus tem chamado cada esposa cristã à sua excelência! Qualquer flor pode desabrochar quando é cultivada pelas mãos de Deus. A responsabilidade da esposa é aprender a colocar sua confiança na fidelidade de Deus e em sua Palavra – fazer o que Ele diz. Ela pode se tornar o que Deus quer que ela seja, se ela fizer o que Ele quer que ela faça. Não há outra maneira! Contudo, há um problema maior para lidarmos antes...

O PROBLEMA DO PECADO

O pecado é a única coisa que impedirá uma mulher de se tornar uma esposa piedosa. O pecado é uma ofensa, é a transgressão de qualquer dos padrões de Deus (1 João 3.4). É falhar em confiar e em fazer o que a Palavra de Deus diz. Pecado é tentar fazer as coisas a seu próprio modo, em vez de fazê-las do modo de Deus. É presumir que Deus a ajudará, mesmo quando está negligenciando a verdade dEle. Pecado é pensar que pode conseguir fazer qualquer coisa sem o auxílio de Deus. A má notícia é que há várias maneiras de pecar. A boa-nova é que o próprio Deus providenciou o remédio para o pecado. "Aquele que não conheceu pecado (Jesus Cristo), ele (Deus) o fez pecado por nós; para que, nele, fôssemos feito justiça de Deus" (2 Coríntios 5.21). Quando a esposa confia em Jesus Cristo como seu Senhor e Salvador, Ele a salva do pecado. Ele a liberta do domínio mortal do pecado. Ela não mais é escrava do pecado — "Sabendo isto: que foi crucificado com ele o nosso velho homem, para que o corpo do pecado seja destruído, e não sirvamos o pecado como escravos" (Romanos 6.6). O Senhor Jesus disse desta maneira: "Em verdade, em verdade vos digo: todo o que comete pecado é escravo do pecado... Se, pois, o Filho vos libertar, verdadeiramente sereis livres" (João 8.34,36). Há auxílio disponível para cada luta da esposa contra o pecado.

O AUXÍLIO QUE AS ESPOSAS PRECISAM

Se a esposa é de fato cristã, Deus providencia todas as coisas que ela precisa e que "conduzem à vida e à piedade". Deus quebra o domínio do pecado em sua vida e lhe dá o poder sobrenatural do Espírito Santo, que nela habita, capacitando-a a obedecer a Palavra de Deus e a submeter--se ao caminho e à vontade dEle. Nos capítulos seguintes, examinaremos os detalhes (específicos) do que Deus nos diz em sua Palavra e veremos como aplicar o que aprendemos à nossa vida e ao nosso casamento. Ademais, Jesus disse a seus discípulos que não se preocupassem, porque Deus Pai lhes enviaria auxílio:

> E eu rogarei ao Pai, e ele vos dará outro Consolador, a fim de que esteja para sempre convosco, o Espírito da verdade, que o mundo não pode receber, porque não o vê, nem o conhece; vós o conheceis, porque ele habita convosco e estará em vós.
>
> João 14.16-17

Se isto é verdade (e certamente é, se o Senhor Jesus Cristo é seu Salvador), então...

AS ESPOSAS SÃO INDESCULPÁVEIS

Uma vez que Deus tem providenciado ricamente tudo que a esposa cristã necessita, em sua batalha contra o pecado, não há desculpa para ela. Seu amoroso, misericordioso e santo Deus tem providenciado verdadeiramente tudo que ela precisa para tornar-se uma esposa piedosa – para tornar-se a esposa excelente que Ele quer que ela seja. E, mesmo quando ela peca, pode ser perdoada. "Se confessarmos os nossos pecados, ele é fiel e justo para nos perdoar os pecados e nos purificar de toda injustiça" (1 João 1.9). A única pergunta que resta é...

VOCÊ ESTÁ PREPARADA PARA COMEÇAR?

Se estiver preparada, curve a cabeça agora e confesse a Deus que não tem sido a esposa que Ele quer que você seja. Peça a Deus que a ajude a tornar-se, por sua graça, a esposa excelente que Ele quer que você seja. Você poderá fazer uma oração semelhante a esta:

"Querido Deus, eu confesso que não tenho sido a esposa que o Senhor quer que eu seja. Preciso de sua ajuda para tornar-me esta esposa. Comprometo-me agora a fazer de meu ministério para com meu marido o primeiro ministério de minha vida. Ensina-me o que preciso saber. Quero que minha vida e meu relacionamento com meu esposo glorifiquem a Ti. Em nome de Jesus, amém."

Se você fez esta oração e deseja mudar, tenha certeza de que Deus a ouviu e responderá sua oração, pois 1 João 5.14 diz: "E esta é a confiança que temos para com ele: que, se pedirmos alguma coisa segundo a sua vontade, ele nos ouve".

CAPÍTULO 2

O que a esposa deve entender sobre Deus

A autoridade protetora de Deus

Ao conversar com as pessoas, percebo freqüentemente idéias equivocadas a respeito de Deus. Por exemplo, alguns pensam que Deus é uma grandiosa versão do papai Noel e acham que se forem bons o suficiente, Deus é obrigado a dar-lhes presentes. Estes presentes podem ser qualquer coisa que tais pessoas desejem. Algumas querem um marido devotado, romântico ou rico. Outras querem beleza física, boa saúde, ou uma vida comum, cotidiana, simples, mas sem sofrimentos. Outros pensam que Deus é como um bondoso e velho "vovô no céu", que fecha os olhos para o pecado e encara-o apenas como travessuras ou brincadeiras de criança. O Deus dessas pessoas ama a todos e fica feliz com eles, desde que sejam sinceros quanto ao que crêem. Outros ainda acreditam que Deus é, acima de tudo, Deus da ira. Ele está sempre irado e punindo as pessoas. Ele é duro de coração e está pronto a golpeá-los a qualquer momento. É impossível agradá-Lo, e as pessoas vivem em desespero por não saberem o que lhes sucederá. Para estes, a vida cristã é realmente miserável.

Contudo, ao contrário de um deus de faz-de-conta, o Deus da Bíblia é soberano, justo, amoroso governador de toda a Terra e todas as suas criaturas. Ele é **Deus Altíssimo**, o Oleiro, e nós somos o seu barro (Romanos 9.19-21). Devemos nos curvar em humilde submissão e em adoração diante dEle. Nossa visão da vida deve ser centrada em Deus e não em nós mesmas. Estamos aqui para servi-Lo, em vez de sermos servidas por Ele. Só Ele é digno de ser louvado. Entender nossa própria posição como criaturas que servem ao Criador é de fundamental importância para esclarecer qualquer idéia equivocada a respeito de Deus e de sua autoridade protetora sobre você.

Este capítulo começa a formar o vislumbre da esposa excelente que você viu no capítulo 1. Ele explica um pouco do que você precisa saber sobre Deus e sobre si mesma. Sabendo essas coisas, você verá como pode confiar em Deus para protegê-la e por que você precisa dessa proteção. Comecemos com aquilo que você, como esposa, precisa saber a respeito de Deus.

O QUE AS ESPOSAS PRECISAM SABER SOBRE DEUS

DEUS PLANEJOU UM MINISTÉRIO PARA VOCÊ.

> *Disse mais o Senhor Deus: Não é bom que o homem esteja só; far-lhe-ei uma auxiliadora que lhe seja idônea.*
>
> *Gênesis 2.18*

Deus criou uma esposa para Adão, a fim de que lhe fosse uma auxiliadora idônea. Se você é esposa, Deus também determinou o seu primeiro ministério e papel na vida. O principal objetivo em sua vida, assim como na vida de qualquer esposa, é glorificar a Deus; mas, glorificá-Lo do modo como Ele mesmo planejou. Você deve ser uma auxiliadora idônea para seu marido (Gênesis 2.18). (Veja o capítulo 6 para uma explicação mais detalhada a respeito deste princípio.)

DEUS É COMPASSIVO, JUSTO E MISERICORDIOSO.

> *Amo o Senhor, porque ele ouve a minha voz e as minhas súplicas.*
> *Porque inclinou para mim os seus ouvidos, invocá-lo-ei enquanto eu*
> *viver... Compassivo e justo é o Senhor; o nosso Deus é misericordioso.*
>
> *Salmos 116.1,2,5 (grifo meu)*

Por ser Deus compassivo e misericordioso, Ele se preocupa com as lutas que você enfrenta e com as dores que você sente. Por ser gracioso, Deus caminhará com você em qualquer circunstância que você se encontrar. Ouvirá quando você O invocar. Cobrir-lhe-a com seu cuidado. Por ser um Deus santo, seu cuidado sobre você será sempre bom e reto. Você pode confiar totalmente nEle.

O CONHECIMENTO E A FORÇA DE DEUS SÃO ILIMITADOS.

Sara os de coração quebrantado e lhes pensa as feridas... Grande é o Senhor nosso e mui poderoso; o seu entendimento não se pode medir.
Salmos 147.3,5

A força e o conhecimento de Deus são ilimitados, por isso Ele sabe o que você quer, sente, deseja e precisa. Ele considera todas as possibilidades. Não há limites para seu conhecimento. Isto O capacita a determinar o que é melhor para você e como você poderá glorificá-Lo mais. Também, não há limites em sua força para cuidar de você. Ele pode curar seu coração, mesmo que esteja partido.

DEUS ESTÁ TRABALHANDO EM SUA VIDA COM UM PROPÓSITO.

Sabemos que todas as coisas cooperam para o bem daqueles que amam a Deus, daqueles que são chamados segundo o seu propósito. Porquanto aos que de antemão conheceu, também os predestinou para serem conformes à imagem de seu Filho, a fim de que ele seja o primogênito entre muitos irmãos.
Romanos 8.28-29 (grifo meu)

Deus promete usar todas as experiências de sua vida, inclusive qualquer mal que tenha sido feito contra você, para o seu bem. Um exemplo do benefício que vem da adversidade é a mudança em seu caráter, à medida que você se torna mais semelhante ao Senhor Jesus Cristo. Outro exemplo de bem que resulta da adversidade está no fato de que Deus é tremendamente honrado (glorificado), se você reage de maneira bíblica. Deus promete usar todas as coisas para o seu bem, se você O ama. E você O ama, sendo uma cristã obediente.

DEUS QUER QUE VOCÊ SEJA UMA ESPOSA ALEGRE E REALIZADA.

*Busca lã e linho e de bom grado trabalha com as mãos... Ela percebe
que o seu ganho é bom; a sua lâmpada não se apaga de noite... A
força e a dignidade são os seus vestidos, e, quanto ao dia de amanhã,
não tem preocupações... Seu marido a louva, dizendo: Muitas mulheres procedem virtuosamente, mas tu a todas sobrepujas.*
Provérbios 31.13,18,25,28,29 (grifo meu)

Alegria lhe sobrevirá quando você olhar adiante, numa antecipação
do que Deus planejou para você. O prazer em fazer seu trabalho, a sensação de realização de que aquilo que você está realizando é bom e um
esposo que a louva, tudo isso é parte da alegria e realização que Deus quer
que você experimente.

Então, vemos que Deus se preocupa com cada esposa em particular
– incluindo você. Com seu conhecimento ilimitado e seu coração misericordioso, Ele traçou um plano perfeito, por meio do qual você deve viver. Há
um propósito em qualquer situação pela qual você venha a passar, e Deus
quer que você experimente realização em seu papel como esposa. Realizar
o papel que Deus designou para você não é uma coisa ruim, e sim boa. Deus
é bom e faz bem todas as coisas, inclusive governar as criaturas. Além de ter
uma visão bíblica de Deus, você também precisa saber algumas coisas sobre
si mesma e sobre os trabalhos que Deus quer que você realize.

O QUE AS ESPOSAS PRECISAM SABER A RESPEITO DE SUAS OBRAS E DE SI MESMAS

DEUS PREPAROU BOAS OBRAS PARA A ESPOSA CRISTÃ REALIZAR.

*Pois somos feitura dele, criados em Cristo Jesus para boas obras, as
quais Deus de antemão preparou para que andássemos nelas.*
Efésios 2.10

As obras que Deus preparou para você incluem não somente o seu relacionamento com o seu marido, mas também a motivação ou atitude de seu
coração. Este fator ajudará você a tomar a atitude certa, ao se focalizar no que
você deve fazer, em vez de focalizar-se no que seu marido deve fazer. Certa-

mente, é mais fácil observar se os outros (especialmente seu marido) estão cumprindo sua tarefa da maneira certa. No entanto, a indagação da esposa cristã é: "Estou realizando as boas obras que Deus tencionou para <u>mim</u>?"

AS BOAS OBRAS DA ESPOSA CRISTÃ TÊM VALOR ETERNO.

Porque importa que todos nós compareçamos perante o tribunal de Cristo, para que cada um receba segundo o bem ou o mal que tiver feito por meio do corpo.

2 Coríntios 5.10

Deus promete aos cristãos recompensas eternas por suas boas obras em Cristo. Como em outras áreas da vida cristã, seu ministério para com seu marido é proveitoso, "porque tem a promessa da vida que agora é, e <u>da que há de ser</u>" (1 Timóteo 4.8, grifo meu).

A ESPOSA CRISTÃ NÃO PRECISA TEMER.

Como fazia Sara, que obedeceu a Abraão, chamando-lhe senhor, do qual vós vos tornastes filhas, praticando o bem e não temendo perturbação alguma.

1 Pedro 3.6 (grifo meu)

Deus é quem determina o que é certo. Ele revelou claramente o certo e o errado através de sua palavra. Sendo assim, porque você ou qualquer outra esposa cristã tem medo de fazer a coisa certa? Talvez você tema ser magoada, desapontada, envergonhada ou que tirem proveito de você. Talvez não esteja segura do que é certo. No entanto, a razão mais provável de sua hesitação em fazer a vontade de Deus seja o medo de não poder fazer as coisas à sua própria maneira. Há todos os tipos de razões erradas para usar <u>seus</u> meios, a fim de alcançar <u>seus</u> objetivos. Por exemplo, você quer que seu marido se dê bem no trabalho (seu objetivo), então, você mente para o patrão dele sobre o motivo pelo qual ele chegou atrasado ao trabalho (seus meios). Em vez de resolver os problemas por meio de seus próprios esforços, faça a <u>coisa certa</u>, dizendo a verdade e não rendendo-se ao medo.

A ESPOSA CRISTÃ DEVE FOCALIZAR-SE EM DEUS E NÃO EM SI MESMA.

Portanto, também nós, visto que temos a rodear-nos tão grande *nuvem de testemunhas, desembaraçando-nos de todo peso e do pecado que tenazmente nos assedia, corramos, com perseverança, a carreira que nos está proposta, <u>olhando firmemente para</u> o Autor e Consumador da fé, <u>Jesus</u>, o qual, em troca da alegria que lhe estava proposta, suportou a cruz, não fazendo caso da ignomínia, e está assentado à destra do trono de Deus.*

Hebreus 12.1-2 (grifo meu)

Observe que o foco de Cristo estava na "alegria que lhe estava proposta". Ele cumpriu a obra que Deus O enviou para fazer, a despeito da humilhação. Seu foco estava em realizar o plano do Pai e a obra diante de Si. Ele mostrou perfeito amor ao suportar a agonia e a vergonha da cruz. Se o Senhor Jesus tivesse reagido de maneira egoísta, não teríamos esperança. Não haveria Salvador para ninguém. Se você tirar seus olhos de Cristo e reagir de modo egoísta, será infeliz em sua tentativa de realizar seu papel designado por Deus. Focalize-se no Senhor Jesus e no propósito dEle para sua vida, em vez de focalizar-se em si mesma. Priorize seu marido, fazendo-o "em troca da alegria" que lhe está proposta.

A ESPOSA CRISTÃ NÃO TEM DE PECAR.

Sabendo isto: que foi crucificado com ele o nosso velho homem, para que o corpo do pecado <u>seja destruído</u>, e não sirvamos o pecado como escravos; porquanto quem morreu está justificado do pecado.

Romanos 6.6-7 (grifo meu)

As esposas cristãs, assim como todos os cristãos, continuam pecando após a salvação. Entretanto, a frase "seja destruído", em Romanos 6.6, significa "seja tornado sem poder". Em outras palavras, o poder dominador que o pecado tinha sobre eles, foi quebrado por Cristo. Se você é cristã, agora está livre para pensar e fazer a coisa certa, e Deus a ajudará por meio de sua graça fortificadora. Você não tem de pecar. É uma escolha sua.

Deus se importa com suas lutas, e o conhecimento dEle sobre todas as suas circunstâncias é ilimitado. Ele tem um plano especial para você e para cada esposa. O plano de Deus inclui boas obras. Mais do que isso, Ele quer que você faça "o que é certo" e esteja contente e realizada. O meio de experimentar esta realização é ativamente escolher colocar-se sob a autoridade de seu marido. Fazendo assim, você estará realmente colocando-se sob...

A AUTORIDADE PROTETORA DE DEUS

Deus é perfeito, e podemos confiar totalmente que Ele sabe o que é melhor para nós, ainda que maridos não sejam perfeitos, e muitos deles não sejam salvos. A despeito das imperfeições do marido, Deus escolheu colocar a mulher sob a autoridade do marido. Há duas passagens no Novo Testamento que afirmam claramente isto:

> *Quero, entretanto, que saibais ser Cristo o cabeça de todo homem, e o homem, o cabeça da mulher, e Deus, o cabeça de Cristo.*
>
> *1 Coríntios 11.3*

> *Porque o marido é o cabeça da mulher, como também Cristo é o cabeça da igreja, sendo este mesmo o salvador do corpo.*
>
> *Efésios 5.23*

Nenhum marido possui absoluta autoridade sobre a mulher, porque Deus é a autoridade absoluta. Por exemplo, se seu marido pede-lhe que minta, você deve recusar, porque a autoridade de Deus sobrepuja a de seu marido. Considere a seguinte passagem:

> *Porquanto, nele, habita, corporalmente, toda a plenitude da Divindade. Também, nele, estais aperfeiçoados. Ele é o cabeça de todo principado e potestade.*
>
> *Colossenses 2.9-10 (grifo meu)*

Portanto, quando você está sob a autoridade (limitada por Deus) de seu marido, está realmente se colocando no lugar mais seguro possível – a vontade de Deus. Deus ama você e é bom. Não precisa temer. Há também muitas outras provisões adicionais que Deus colocou em sua Palavra, a fim de proteger você. Elas serão apresentadas com detalhes, mais adiante.

Ainda que a autoridade de Deus seja protetora, isto não garante que seu marido sempre fará a coisa mais sábia ou piedosa. Significa, entretanto, que, independentemente do que ele faça, Deus está trabalhando em sua vida, para conformá-la "à imagem de seu Filho" (Rm 8.29) e para que Ele seja glorificado. Deus não olha para a vida como nós. Sua perspectiva é eterna e perfeita. Infelizmente, a nossa é temporal e manchada pelo pecado. É por isso que Deus nos dá diretrizes claras para nos proteger. Mas...

POR QUE A ESPOSA PRECISA DE PROTEÇÃO?

Nas Escrituras, há pelo menos três razões pelas quais uma esposa precisa de proteção.

A INFLUÊNCIA QUE O MUNDO EXERCE SOBRE ELA.

Porque tudo que há no mundo, a concupiscência da carne, a concupiscência dos olhos e a soberba da vida, não procede do Pai, mas procede do mundo.

1 João 2.16

É inegável que todos nós temos sido erroneamente influenciados pelo mundo, por seu modo de pensar, por valores e objetivos humanistas mundanos. Todas estas coisas são hostis aos caminhos de Deus. Um exemplo de valor mundano é a crença feminista de que a identidade e realização da mulher vêm de sua educação e carreira. A Bíblia diz que ser "dona de casa" é uma virtude (Tito 2.5). Infelizmente a filosofia feminista do papel da mulher tem permeado cada aspecto de nossa cultura, incluindo nossas igrejas. Talvez você tenha sido tão sutilmente influenciada que nem esteja consciente disso. Deus quer protegê-la da influência do mundo.

O DIABO

Quanto ao mais, sede fortalecidos no Senhor e na força do seu poder. Revesti-vos de toda armadura de Deus, para poderdes ficar firmes contra as ciladas do Diabo... Portanto, tomai toda a armadura de Deus, para que possais resistir no dia mau, e, depois de terdes vencido tudo, permanecer inabaláveis.

Efésios 6.10-11,13

Satanás é contra tudo o que Deus estabelece. Por isso, ele tenta minar o lar e o papel da esposa. Você deve permanecer firme contra as ciladas do diabo, sendo uma cristã obediente. Uma exigência bíblica de obediência é que você se coloque graciosamente sob a autoridade de seu marido e assim permaneça (a não ser que ele lhe peça para pecar). Se você não fizer assim, estará fora da vontade de Deus e não terá feito tudo que é biblicamente possível a fim de permanecer inabalável.

AS MULHERES SÃO ILUDIDAS MAIS FACILMENTE.

E não permito que a mulher ensine, nem exerça autoridade de homem; esteja, porém, em silêncio. Porque, primeiro, foi formado Adão, depois, Eva. E Adão não foi iludido, mas a mulher, sendo enganada, caiu em transgressão.

1 Timóteo 2. 12-14

É comum que as mulheres da atualidade fiquem irritadas com estes versículos. Se isto acontece é porque não foram ensinadas sobre o que significam estes versos ou podem estar reagindo com um coração orgulhoso, influenciado pelo modo de pensar mundano. Estes versículos não significam, de maneira alguma, que a mulher seja de menor valor ou menos inteligente que o homem. De fato, a Bíblia assume a inteligência da mulher quando ensina às mais velhas a instruírem as mais jovens, que são menos maduras (Tito 2.3-5). O que estes versos dizem, no entanto, é que Deus, em sua infinita sabedoria, restringiu parcialmente o papel da mulher na igreja local, porque ela pode ser enganada mais facilmente. Há mais responsabilidades e fardos que Deus não tenciona que as mulheres carreguem. Uma mulher verdadeiramente sábia aceitará isso, apreciará isso e submeter-se-á graciosamente ao plano de proteção de Deus para ela.

A proteção de Deus lhe sobrevém por meio da estrutura de autoridade que Deus estabeleceu para você. Seu plano foi legado de seu coração perfeitamente puro e amoroso. Mesmo que uma criança não entenda as razões pelas quais sua mãe a leva ao médico, quando está doente, ela está certa em fazê-lo, porque está fazendo o que é melhor para a criança. Antes, parece irrelevante para a mãe, cujo filho está doente, que ele não entenda o porquê. À semelhança da mãe da criança doente, Deus faz o melhor para proteger as esposas. Talvez você nunca entenda as razões por que Deus faz o que faz, mas pode confiar que Ele sabe, melhor do que você mesma, o que você realmente precisa. Conserve em mente o fato que você nunca será o que Deus quer que você seja, até que se coloque sob o plano de Deus, submetendo-se à autoridade de seu marido.

CAPÍTULO 3

O que a esposa deve entender sobre o pecado

A provisão de Deus

Certa ocasião, conheci uma mulher que estava cometendo adultério. Ela me disse que era cristã. Quando lhe perguntei por que Deus deveria deixá-la entrar no céu, ela me respondeu: "Porque tenho sido muito boa". Ela podia ser uma pessoa bondosa, mas estava enganada a respeito de seu pecado e da sua salvação. A questão é que ninguém pode ser bom o suficiente para merecer o dom da salvação de Deus. Ao contrário do que aquela "boa" mulher cria, ela não conhecia o Deus da Bíblia nem sua provisão para o perdão de seus pecados. Talvez você esteja na mesma condição em que ela está e precise de um conhecimento bíblico sobre o pecado e sobre a provisão de Deus para uma vida eterna com Ele. Sendo assim, este capítulo explica quatro características do pecado e a provisão de Deus por meio do Senhor Jesus Cristo, para lidar com os pecados do passado e com os pecados do presente.

Quando Deus criou Adão e Eva, deu-lhes a habilidade de pensar, sentir, interagir com outros e discernir o certo do errado.

Criou Deus, pois, o homem à sua imagem, à imagem de Deus o criou;
homem e mulher os criou.

Gênesis 1.27

As habilidades que Deus deu a Adão e Eva foram declaradas por Deus como sendo boas.

Viu Deus tudo quanto fizera, e eis que era muito bom.

Gênesis 1.31 (grifo meu)

Assim era o homem até que Adão e Eva pecaram. Desde então, todas as pessoas têm pecado em suas vidas. As boas habilidades que Deus lhes deu foram pervertidas pelos pecadores. Por exemplo: Deus deu ao homem capacidade para pensar. Os homens usam esta capacidade para planejar e executar roubos a bancos. Deus deu ao homem capacidade de sentir e ter emoções. As mulheres sentem-se tensas e nervosas e, então, gritam com seus filhos. Deus deu ao homem capacidade de responder com calma e paciência aos outros. As pessoas respondem freqüentemente com grosseria e impaciência ou de maneira inaproveitável (Efésios 4.29). Deus deu ao homem a consciência para distinguir entre o certo e o errado (Hebreus 10.22). Centenas de presídios superlotados nos mostram que escolhas as pessoas têm feito! O fato é que não há criação divina que o homem pecador não tenha pervertido.

A tendência do homem para pecar afetou cada área da vida, inclusive o relacionamento entre o marido e a esposa. Porém, antes de vermos como a tendência humana para o pecado tem afetado as esposas em sua maneira prática de viver, precisamos entender as características básicas do pecado.

QUATRO CARACTERÍSTICAS DO PECADO

O PECADO É UNIVERSAL, NINGUÉM ESTÁ ISENTO.

Pois todos pecaram e carecem da glória de Deus. Romanos 3.23

O PECADO PODE SER EXPOSTO E ÓBVIO AOS OUTROS.

Ora, as obras da carne são <u>conhecidas</u> e são: prostituição, impureza, lascívia, idolatria, feitiçarias, inimizades, porfias, ciúmes, iras, discórdias, dissensões, facções, invejas, bebedices, glutonarias e coisas semelhantes a estas, a respeito das quais eu vos declaro, como já, outrora, vos preveni, que não herdarão o reino de Deus os que tais coisas praticam.

Gálatas 5.19-21 (grifo meu)

O PECADO NÃO PODE SER ESCONDIDO DE DEUS.

Porém o SENHOR disse a Samuel: Não atentes para a sua aparência, nem para a sua altura, porque o rejeitei; <u>porque o SENHOR não vê como vê o homem. O homem vê o exterior, porém o SENHOR, o coração.</u>

1 Samuel 16.7 (grifo meu)

E não há criatura que não seja manifesta na sua presença; pelo contrário, todas as coisas estão descobertas e patentes aos olhos daquele a quem temos de prestar contas.

Hebreus 4.13

O PECADO É PENALIZADO COM JUSTIÇA.

Porque o <u>salário do pecado é a morte</u>, mas o dom gratuito de Deus é a vida eterna em Cristo Jesus, nosso Senhor.

Romanos 6.23 (grifo meu)

O meu Servo [o Senhor Jesus Cristo], o Justo, com o seu conhecimento, justificará a muitos, porque as iniquidades deles levará sobre si.

Isaías 53.11

Todos os homens pecam. Seus pecados podem ser expostos e visíveis ou pensamentos e motivações encobertos. Deus é onisciente. Ele conhece cada pensamento e ação do homem. Deus é santo, por isso tem de punir o pecado. Felizmente, motivado por amor e misericórdia, Deus providenciou para a humanidade um pagamento para a penalidade do pecado. A provisão de Deus foi o <u>Senhor Jesus Cristo.</u>

NOSSA PROVISÃO ATRAVÉS DE CRISTO

Jesus Cristo recebeu sobre Si mesmo a punição de Deus contra o pecado, quando morreu em nosso lugar na cruz do Calvário. Ele foi o nosso substituto. Nós merecemos a morte; mas, em vez disso, Cristo foi punido por nós. O profeta Isaías o expressou desta maneira: "O castigo que nos traz a paz [a punição que merecíamos] estava sobre ele" (Isaías 53.5, o comentário entre colchetes foi acrescentado). Qualquer um poderá ser perdoado de seus pecados e justificado (declarado "justo" por Deus, com base na obra de Cristo), se crer "no Senhor Jesus Cristo" (Atos 16.31). O apóstolo Paulo explicou o que queria dizer com a expressão "crer no Senhor Jesus Cristo" quando escreveu Romanos 10.9. Ali Paulo explica: "Se, com a tua boca, confessares Jesus como Senhor e, em teu coração, creres que Deus o ressuscitou dentre os mortos, serás salvo".

Talvez você já tenha aprendido sobre Jesus durante toda a sua vida. Talvez seja membro de uma igreja e tenha sido batizada. Você pode até ser a superintendente da Escola Bíblica Dominical; contudo, se nunca confiou em Jesus Cristo, você tem apenas uma religião de aparência. Se você quiser, neste exato momento pode curvar sua fronte, em humilde arrependimento diante de Deus, pedindo que Ele tenha misericórdia de sua alma, confessando os seus pecados e rogando-Lhe perdão; e, assim, pode confessar Jesus como Senhor e Mestre de sua vida.

Se você colocou sua fé (confiança) em Jesus Cristo, e apenas nEle, como seu Senhor e Salvador, você não mais está sob a ira de Deus. Todos os seus pecados foram perdoados – passado, presente e futuro. Você não apenas está limpa de seu pecado, como também está colocada por Deus numa união sobrenatural com Cristo. Em seguida, Deus quer que você tenha certeza de sua salvação.

> *Estas coisas vos escrevi, a fim de saberdes que tendes a vida eterna,*
> *a vós outros que credes em o nome do Filho de Deus.*
> 1 João 5.13 (grifo meu)

Se você é cristã, que alegria saber que Deus perdoou todos os seus pecados! Além de saber que está perdoada de seus pecados, você precisa saber...

COMO LIDAR COM AS CONSEQÜÊNCIAS DE PECADOS PASSADOS

E se houver alguns pecados especialmente dolorosos em seu passado, os quais você nunca contou ao seu marido? E se eles foram imorais? E se você fez um aborto ou foi homossexual, ou ladra? É importante que você entenda a perspectiva de Deus com relação ao seu passado. O apóstolo Paulo escreveu sua primeira carta à igreja de Corinto dirigindo-se a pessoas que haviam cometido pecados imorais. Lembre-se de que ele estava escrevendo para cristãos.

> *Ou não sabeis que os injustos não herdarão o reino de Deus? Não vos enganeis: nem impuros, nem idólatras, nem adúlteros, nem efeminados, nem sodomitas, nem ladrões, nem avarentos, nem bêbados, nem maldizentes, nem roubadores herdarão o reino de Deus. Tais fostes alguns de vós; mas vós vos lavastes, mas fostes santificados, mas <u>fostes</u> justificados em o nome do Senhor Jesus Cristo e nos Espírito do nosso Deus.*
>
> *1 Coríntios 6.9-11 (grifo meu)*

Certamente, se você é cristã, precisa crer em Deus quando Ele diz: "Tais <u>fostes</u> alguns de vós". Em Jesus, "as coisas antigas já passaram; eis que se fizeram novas" (2 Coríntios 5.17). Se você é salva, foi perdoada de todos os seus pecados e declarada justa diante de Deus; contudo, se há algo que possa afetar seu casamento, talvez você precise contar tudo ao seu marido. Na dúvida, consulte o seu pastor.

Se você é cristã e tem lidado com o pecado passado de maneira bíblica, estou certa de que você tem consciência de que ainda peca. Então, como Deus quer ver você...

LIDANDO COM O PECADO PRESENTE

O pecado permeia cada aspecto das ações humanas, inclusive o casamento. Deus providencia perdão para o pecado, por meio do Senhor Jesus Cristo. Portanto, o homem pode ser perdoado por Deus e viver em harmonia com outras pessoas (isto inclui maridos e esposas!). Os cristãos devem aceitar graciosamente o perdão que têm em Cristo e perdoar seus cônjuges "Perdoando-vos uns aos outros, como também Deus, em Cristo, vos perdoou" (Efésios 4.32). (Para mais informações a respeito do processo de perdão, veja o capítulo 9.) Deus providenciou Cristo para nós, mas, qual é a nossa responsabilidade? Somos responsáveis por nos arrependermos. Se nosso pecado tornou-se um hábito constante, então nossos frutos de arrependimento levarão tempo e terão muito trabalho para desenvolverem-se. Na verdade, o arrependimento começa com...

UM PROCESSO DILIGENTE

Nem todos os pecados são tão devastadores para um casamento quanto o exemplo anterior de imoralidade, mas qualquer pecado desgasta a unidade que Deus tenciona que os casais cristãos tenham. Todos os cristãos trazem para o matrimônio antigos hábitos pecaminosos de pensamentos e reações, os quais prejudicam seu casamento e ofendem o Senhor. O arrependimento é um processo que geralmente envolve mais que apenas confissão ao Senhor e ao esposo. Pode levar tempo e esforço. É por isso que somos instruídos nas Escrituras: "Exercita-te, pessoalmente, na piedade" (1 Timóteo 4.7, grifo meu).

A palavra grega no Novo Testamento traduzida por "disciplina" é *gymnazō*, que significa "exercitar ou treinar".[1] Em outras palavras, significa fazer repetidas vezes até que esteja correto. Em português, temos as palavras "ginástica" e "ginásio" provenientes desta palavra grega. Velhos hábitos de pensamentos e reações não desaparecem simplesmente. Eles devem ser substituídos por novas e piedosas maneiras de pensar e falar. Os cristãos devem ser "transformados pela renovação" de sua mente (veja Romanos 12.2). Enquanto trabalhamos nisso, o Espírito Santo nos capacita de modo sobrenatural. Eventualmente, a resposta piedosa torna-se uma resposta automática. Este processo é descrito em Efésios 4 e Colossenses 3 e é chamado...

---

1 THOMAS, Robert, ed. New American Standard Exhaustive Concordance of the Bible. Nashville: Holman Bible Publishers, 1981. #1128. p. 1640.

O Processo Bíblico da Mudança

Despojar	Revestir
...vos despojeis do velho homem. Efésios 4.22	...vos revistais do novo homem. Efésios 4.24
Deixando a mentira... Efésios 4.25	Fale cada um a verdade com o seu próximo. Efésios 4.25
Aquele que furtava não furte mais. Efésios 4. 28	Trabalhe... para que tenha com que acudir ao necessitado. Efésios 4.28
Longe de vós, toda amargura, e cólera, e ira, e gritaria, e blasfêmias, e bem assim toda malícia. Efésios 4.31	Sede uns para com os outros benignos, compassivos, perdoando-vos uns aos outros, como também Deus, em Cristo, vos perdoou. Efésios 4.32

O pecado evidente começa em seu coração, com o que você deseja. O que você quer, determina, em parte, como você fala consigo mesma. Uma pessoa pode ser bem-sucedida de algum modo, ao modificar comportamentos exteriores, mas a única maneira real de glorificar o Senhor Jesus Cristo é pensar de acordo com a sua Palavra (Romanos 12.2). Os exemplos a seguir mostram como uma esposa pode ter pensamentos errados e pecaminosos, contrastados com o seu "revestir-se" de pensamentos piedosos e corretos:

Pensamentos errados, pecaminosos	Pensamentos corretos, piedosos
Eu o odeio!	Não sinto amor por ele neste momento, mas resolvo amá-lo, reagindo gentilmente.
Não há esperança para este casamento!	Se ele se arrepender, não há nada que eu não possa perdoar e que não possamos nos esforçar para resolver.

Pensamentos errados, pecaminosos	Pensamentos corretos, piedosos
Eu não posso ser o que Deus quer que eu seja, porque meu marido não é um homem correto.	Ele pode ser um completo fracasso diante de Deus, mas eu não tenho de ser. Eu posso ser agradável a Deus, quer ele seja ou não.
Não posso suportar mais a pressão!	Posso suportar a pressão, uma vez que "não vos sobreveio tentação que não fosse humana; mas Deus é fiel e não permitirá que sejais tentados além das vossas forças" (1 Coríntios 10.13).
Gostaria de estar com o marido de minha amiga. Ele é tão gentil com ela.	Obrigada, Senhor, pelo meu marido. O que posso fazer para mostrar-lhe que ele é especial para mim?
Não ouso contar-lhe o que estou pensando. Se eu o fizer, ele pensará mal de mim.	Posso aprender a falar a verdade em amor. Deus me dará a graça de suportar a reação, seja ela qual for.
Queria que ele me deixasse em paz.	Obrigada, Senhor, por dar-me um marido que quer estar comigo.
Se ele me amasse, seria romântico.	O amor "não procura os seus interesses" (1 Coríntios 13.5). O que posso fazer para demonstrar amor por ele?

Mudar pensamentos pecaminosos começa com a identificação de pensamentos egoístas, desamorosos, vingativos e amargos ou qualquer outra atitude antibíblica. Após perceber que seu pensamento é errado, confesse-o a Deus (concordando com Ele que o pensamento era pecaminoso). Entretanto, uma vez que o arrependimento significa mudança de pensamento, o processo de arrependimento não estará completo até que você substitua tal pensamento por outro piedoso e íntegro. Então, você terá de "despojar-se" do pensamento que glorifica a você mesma e "revestir-se" de um pensamento que glorifique a Deus. Este é um processo que requer esforço. Quanto mais você trabalhar em revestir-se de pensamentos e ações corretos, tanto mais isto afetará diretamente quão parecida com o Senhor Jesus Cristo você se tornará nesta vida. Se você se empenhar nisto, estará exercitando-se, "pessoalmente, na piedade" (1 Timóteo 4.7).

RESUMINDO

Vimos que o pecado pode ser exposto ou escondido. O pecado é uma característica universal de seres humanos caídos. Somente o imaculado Filho de Deus, Jesus Cristo, pôde providenciar os meios para satisfazer a justa exigência de Deus contra o pecado. Deus realiza toda a obra de salvação do homem. A salvação é pela sua graça e não baseada em qualquer mérito (qualquer "bem") dentro do homem. A provisão de Deus para os pecados começa na cruz e continua com graça para auxiliar-nos a crescer e amadurecer como cristãos (veja Hebreus 4.16). Com a graça de Deus podemos trabalhar diligentemente em nos "despir" dos pensamentos errados, pecaminosos e nos "revestir" de pensamentos e ações biblicamente corretos.

Portai-vos com temor durante o tempo da vossa peregrinação, sabendo que não foi mediante coisas corruptíveis, como prata ou ouro, que fostes resgatados do vosso fútil procedimento que vossos pais vos legaram, mas pelo precioso sangue, como de cordeiro sem defeito e sem mácula, o sangue de Cristo.

1 Pedro 1.17-19

CAPÍTULO 4

O que a esposa deve entender sobre os relacionamentos

O padrão de Deus

Neste capítulo, os conceitos foram adaptados, com permissão, do material de Stuart Scott, pastor do Ministério de Família e Aconselhamento na Igreja Comunidade da Graça, Sun Valley, Califórnia.[1]

Ao aconselhar mulheres, ouço freqüentemente a reclamação: "Tenho problemas de relacionamento" ou "preciso de ajuda para saber o que fazer a respeito de um relacionamento específico". O "problema" de relacionamento pode ser com a mãe, o irmão, o filho, a amiga, o pastor, o colega de trabalho ou o marido. Como conselheira, vejo os exemplos da Escritura que ajudarão a esposa a achar um padrão piedoso de relacionamentos para, então, segui-lo. Consideravelmente, o melhor exemplo que temos desse padrão é encontrado na Trindade. Os membros da Divindade triúna são para nós exemplos vivos de um relacionamento perfeito.

Deus cultivou relacionamentos. Ele caminhava com Adão à brisa da tarde. Ele arrebatou Enoque para estar consigo. Concedeu a Noé seu favor.

---

1 SCOTT, Stuart. *"Biblical relationships", Sunday School Material* – Relacionamentos Bíblicos, Material de Escola Bíblica Dominical, 1993.

Ele comeu, conversou e fez aliança com Abraão. Ele confortou Agar no deserto e deu-lhe esperança. Providencialmente, trouxe José ao Egito e preparou-o para um dia no futuro. Deus até deixou que Moisés visse sua glória, de maneira indireta. Ele fez de Davi um rei e deu-lhe um coração que era inteiramente voltado para o Senhor. E providenciou os meios para que pecadores se reconciliassem com Ele, em um relacionamento correto, por meio da obra expiatória de Jesus Cristo na cruz.

Um pouco antes de seu aprisionamento e crucificação, Jesus orou ao Pai em favor daqueles que colocariam sua fé e confiança nEle. Ele baseou sua oração na obra que estava para realizar em favor deles, na cruz, e no fato de que isso glorificaria o Pai. Jesus orou, pedindo a Deus: "Santifica-os na verdade"; e orou para que os crentes se tornassem um com Deus: "Que todos sejam um; e como és tu, ó Pai, em mim e eu em ti, também sejam eles em nós; para que o mundo creia que tu me enviaste" (João 17.21, grifo meu).

Jesus também orou para que os crentes tivessem união completa e perfeita, em seu relacionamento uns com os outros. "Eu lhes tenho trans-mitido a glória que me tens dado, para que sejam um, como nós o somos; eu neles, e tu em mim, a fim de que sejam aperfeiçoados na unidade, para que o mundo conheça que tu me enviaste e os amaste, como também amaste a mim" (João 17.22-23, grifo meu).

Todos os cristãos têm, sobrenaturalmente, a unidade posicional pela qual Jesus orou, em João 17. Se são marido e esposa, também estão unidos por Deus em "uma só carne" (Gênesis 2.24). A palavra hebraica traduzida por "um" é *echad*, que significa "um, semelhante, totalmente unido ou tudo junto".[2] A mesma palavra é usada em Deuteronômio 6.4 para expressar que "Deus... é o único Senhor". Em outras palavras, de algum modo Deus faz o marido e a esposa serem "um", como a Trindade é uma, uma unidade composta.

A unidade que Deus tenciona que as pessoas tenham, em seus rela-cionamentos, é possível somente por meio de Jesus Cristo. Muito do que foi perdido na Queda do homem pode ser resgatado pela união com Cristo. Somente em Cristo o relacionamento do marido com a esposa pode ser bom, piedoso e corretamente íntimo.

---

2 THOMAS, Robert. #259, p. 1486.

O relacionamento da Divindade é nosso modelo de relacionamento. Desde a eternidade passada, Deus (a Trindade) estabeleceu o padrão para os relacionamentos. O relacionamento entre a Trindade é íntimo e próximo. Assim como há harmonia na Trindade, também pode haver harmonia num relacionamento matrimonial. Deus tenciona e deseja que experimentemos isto. Devemos olhar para Deus, para seu padrão perfeito.

Na Trindade, há certos componentes que se misturam para formar um relacionamento perfeitamente harmonioso e íntimo. Estes componentes são as qualidades do caráter piedoso que cada membro da Trindade possui inerentemente. Deus tencionou que o homem possuísse muitas dessas mesmas características. No entanto, infelizmente, o homem pecador perverteu toda e cada uma dessas piedosas características que originalmente foram dadas a Adão e Eva. À medida que você estuda a seguinte tabela de comparação, logo percebe como o relacionamento entre os seres humanos tão facilmente se desgasta.

CARACTERÍSTICAS DA TRINDADE (RESULTA EM HARMONIA E INTIMIDADE PERFEITAS)	CARACTERÍSTICAS DO HOMEM CAÍDO (RESULTA EM FALTA DE HARMONIA E INTIMIDADE)
Ternura, compassividade e misericórdia.	Rudeza, impiedade e crueldade.
Acessibilidade e transparência.	Fechamento, privacidade e autoproteção.
Bondade para com o outro, mostrada pela glorificação do outro.	Malícia para com o outro, mostrada em diminuir o outro para o engrandecimento de si mesmo.
Amor – ações sacrificiais pelo outro.	Egoísmo – ações feitas com interesse próprio.
Comunicação perfeita um com o outro.	Mágoas entre si por não se comunicarem biblicamente.
Comprometimento honesto e verdadeiro com um padrão reto.	Engano, mentira e comprometimento consigo mesmo.
Conhecimento e entendimento perfeitos um do outro.	Conhecimento e revelação limitados um do outro.

Confiança e fidelidade em seu relacionamento.	Infiel, não confiável e sem confiança, devido a uma base de relacionamento condicional ("Se você fizer... então, eu farei...").
Ao realizar uma tarefa, há ordem, propósito e subordinação voluntária do Filho e do Espírito ao Pai (nenhum poder luta por "meus direitos").	Inclinado a manipular com ira, lágrimas, ameaças para que seja feito do seu modo (busca desesperada por "meus direitos").

Como você pode ver, a Trindade possui perfeita unidade e harmonia. "De fato, os três membros da Divindade são tão interligados que parecem uma só pessoa, quando, na verdade são três".[3] Uma vez que os três membros da Divindade são nosso exemplo perfeito, leia cuidadosamente a seguinte explicação de como os membros da Trindade se relacionam um com o outro:

> *A Trindade é um relacionamento no qual três Pessoas eternas (cada uma perfeita em caráter e totalmente iguais em ser, poder e glória) revelam, conhecem e amam um ao outro com ternura e perfeição, para o bem do outro, no contexto de um comprometimento eterno. Quando decidem estabelecer e alcançar um alvo, para o propósito de ordem e administração, Deus Filho e Deus Espírito concordam voluntariamente com Deus Pai, a fim de trabalharem de acordo com seus perfeitos planos. Uma vez que trabalham juntos, são totalmente unidos em desejo, pensamento e ação, até que atinjam o alvo. Assim, Eles são uma pluralidade em unidade.[4]*

Maridos e esposas fariam bem em aprender o padrão de Deus e lutar por alcançar (pela graça de Deus) os mesmos traços deste caráter. Este é, novamente, o alvo e desejo de Deus para nós (Efésios 5.22-33). Observe, especialmente, quanto amor piedoso há na Trindade. Note também sua humildade. Mesmo sendo iguais em ser, o Filho e o Espírito submetem-se voluntariamente ao Pai. Eles se comunicam intimamente entre si. Não há confusão, mas somente harmonia e unidade perfeita. Unidade perfeita é a norma de Deus dentro da Trindade.

---

3 SCOTT, Stuart. Anotações em classe, em *"relationships"*. Grace Community Church, 1994.
4 Idem.

No entanto, qual é a norma de Deus para a humanidade em seus relacionamentos?

A norma de Deus para o homem em seus relacionamentos é ser e agir como o Senhor Jesus Cristo. Já vimos que Jesus orou no jardim do Getsêmani para que os crentes "sejam um, como nós o somos; eu neles, e tu em mim, a fim de que sejam aperfeiçoados na unidade..." (João 17.22,23, grifo meu). As orações de nosso Senhor por nós não cessaram. "Por isso, também pode salvar totalmente os que por ele se achegam a Deus, vivendo sempre para interceder por eles" (Hebreus 7.25).

Para ser aperfeiçoada em unidade, você deve parar de fazer perguntas como: "O que isso fará por mim?" ou: "O que vou ganhar com isso?", ou: "Como posso alcançar meus desejos (necessidades)?". Em vez disso, pergunte-se: "Como podemos glorificar a Deus?", ou: "Como podemos andar de maneira agradável a Deus e deleitando-nos nEle, à medida que prosseguimos?" Deixe que sua ambição seja como a de Paulo, que almejava ser agradável a Deus (veja 2 Coríntios 5.9). Na verdade, Paulo sentiu tão fortemente que tinha de agradar a Deus, que descreveu todo o seu propósito de vida com estas palavras: "O viver é Cristo" (Filipenses 1.21).

Naturalmente, exaltamos a nós mesmos e, quando o fazemos, somos como o rei caldeu Belsazar, a quem Deus falou por meio do profeta Daniel: "Te levantaste contra o Senhor do céu... a Deus, em cuja mão está a tua vida e todos os teus caminhos, a ele não glorificaste" (Daniel 5.23). Pouco depois deste aviso, Belsazar viu, aterrorizado, uma mão vinda do Senhor, fazendo uma inscrição na parede; a inscrição relatava o fim iminente do reino de Belsazar. Mais tarde, naquela noite, Belsazar foi morto. O fato de que Belsazar não glorificou a Deus é uma afronta pior do que não O glorificarmos? Penso que não. Deus quer que O glorifiquemos e O sirvamos hoje, pensando e agindo como o Senhor Jesus Cristo o fez, e que participemos ativamente no processo de nos tornarmos "conformes à imagem de seu Filho" (Romanos 8.29; veja também Romanos 12.1-2).

Deus quer que paremos de viver para nós mesmas, que paremos de destruir relacionamentos e que comecemos a viver para Ele. Paulo escreveu à igreja em Corinto, dizendo: "Os que vivem não vivam mais para si mesmos, mas para aquele que por eles morreu e ressuscitou" (2 Coríntios 5.15, grifo meu). É fácil viver para si mesma e, contudo, terminar insatisfeita e vazia. Você pode pensar: "Estou disposta a me esforçar para ter um relacionamento mais próximo com meu marido, mas ele não está". Se ele não deseja se comunicar ou é ríspido e, ainda assim, você reagir de maneira piedosa, você estará sofrendo por uma causa justa, e Deus suprirá suas necessidades. Deus é o único para quem devemos olhar (para mais informação sobre o pecado do marido, veja capítulo 14).

À medida que você olha para Deus e deseja ter um relacionamento normal com seu marido, deve tornar-se como Jesus e agir como Ele agiria (para mais informações sobre tornar-se como Jesus, veja o capítulo 5). Para ser como Cristo, você deve pensar e agir como Cristo. Para alcançar esse alvo, sua motivação deve mudar de "o que posso ganhar com isso?" para "o que posso dar?" (veja 1 Coríntios 13.5; Filipenses 2.2-3). Conseqüentemente, você não deve esperar agradecimentos ou reconhecimentos. Você está apenas cumprindo sua tarefa mínima para Deus. Jesus nos comparou ao escravo que apenas fazia o que era seu dever:

> Assim também vós, depois de haverdes feito tudo quanto vos foi ordenado, dizei: Somos servos inúteis, porque fizemos apenas o que devíamos fazer.
>
> Lucas 17.10, grifo meu

Dar-se ao seu marido é nada mais, nada menos, do que o chamado do dever. É apenas o que você tem de fazer. Você tem de ser bondosa com seu marido. Você tem de ser acessível, transparente e honesta com ele. Talvez você lute com a acessibilidade, a transparência e a honestidade. Se for assim, a razão é que um pecador...

procura estar isolado.
procura estar no controle.
procura esconder-se da dor/mágoa.
procura proteger a si mesmo.
tende a ser egoísta.

Por causa de nossa tendência natural para o "egoísmo", é importante buscarmos diariamente a Palavra de Deus, que é "viva e eficaz" e "apta para discernir os pensamentos e propósitos do coração" (Hebreus 4.12). O Espírito Santo usará a Santa Palavra de Deus para convencê-la até o mais profundo, para que a motivação em seu relacionamento com seu marido seja a glória de Deus, e não a glória do seu "ego".

No relacionamento com seu marido, Deus quer que você se comunique em amor e experimente a intimidade correta, compartilhando pensamentos, desejos presentes e futuros, aspirações, alvos, lutas e discernimentos espirituais. Ele quer que você seja acessível, honesta e sincera. Suas palavras devem ser edificantes. Suas tarefas, sacrificiais. Seu motivo, a glória de Deus. Lembre-se de que seu padrão de unidade é a Trindade. Ele quer que você não somente seja como Jesus, mas também que você ajude seu marido a ser como Jesus, o mais possível. Tornar-se mais e mais como Jesus é o processo de santificação progressiva. O processo de santificação mútua se realiza quando você e seu marido cristão ajudam-se mutuamente a tornarem-se como Jesus. Santificação e santificação mútua estão explicadas no próximo capítulo.

CAPÍTULO 5

O que a esposa deve entender sobre o casamento

O Propósito de Deus

Recentemente, fui à minha trigésima reunião anual de ex-alunos de Ensino Médio. Lá tive a oportunidade de reencontrar muitos colegas de classe, inclusive um que estava na mesma caravana que eu. Ambos mudamos muito, desde a oitava série! Enquanto conversávamos, ele me contou a experiência que tivera naquela época com o conselheiro da escola. O conselheiro disse que meu amigo nunca seria aceito numa prestigiada escola de engenharia de nossa cidade. Também lhe disse que, se fosse aceito, nunca se formaria. Contudo, lembro-me do dia em que ele foi aceito! Ele e sua família estavam tão entusiasmados! Ele tinha um alvo e o perseguiu diligentemente; quatro anos mais tarde, formou-se. Trinta anos depois, ele ainda colhia os frutos de sua busca, ao chegar na reunião em um Mercedes que estampava na placa a insígnia do Instituto de Tecnologia da Georgia!

Assim como meu colega de turma do Ensino Médio possuía uma meta e procurou atingi-la, maridos e esposas devem ter um objetivo bíblico para seu relacionamento. No capítulo anterior, aprendemos o padrão de Deus para a unidade no casamento – o exemplo da Trindade. Agora aprenderemos como o marido e a esposa devem ministrar um ao outro, enquanto buscam o propósito ou objetivo de Deus para o casamento.

O OBJETIVO DE DEUS PARA O CASAMENTO

O alvo do casal cristão em seu casamento é ter uma unidade caracterizada por um laço de amor espiritual e físico que glorifique a Deus e que, portanto, intensifique o crescimento espiritual (Gênesis 2.24; Efésios 5.22-33; Gálatas 6.1; Hebreus 13.4). Unidade e crescimento espiritual são alcançados à medida que cada cônjuge ajuda o outro a tornar-se mais parecido com o Senhor Jesus Cristo. O crescimento espiritual e a unidade no casamento não acontecem por acaso. Acontecem em proporção direta à diligência do casal em buscar esses elementos.

A aproximação e o crescimento espiritual ocorrem em formas mensuráveis, concretas e práticas. Por exemplo, a esposa deixa de ser sarcástica e áspera em seu tom de voz com o marido e começa a reagir de modo gentil, terno e amável. Este tipo de mudança não somente promove a unidade, como também glorifica a Deus, visto que ela está obedecendo à Palavra de Deus. De modo semelhante, o Espírito Santo mostra o poder e a graça de Deus, ao capacitar a esposa a mudar. Raramente uma meta é atingida por acaso. Alcançar a unidade que Deus tenciona envolve comprometimento, perseverança, diligência e graça de Deus.

Não há meios instantâneos para que o casal alcance o crescimento espiritual e o tipo de unidade estreita e amável que verdadeiramente glorifiquem o Senhor. Contudo, existem ao menos quatro meios específicos pelos quais este alvo é alcançado:

RECURSOS BÍBLICOS PARA ATINGIR A META DA UNIDADE E DO CRESCIMENTO ESPIRITUAL

Faça de seu casamento um assunto de orações constantes.
Comprometa-se a desenvolver um comportamento bíblico.
Assuma a responsabilidade por suas próprias falhas e arrependa-se.
Submeta-se e participe do processo de "santificação mútua".

Vejamos esses pontos mais detalhadamente.

ORE CONSTANTEMENTE E COMPROMETA-SE A DESENVOLVER
UM COMPORTAMENTO BÍBLICO.

Comece orando regular e constantemente para que seu casamento agrade e glorifique a Deus. Seja específica em seus pedidos a Deus. Humilhe-se diante dEle. Nomeie suas fraquezas, confesse seus pecados e peça a Deus que transforme as suas fraquezas e as do seu marido em força. Não perca o ânimo. Saiba que Deus a ouve e responderá. E, à medida que ora, comprometa-se com o Senhor a buscar um comportamento bíblico. Um comportamento bíblico é, simplesmente, um plano de ação baseado nas Escrituras. Você começa assumindo a responsabilidade por suas próprias falhas.

ASSUMA A RESPONSABILIDADE POR SUAS PRÓPRIAS FALHAS E ARREPENDA-SE.

Em seus testemunhos ao Senhor, muitos maridos cristãos expressam gratidão pela influência de sua esposa em sua vida. Mesmo que seu marido não seja crente ou não esteja interessado em crescimento espiritual, você pode glorificar a Deus, e isto provavelmente exercerá um efeito positivo sobre seu marido. Comece a orar e peça ao Senhor que lhe mostre o pecado em sua vida. Alcançar o propósito de Deus no casamento começa com um dos cônjuges tirando "a trave de seu próprio olho" (Mateus 7.3). O Senhor explicou isso da seguinte maneira:

> Por que vês tu o argueiro no olho do teu irmão, porém não reparas na trave que está no teu próprio? Ou como dirás a teu irmão: Deixa-me tirar o argueiro do teu olho, quando tens a trave no teu? Hipócrita! Tira primeiro a trave do teu olho e, então, verás claramente para tirar o argueiro do olho de teu irmão.
>
> Mateus 7.3-5 (grifo meu)

O Senhor Jesus *não* está dizendo para nunca procurar o argueiro no olho de seu marido. Ele *está* dizendo que você precisa primeiro certificar-se de que sua vida esteja em ordem. Então, estará apta para ver claramente, a fim de confrontar seu marido cristão a respeito do pecado na vida dele.

Quando você orar: "Senhor, tira a trave do meu olho, mostrando-me o pecado em minha vida", Deus responderá esta oração. Esta é uma oração de humildade que, portanto, glorifica ao Senhor. Prepare-se para reagir às respostas de Deus, discernindo como Ele pode responder a este tipo de oração.

Como Deus Lhe Mostra o Pecado:

a - Convencendo-a, quando você lê ou ouve a Palavra de Deus.

> *Porque a palavra de Deus é viva, e eficaz, e mais cortante do que qualquer espada de dois gumes, e penetra até ao ponto de dividir alma e espírito, juntas e medulas, e é apta para discernir os pensamentos e propósitos do coração.*
>
> *Hebreus 4.12 (grifo meu)*

b - Deus pode usar alguém para admoestá-la.

> *Leais são as feridas feitas pelo que ama, porém os beijos de quem odeia são enganosos.*
>
> *Provérbios 27.6*

Quando alguém percebe que você tem um pecado em sua vida, você pode escolher como vai reagir. Pode reagir com um coração grato, confessando seu pecado e abandonando-o, ou pode reagir com um coração orgulhoso, confuso, irado, defensivo, ressentido e vingativo. Se você reagir desta última maneira, é culpada de orgulho pecaminoso. O orgulho causa contenda e vergonha, uma vez que "da soberba só resulta a contenda" (Provérbios 13.10). Além disso, as Escrituras dizem que "a soberba precede a ruína, e a altivez de espírito, a queda" (Provérbios 16.18). Nunca é agradável enxergar os próprios erros, mas replicar pecaminosamente só intensifica o pecado. Você precisa praticar a santificação mútua, tirando a trave do seu próprio olho.

SUBMETA-SE E PARTICIPE DO PROCESSO DE SANTIFICAÇÃO MÚTUA.

A santificação mútua no casamento é um processo bíblico de auxílio para que tanto um como o outro torne-se mais parecido com o Senhor Jesus Cristo.

O marido, como líder espiritual da família e, "juntamente, herdeiro da mesma graça" (1 Pedro 3.7), deve ajudar sua esposa a crescer e amadurecer como cristã A esposa, como "auxiliadora idônea" (Gênesis 2.18), também deve auxiliar seu marido a crescer e amadurecer como cristão.

Para entendermos melhor o conceito da santificação mútua, começaremos por explicar a santificação. A palavra "santificação", na Bíblia, vem do radical grego *hagios*, que significa ser consagrado. Há três categorias de santificação ensinadas na Escritura: posicional, progressiva e futura.

A primeira categoria é a santificação posicional. Esta santificação acontece no momento em que uma pessoa é salva. Ela é obra total de Deus. Deus atrai o pecador a Si, dá-lhe o desejo de buscá-Lo, convence-o de pecado, limpa-o do pecado e salva a sua alma.

> *Entretanto, devemos sempre dar graças a Deus por vós, irmãos amados pelo Senhor, porque Deus vos escolheu desde o princípio para a salvação, pela santificação do Espírito e pela fé na verdade.*
> *2 Tessalonicenses 2.13 (grifo meu)*

A última categoria de santificação é a santificação futura. Esta também é uma obra completa de Deus. Acontecerá quando o Senhor Jesus voltar para buscar a sua igreja, para que esteja com Ele e, neste processo, dar a cada membro um corpo novo e santificado, puro e santo.

> *Ora, aquele que é poderoso para vos guardar de tropeços e para vos apresentar com exultação, imaculados diante da sua glória.*
> *Judas 24 (grifo meu)*

A outra categoria de santificação é a santificação progressiva. Vamos observá-la mais detalhadamente. Este aspecto de santificação começa no momento da salvação e terminará quando você for habitar com o Senhor. Neste processo, você cresce e amadurece como cristã, torna-se mais parecida com o Senhor Jesus Cristo. Não é apenas uma obra de Deus. Esta não é apenas uma obra de Deus realizada quando Ele a convence, disciplina e capacita; é também uma obra humana, pois você é responsável por crescer "na graça e no conhecimento de nosso Senhor e Salvador Jesus Cristo" (1 Pedro 3.18; note: "crescei" é um verbo imperativo; é uma ordem). Você também é responsável por seguir o amor (1 Coríntios 14.1); inclinar-se para "as coisas do Espírito" (Romanos 8.5; "as coisas do Espírito" são as que Deus deseja); fugir "da impureza" (1 Coríntios 6.18) e exercitar-se "pessoalmente, na piedade" (1 Timóteo 4.7, grifo meu). Você tem muito a fazer para tornar-se como Cristo. Deus a capacitará a crescer espiritualmente pelo poder do Espírito Santo. Ele a moldará à sua imagem por meio de provas e de pressões específicas. De fato, a Escritura nos dá muitas oportunidades para crescermos.

MEIOS PELOS QUAIS DEUS NOS AJUDA A NOS TORNARMOS MAIS PARECIDAS COM CRISTO

PROVAS OU PRESSÕES	REFERÊNCIAS DAS ESCRITURAS	QUALIDADES POTENCIAIS DE CARÁTER
Dar-se bem com seu marido	Efésios 4.1-3 Filipenses 4.2,3	Humildade, mansidão, amor, diligência, paciência. Viver em harmonia
Sofrer por amor ao Senhor	1 Pedro 4.12,13	Alegria, gratidão, confiança profunda em Deus
O pecado dos outros (possivelmente de seu marido)	1 Pedro 3.8,9	Harmonia, simpatia, fraternidade, condescendência, humildade
Pressões financeiras	Filipenses 4.11,12	Contentamento
Trabalho diário	Colossenses 3.23 1 Tessalonicenses 4.11,12	Trabalhar com todo o coração Comportamento digno, responsabilidade financeira
Doença (decorrente do pecado)	Tiago 5.14,15	Arrependimento
Tribulações (tentações, provas)	Tiago 1.2,3,12	Alegria, resistência.
Planos impedidos	Tiago 4.13-16	Consciência da Soberania de Deus
Morte de um ente querido	1 Tessalonicenses 4.13-18	Esperar no Senhor
Suportar o fardo dos outros	Gálatas 6.2	Amor
Ser exortado por outros	Romanos 15.14 1Tessalonicenses 5.14 Colossenses 1.28,29 Colossenses 3.16	Perseverança, paciência, sabedoria, diligência, gratidão, humildade.

Do mesmo modo como Deus nos ajuda individualmente a nos tornarmos semelhantes a Cristo, Ele também auxilia os casais a crescerem, a amadurecerem e a ajudarem um ao outro a tornarem-se mais semelhantes a Cristo. Este processo é chamado "santificação mútua" e vem sob a categoria de "ser exortado por outros", no quadro anterior. Como resultado, tanto o marido quanto a esposa precisam aprender a serem repreendidos e a repreenderem de maneira apropriada.

A repreensão é uma expressão de censura ou reprovação. O que caracteriza uma repreensão bíblica é dizer a alguém que ele está agindo de modo errado, a fim de restabelecê-lo ao relacionamento correto com Deus. Quando um marido ou esposa crente reprova seu cônjuge, está apontando o pecado na vida daquela pessoa. Na Escritura, há orientações específicas para seguirmos, quando fazemos uma repreensão.

> *Se teu irmão pecar [contra ti], vai argüi-lo entre ti e ele <u>só</u>. Se ele te ouvir, ganhaste teu irmão.*
>
> Mateus 18.15 *(grifo meu)*

> *Irmãos, se alguém for surpreendido nalguma falta, vós, que sois espirituais, <u>corrigi-o</u> <u>com</u> <u>espírito</u> <u>de</u> <u>brandura</u>; <u>e</u> <u>guarda-te</u> para que não sejas também tentado.*
>
> Gálatas 6.1 *(grifo meu)*

Quando uma repreensão é feita com brandura, em particular, e com a intenção de restabelecer a outra pessoa, então, a repreensão é amável. Quando uma pessoa não repreende seu cônjuge, ela está, na maioria das vezes, preocupada com "o efeito que isso terá em mim", em vez de estar preocupada em ajudar seu cônjuge. Esse tipo de reação é egoísta e sem amor. Se há amor por Deus e por seu cônjuge, cada um, do jeito certo, repreenderá o outro biblicamente, em amor.

O modo como você reage à repreensão de seu marido é um reflexo de seu desejo de tornar-se mais piedosa. Comece considerando a repreensão dele, como, no mínimo, válida. A seguir, considere as seguintes formas corretas de reagir à repreensão.

A MANEIRA CORRETA DE REAGIR À REPREENSÃO[1]

MEDITE SOBRE O QUE LHE FOI DITO.

> *O coração do justo medita o que há de responder, mas a boca dos perversos transborda maldades.*
>
> Provérbios 15.28

DETERMINE, PELAS ESCRITURAS, QUAL É O PECADO E COMO "DESPO-JAR-SE" DELE.

> *Vos despojeis do velho homem, que se corrompe segundo as concupiscências do engano, e vos renoveis no espírito do vosso en-tendimento, e vos revistais do novo homem..*
>
> Efésios 4.22-24

PEÇA AO SEU MARIDO QUE DÊ EXEMPLOS ESPECÍFICOS DE COMO REA-GIR MELHOR À REPREENSÃO DA PARTE DELE.

> *Os simples herdam a estultícia, mas os prudentes se coroam de co-nhecimento.*
>
> Provérbios 14.18

CONFESSE O SEU PECADO.

> *Se confessarmos os nossos pecados, ele é fiel e justo para nos perdo-ar os pecados e nos purificar de toda injustiça.*
>
> 1 João 1.9

DEMONSTRE FRUTOS DE ARREPENDIMENTO. PARE DE PECAR E FAÇA A COISA CERTA.

> *Toda disciplina, com efeito, no momento não parece ser motivo de alegria, mas de tristeza; ao depois, entretanto, produz fruto pacífico aos que têm sido por ela exercitados, frutos de justiça.*
>
> Hebreus 12.11

NÃO SE JUSTIFIQUE, NEM SE DEFENDA.

> *Sofrerei a ira do SENHOR, porque pequei contra ele, até que julgue a minha causa execute o meu direito; ele me tirará para a luz, e eu verei a sua justiça.*
>
> Miquéias 7.9

---

1 PRIOLO, Lou. "A Biblical Alternative to Criticism", *The Journal of Biblical Counseling*, vol. 10, # 4, 1992. p. 15.

Se você sabe que a repreensão de seu marido é válida ou mesmo parcialmente válida, então, considere cuidadosamente o conselho dele e mude seu hábito pecaminoso. Pode lhe ser proveitoso pensar nos seguintes benefícios de uma resposta correta à repreensão:

> O insensato despreza a instrução de seu pai, mas o que atende à repreensão consegue a _prudência_.
>
> Provérbios 15.5 (grifo meu)

> Pobreza e afronta sobrevêm ao que rejeita a instrução, mas o que guarda a repreensão será _honrado_.
>
> Provérbios 13.18 (grifo meu)

> Os ouvidos que _atendem_ à repreensão salutar _no meio dos sábios tem morada_.
>
> Provérbios 15.31 (grifo meu)

> O que rejeita a disciplina menospreza a sua alma, porém o que atende à repreensão _adquire entendimento_.
>
> Provérbios 15.32 (grifo meu)

Ouça e aprenda com a repreensão. Pense: "O que Deus está tentando me ensinar?" Aprenda a ver a repreensão com a perspectiva de Deus e seja grata por seu marido estar compartilhando de sua insatisfação, em vez de abafá-la e tornar-se amargurada em função do seu pecado. Perceba a repreensão por este ponto de vista: "Leais são as feridas feitas pelo que ama" (Provérbios 27.6); e: "Melhor é a repreensão franca do que o amor encoberto" (Provérbios 27.5). Pense por um momento sobre o que Deus pode estar tentando transmitir a você. Ouça a repreensão de seu marido e aprenda com ela. Os resultados serão crescimento e amadurecimento em sua vida cristã. Seja sábia, em vez de tola. Faça da glorificação a Deus o desejo mais ávido de seu coração. Se você tiver de sofrer alguma humilhação neste processo, apenas terá de sofrer a humilhação. Será desconfortável, até doloroso, no momento; mas, se você aprender a se deixar podar pelo Senhor, mais adiante você dará fruto para Ele (João 15). O modo como você reage é a diferença entre um cristão maduro e um cristão imaturo. De fato, esta é marca superior da maturidade.

Contudo, se os papéis se invertessem, e o seu marido precisar de reprovação?

DIRETRIZES PARA A
REPREENSÃO DE SEU MARIDO[2]

ESCOLHA A HORA CERTA.

> *Tudo tem seu o seu tempo determinado, e há tempo para todo pro-*
> *pósito debaixo do céu... tempo de rasgar e tempo de coser; tempo de*
> *estar calado e tempo de falar.*
>
> *Eclesiastes 3.1,7*

O tempo errado é quando outros estão presentes, quando você tem uma atitude pecaminosa ou quando ele estiver impossibilitado de dar-lhe a devida atenção. O momento certo é quando estão sozinhos, sentindo-se bem e descansados, quando tiverem tempo suficiente para conversar, e você estiver controlada e confiante no Espírito Santo e na Palavra de Deus para direcionar seus pensamentos e ações.

ESCOLHA AS PALAVRAS CERTAS.

> *O coração do justo medita o que há de responder, mas a boca dos*
> *perversos transborda maldades.*
>
> *Provérbios 15.28*

Comece pensando sobre o que quer falar. Talvez seja uma boa idéia escrever e praticar em voz alta. Se estiver em dúvida quanto ao conteúdo ou sobre como expressar a reprovação, peça a uma pessoa objetiva e piedosa, como uma senhora cristã de sua confiança, para que leia e dê sua opinião.

CONFORTE-O, ENQUANTO O CORRIGE.

> *Conheço as tuas obras, tanto o teu labor como a tua perseverança, e*
> *que não podes suportar homens maus, e que puseste à prova os que*
> *a si mesmos se declararam apóstolos e não são, e os achaste men-*
> *tirosos; e tens perseverança, e suportaste provas por causa do meu*
> *nome, e não te deixaste esmorecer.*
>
> *Apocalipse 2.2-3*

O Senhor Jesus reprovou os membros da Igreja de Éfeso por estarem

---

2 Idem.

perdendo seu primeiro amor. Ele ameaçou usar uma disciplina severa, se não se arrependessem. É interessante notar que antes de repreender os membros daquela igreja, Ele os confortou, dizendo-lhes o que haviam feito de correto. De modo semelhante, você também deve confortar seu marido e elogiá-lo no que puder, antes de reprová-lo. Isto lhe dará esperança e fará com que ele aceite mais facilmente a repreensão. Uma palavra de adver-tência: confortá-lo e elogiá-lo não é imprescindível nem deve ser feito com intuito manipulativo. É simplesmente um ato de gentileza.

SEJA ESPECÍFICA A RESPEITO DO PECADO DELE E OFEREÇA-LHE UMA SOLUÇÃO BÍBLICA.

EXEMPLOS DA ESCRITURA QUE PODEM SER APROPRIADOS PARA USO:

> *Em tudo, dai graças, porque esta é a vontade de Deus em Cristo Jesus para convosco.*
>
> 1 Tessalonicenses 5.18

> *Por isso, deixando a mentira, fale cada um a verdade com o seu pró-ximo, porque somos membros uns dos outros.*
>
> Efésios 4.25

> *Não andeis ansiosos de coisa alguma; em tudo, porém, sejam conhe-cidas, diante de Deus, as vossas petições, pela oração e pela súplica, com ações de graças.*
>
> Filipenses 4.6

> *Sabeis estas coisas, meus amados irmãos. Todo homem, pois, seja pronto para ouvir, tardio para falar, tardio para se irar. Porque a ira do homem não produz a justiça de Deus.*
>
> Tiago 1.19-20

Pode parecer mais seguro lançar indiretas do que ser direta e claramen-te específica a respeito do pecado de seu marido. No entanto, as pessoas são desatentas a palpites indiretos! Fale a verdade com ele em amor, e ele estará muito mais inclinado a entender e, possivelmente, a arrepender-se. Dê-lhe esperança, oferecendo-lhe uma solução bíblica. Por exemplo: "Querido,

tenho notado que você tem sido duro e tem se irritado com Susie ultima-
mente. Sei que ela está numa idade difícil e precisa ser disciplinada, mas
'...a ira do homem não produz a justiça de Deus' (Tiago 1.20). Há algo que eu
possa fazer para tornar isso mais fácil para você? Se quiser, posso alertá-lo
calmamente quando perceber que você está ficando frustrado" (Se ele não
receber sua reprovação em amor e humildade, veja o capítulo 14).

TRANSMITA UM ESPÍRITO DE AMOR INCONDICIONAL.

> *Mas Deus prova seu próprio amor para conosco pelo fato de ter Cris-*
> *to morrido por nós, sendo nós ainda pecadores.*
>
> *Romanos 5.8*

Diga-lhe algo como: "Meu amor, sempre o amarei, não importa o que
aconteça". E, ainda mais, demonstre-lhe o seu amor sendo paciente, gentil, etc. Não é fácil fazer uma repreensão amável. É mais fácil só orar a
respeito. Contudo, a Escritura é clara ao mostrar que os cristãos devem
ajudar-se mutuamente a serem mais parecidos com o Senhor Jesus Cristo.
Se seu marido é cristão, então, você é responsável diante de Deus por mostrar-lhe, de um modo gentil e amoroso, suas faltas. Afinal, o amor "não se
alegra com a injustiça, mas regozija-se com a verdade" (1 Coríntios 13.6).

É tão difícil repreender alguém, e, normalmente, é ainda mais difícil
receber uma repreensão com humildade. A maneira como você recebe
uma repreensão é uma das medidas de sua maturidade em Cristo.

VOCÊ PODE SABER QUE ESTÁ RECEBENDO A REPREENSÃO DE SEU MARIDO DE MODO PECAMINOSO QUANDO...

VOCÊ FICA IRADA E O ATACA.

> *Da soberba [orgulho] só resulta a contenda, mas com os que se acon-*
> *selham se acha a sabedoria.*
>
> *Provérbios 13.10*

SENTE-SE MAGOADA, RESSENTIDA E SEM VONTADE DE PERDOAR.

Longe de vós, toda amargura, e cólera, e ira, e gritaria, e blasfêmias e bem assim toda malícia. Antes, sede uns para com os outros benignos, compassivos, perdoando-vos uns aos outros, como também Deus, em Cristo, vos perdoou.

Efésios 4.31-32

FOCALIZA NAS COISAS ERRADAS QUE ELE ESTÁ FAZENDO.

Hipócrita! Tira primeiro a trave do teu olho e, então, verás claramente para tirar o argueiro do olho de teu irmão.

Mateus 7.5

SOFRE, INTENSAMENTE, MÁGOAS PESSOAIS.

Deus, porém, nos disciplina para aproveitamento, a fim de sermos participantes da sua santidade. Toda disciplina, com efeito, no momento não parece ser motivo de alegria, mas de tristeza; ao depois, entretanto, produz fruto pacífico aos que têm sido por ela exercitados, fruto de justiça.

Hebreus 12.10-11 (grifo meu)

Qualquer repreensão pode ser humilhante e é capaz de fazer você sentir-se mal. No entanto, não acrescente uma reação pecaminosa à sua mágoa pessoal. Se você não reage com humildade e gentileza, só tornará pior o seu pecado. Mesmo que seu marido lhe repreenda de modo irado e rude, você é responsável diante de Deus pelo modo como reage. (Para mais informações sobre o que fazer quando ele fica irado e rude, veja o capítulo 14).

Nunca é agradável perceber que as pessoas vêem seus defeitos. É humilhante. Contudo, "toda disciplina, com efeito, no momento não parece ser motivo de alegria, mas de tristeza; ao depois, entretanto, produz fruto pacífico aos que têm sido por ela exercitados, fruto de justiça" (Hebreus 12.11). O "rendimento" do fruto dependerá, em grande medida, de quão humildemente o marido e a esposa receberão a repreensão. Se eles amam ao Senhor Jesus Cristo, serão submissos e participarão do processo de santificação mútua. Ajudar um ao outro a tornar-se mais semelhante a Cristo, a fim de glorificá-Lo mais, é o propósito de Deus para o casamento.

CAPÍTULO 6

O que a esposa deve entender sobre o seu papel

O plano perfeito de Deus

Meu filho, David, é bombeiro e paramédico. Ele e os outros com os quais trabalha são profissionais altamente treinados. Certa vez, David teve de se arrastar debaixo de um veículo capotado para avaliar a situação e ajudar o jovem que estava preso nas ferragens. Foram necessários cerca de trinta minutos para soltar o rapaz das ferragens. Nesse ínterim, David estava debaixo do carro e havia gasolina gotejando ao redor deles. David gritou para que alguém estivesse pronto, caso um incêndio começasse. O capitão, que estava de pé ao lado do carro, respondeu: "Se eu estivesse mais preparado ainda, você já estaria molhado!" Felizmente, toda a equipe de bombeiros estava trabalhando junto, como um *time*.

O trabalho em equipe é crucial numa situação de emergência. Cada um que fazia parte do grupo de emergência sabia sua tarefa naquela noite. Eles entendiam seu papel individual. E funcionaram juntos como um time, tendo um alvo em mente – um bom resultado para a vítima e para David. Assim como o corpo de bombeiros designa funções, Deus designou um papel particular para a esposa. A meta do Corpo de Bombeiros era salvar o paciente, sem ferir David. O alvo da esposa cristã é glorificar a Deus. Se o seu desejo como esposa cristã é glorificar a Deus, você precisa primeiramente entender a perspectiva dEle. Ele é o único Criador e Redentor. Qual é o plano de Deus para os maridos e as esposas, segundo a perspectiva dEle? Existem pelo menos cinco pontos a considerarmos.

A PERSPECTIVA DE DEUS

HOMENS E MULHERES SÃO CRIADOS À IMAGEM DE DEUS.

Criou Deus, pois, o homem à sua imagem, à imagem de Deus o criou; homem e mulher os criou.
                                                        Gênesis 1.27

Você foi criada à imagem de Deus e traz consigo a imagem dEle. Portanto, você tem algumas tarefas. Por exemplo, você é encarregada de administrar a criação de Deus e de glorificá-Lo.

Também disse Deus: Façamos o homem à nossa imagem, conforme a nossa semelhança; tenha ele domínio sobre os peixes do mar, sobre as aves do céus, sobre os animais domésticos, sobre toda a terra e sobre todos os répteis que rastejam pela terra.
                                        Gênesis 1.26 (grifo meu)

Portanto, quer comais, quer bebais ou façais outra coisa qualquer, fazei tudo para a glória de Deus.
                                        1 Coríntios 10.31 (grifo meu)

Por ter sido criada por Deus, você é responsável diante dEle. Portanto, você tem o dever de fazer escolhas responsáveis.

Escolhei, hoje, a quem sirvais...   *Josué 24.15 (grifo meu)*

Para que se cale toda boca, e todo o mundo seja culpável perante Deus.
                                        Romanos 3.19 (grifo meu)

Buck Hatch, professor aposentado do Colégio Bíblico de Columbia, fez um diagrama do homem como um ser criado à imagem de Deus:[1]

---

1 HATCH, Buck. *"God's blueprint for biblical marriage"*, aula em videotape, 1980.

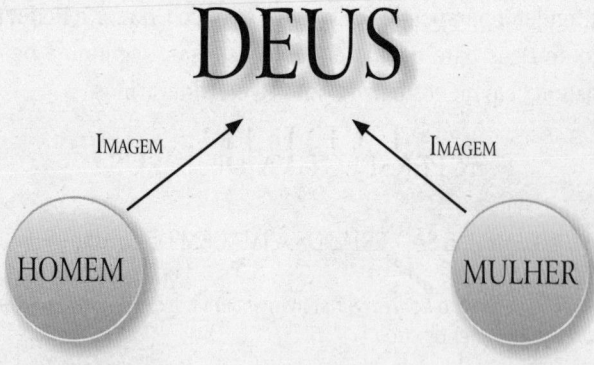

NA ORDEM DA CRIAÇÃO, O HOMEM FOI CRIADO PRIMEIRO.

Então, formou o SENHOR Deus ao homem do pó da terra e lhe soprou nas narinas o fôlego da vida, e o homem passou a ser alma vivente... Disse mais o SENHOR Deus: Não é bom que o homem esteja só; far-lhe-ei uma auxiliadora que lhe seja idônea... Então, o SENHOR Deus fez cair pesado sono sobre o homem, e este adormeceu; tomou uma de suas costelas e fechou o lugar com carne. E a costela que o SENHOR Deus tomara ao homem, transformou-a numa mulher e lha trouxe.

Gênesis 2.7, 18, 21-22

Porque, primeiro, foi formado Adão, depois, Eva.

1 Timóteo 2.13

A ordem da criação tem um significado no papel do marido e da esposa. O marido foi criado para governar sobre a terra; a esposa, em seguida, foi criada para ser-lhe uma "auxiliadora" idônea. Embora um não seja inferior ao outro, ambos foram criados à imagem de Deus, e cada um foi criado para desempenhar um papel diferente.

A MULHER FOI CRIADA PARA O HOMEM, E NÃO O HOMEM PARA A MULHER.

Por ser ele imagem e glória de Deus, mas a mulher é glória do homem. Porque o homem não foi feito da mulher, e sim a mulher, do homem. Porque também o homem não foi criado por causa da mulher, e sim a mulher, por causa do homem.

1 Coríntios 11.7-9

O apóstolo Paulo está fazendo referência à intenção original de Deus. O homem existe para glorificar a Deus e a mulher para glorificar o homem. Hatch ilustra isto assim:

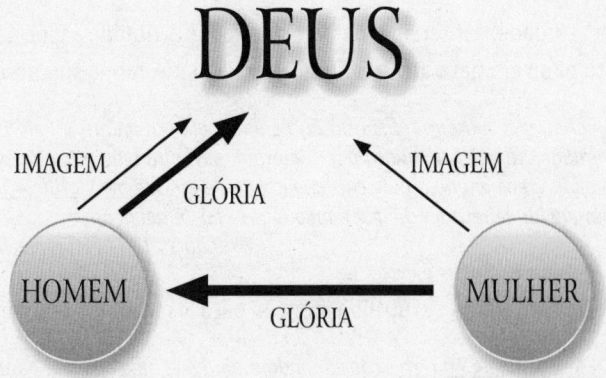

Hatch elabora este diagrama tendo a Trindade como modelo principal. Dentro da Trindade, há três papéis distintos:

- O planejador, que estabelece os planos – Deus, o Pai
- Aquele que realiza os planos – Deus, o Filho
- Aquele que realiza os planos, como também
  guarda e fortalece os cristãos – Deus, o Espírito.

Na Trindade, é claro, há perfeita harmonia. Todos estão satisfeitos com seus papéis. Não há "jogo de poder" ou confusão de papéis. Observe como o Senhor Jesus descreve tanto a sua obra e seu papel, como a obra e papel do Espírito Santo:

> É necessário que façamos as obras daquele que me enviou, enquanto é dia; a noite vem, quando ninguém pode trabalhar.
> João 9.4 (grifo meu)

> Disse-lhes, pois, Jesus: Quando levantardes o Filho do Homem, então, sabereis que Eu Sou e que nada faço por mim mesmo; mas falo como o Pai me ensinou. E aquele que me enviou está comigo, não me deixou só porque eu faço sempre o que lhe agrada.
> João 8.28-29 (grifo meu)

> *Mas o consolador, o Espírito Santo, a quem o Pai enviará em meu*
> *nome, esse vos ensinará todas as coisas e vos fará lembrar de tudo*
> *o que vos tenho dito.*
>
> João 14.26 (grifo meu)

Ainda na Trindade, é interessante notar a quem é atribuída a glória. O Espírito Santo não veio para atrair a atenção para Si mesmo, e sim para Jesus.

> *Quando vier, porém, o Espírito da verdade, ele vos guiará a toda a*
> *verdade; porque não falará por si mesmo, mas dirá tudo o que tiver*
> *ouvido e vos anunciará as coisas que hão de vir. Ele me glorificará,*
> *porque há de receber do que é meu e vo-lo há de anunciar.*
>
> João 16.13-14 (grifo meu)

Igualmente, Jesus não veio atrair a atenção para Si mesmo, e sim para o Pai.

> *Eu te glorifiquei na terra, consumando a obra que me confiaste para*
> *fazer.*
>
> João 17.4 (grifo meu)

Assim como Cristo glorificou ao Pai, fazendo a "obra do Pai", você deve glorificar seu marido fazendo o "trabalho dele". Sua tarefa é glorificar seu marido. Você foi criada para ele.

OS EFEITOS DA QUEDA DO HOMEM.

No princípio, Deus criou o homem como governador sobre a terra. A esposa do homem foi criada como "auxiliadora idônea" para ele. Em conseqüência do pecado, Deus pronunciou um julgamento ou uma maldição para ambos. Houve muitos efeitos dolorosos em razão de sua rebeldia e desobediência: morte, espinhos e abrolhos sobre a terra, dor ao dar à luz e um forte conflito entre o homem e sua esposa.

> *O teu desejo [de controlar ou ultrapassar] será para o teu marido, e*
> *ele te governará [terá poder sobre ti].*
>
> Gênesis 3.16 (grifo e comentários meus)

Embora antes da Queda houvesse harmonia entre Adão e Eva na realização de seus papéis, agora havia um "jogo de poder", uma vez que ambos procuravam dominar um ao outro. Isso logo resultou em muito pesar, desordem, amargura e miséria. De fato, um dos impactos da Queda foi o início de conflitos pecaminosos. Subseqüentemente, Cristo veio para nos redimir da maldição, e, se estão "em Cristo" (como crentes), você e seu marido têm o potencial para resgatar muito do que foi perdido na Queda do homem. Portanto, você é capaz de ter a harmonia que Deus designou para o seu casamento.

Originalmente, Adão e Eva estavam nus e não se envergonhavam; eram <u>completamente</u> <u>livres</u> um com o outro. Como resultado da Queda, eles se tornaram envergonhados, esconderam-se de Deus e talvez ficaram até constrangidos de serem vistos um pelo outro. Cristo é o único que poderia reconciliar Adão e Eva, a fim de que tivessem um relacionamento íntimo, restaurado e livre para com Deus e para com o outro. Certamente, a profunda unidade e intimidade que Deus tencionou entre marido e esposa foi manchada pela Queda do homem. Esta é uma área que Deus deseja restaurar por meio de seu plano de redenção.

O MARIDO ERA E AINDA É O CABEÇA DE SUA ESPOSA.

Porque o marido é o cabeça da mulher, como também Cristo é o cabeça da igreja, sendo este mesmo o salvador do corpo.
Efésios 5.23

Seu marido é o encarregado. Ser encarregado não significa que ele tem de fazer tudo. Significa que ele é <u>responsável</u> por gerenciar sua casa. Uma parte deste gerenciamento é delegar responsabilidade a outros, inclusive a você. Com intuito de ajudá-la a entender o papel que Deus designou a você e a seu marido, precisamos começar com...

a - O modelo de Cristo e a Igreja. A esposa deve ser modelo para a igreja, ao submeter-se e glorificar a Cristo.

As mulheres sejam submissas ao seu próprio marido, como ao Senhor... Como, porém, a igreja está sujeita a Cristo, assim também as mulheres sejam em tudo submissas ao seu marido... Grande é este mistério, mas eu me refiro a Cristo e à igreja.
Efésios 5.22, 24, 32

A igreja representa o "corpo de Cristo". É formada por todas as pessoas que se tornam ou se tornarão cristãs, desde o tempo de Cristo até o seu retorno. Este grupo de pessoas também é chamado "noiva" de Cristo. Inegavelmente, os cristãos devem se submeter à autoridade de Cristo e utilizar suas forças para glorificá-Lo. Bem, o papel da esposa é um modelo do relacionamento da igreja para com Cristo. Portanto, você deve se submeter à autoridade de seu marido e empregar suas energias em honrá-lo.

Por outro lado, o marido deve ser modelo do cuidado de Cristo em favor da igreja.

> *Grande é este mistério, mas eu me refiro a Cristo e à igreja.*
> Efésios 5.32

b - A ação de Cristo em favor da igreja.

Cristo morreu pela igreja, um <u>sacrifício</u> de Si mesmo.

Maridos, amai vossa mulher, como também Cristo amou a igreja e a si mesmo se entregou por ela.
Efésios 5.25

Cristo <u>ama</u>, <u>nutre</u> e <u>protege</u> a igreja.

> *Assim também os maridos devem amar a sua mulher como ao próprio corpo. Quem ama a esposa a si mesmo se ama. Porque ninguém jamais odiou a própria carne; antes, a alimenta e dela cuida, como também Cristo o faz com a igreja... Não obstante, vós, cada um de per si também ame a própria esposa como a si mesmo, e a esposa respeite o marido.*
> Efésios 5.28-29, 33

Estudar o modelo seguinte pode facilitar seu entendimento dos papéis da esposa e do marido. Neste modelo, você verá como os dois relacionamentos se unem. Cristo/marido cuida, se sacrifica, nutre e ama a igreja/esposa. Por outro lado, a igreja/esposa deve submeter-se e glorificar Cristo/marido.

O MODELO DE CRISTO E A IGREJA

OS PAPÉIS DO MARIDO E DA ESPOSA

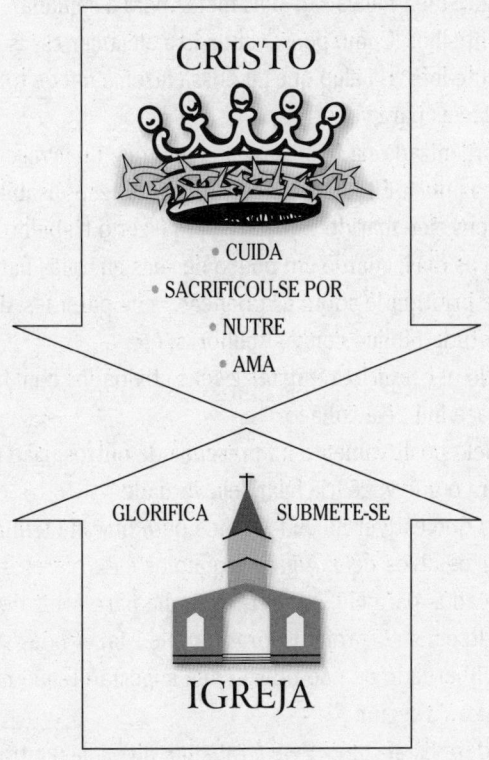

É somente no realizar e no vivenciar estes papéis, como Deus os designou, que você e seu marido terão estreita unidade e harmonia em seu casamento. Em Cristo, a proximidade que foi perdida na Queda pode ser recuperada.

Basicamente, dissemos que o papel da esposa é submeter-se e glorificar seu marido. Ela foi criada para cumprir o papel de "auxiliadora" de seu marido. É fácil ver o papel de Eva, mas, e quanto a você? Como, de maneira prática, você pode realizar seu papel dado por Deus?

ALGUMAS MANEIRAS DA ESPOSA GLORIFICAR O MARIDO

- Pergunte-lhe: "Quais são suas metas para a semana?"
- Pergunte-lhe: "Como posso ajudá-lo a alcançar essas metas?"
- Pergunte-lhe: "Há algo que eu possa fazer, a fim de tornar as coisas mais fáceis para você?"
- Seja organizada na limpeza, nas compras, na lavagem das roupas e ao cozinhar. Enquanto você cumpre as responsabilidades dadas por Deus, seu marido está livre para fazer o trabalho dele.
- Todos os dias, guarde um pouco de suas energias para ele.
- Dê-lhe prioridade sobre as crianças, seus parentes, amigos, trabalho, estudo bíblico com as senhoras, etc.
- Quando necessário, reorganize suas atividades com boa vontade e alegria, a fim de auxiliá-lo.
- Fale dele positivamente na presença de outros. Não fale mal dele, embora o que você iria falar seja verdade.
- Faça o que estiver ao seu alcance para que ele tenha sucesso em atingir os alvos dele. Alguns exemplos são: oferecer-se para anotar recados para ele, organizar seu dia para estar disponível para ajudá-lo em seus projetos, orar por ele e fazer boas sugestões. Dê-lhe a liberdade de não utilizar sua sugestão e não fique ofendida se ele não a seguir.
- Considere os afazeres dele (trabalho, alvos, lazer, trabalho para o Senhor) como mais importantes que os seus.
- Pense em maneiras específicas de ajudá-lo a atingir suas metas. Exemplos: levante-se cedo pela manhã para preparar-lhe um bom café da manhã, antes de ele sair para o trabalho; cuide em anotar os recados telefônicos para ele; antecipe qualquer necessidade que ele possa ter a fim de alcançar um alvo específico; mantenha registros cuidadosos do dinheiro gasto durante a semana, no orçamento doméstico.
- Considere as coisas com as quais você está envolvida. Como estas coisas honram seu marido? Peça a orientação dele.

- Seja calorosa e gentil com a família e os amigos dele. Faça seu compromisso com seu marido visível a eles.
- Faça e diga coisas que o animem e não o entristeçam.
- Vista-se e faça sua maquilagem de modo atraente, que seja agradável ao seu marido.
- Quando seu marido pecar, repreenda-o em particular e com gentileza, sempre dando-lhe esperança e direcionando-o ao Senhor.
- Encoraje-o a usar seus dons espirituais no ministério.
- Perceba que assim como Deus é glorificado quando o homem o obedece, seu marido é glorificado quando você lhe obedece.

A pergunta que sempre surge é: e se o seu marido não for cristão? E se ele não glorifica a Deus? Lembro-me de uma história que uma vez minha avó contou sobre seus pais. Eles nasceram na época da Guerra Civil Americana. Aparentemente, a mãe era cristã, mas o pai não. Recordando o passado, minha avó disse que sua mãe sempre queria agradar o marido. Para tanto, ela era gentil e meiga e cooperava em todas as mudanças de casa que faziam. Sua constante resposta aos pedidos dele era: "Sim, querido". Ela não reclamava ou murmurava. Ela parecia seguir contente dentro dos planos dele. Ainda com as diferenças entre eles, ela respeitosamente dava-lhe suporte. Perguntei à minha avó: "Como seu pai tratava sua mãe?". Ela disse: "Ele a adorava". Bem, meu bisavô pode não ter glorificado a Cristo, mas minha bisavó o fez, magnificando seu marido, realizando o papel que Deus designou para ela. Uma bênção especial para ela foi o modo como seu marido a tratou e amou. Como você pode ver, uma mulher cristã pode fazer o que é certo e realizar o papel designado por Deus para ela, quer seu marido cumpra ou não o papel dele.

PARTE DOIS

....

A responsabilidade da esposa

COMPROMISSOS FIDEDIGNOS DA ESPOSA EXCELENTE

CAPÍTULO 7

Cristo

O coração da esposa

Recentemente, ouvi alguém dizer: "Deus me deu um coração para pastorear uma igreja". O que ele queria dizer é que possuía o desejo de se tornar um pastor. Certamente, pastorear uma igreja é um bom desejo. Enquanto me retirava, orei para que um dia Deus lhe concedesse "os desejos do coração" (Salmos 37.4). Contudo, seu desejo de pastorear é tão bom quanto sua prontidão em esperar o tempo de Deus. Nesse ínterim, ele deve continuar a servir ao Senhor Jesus Cristo, independente de que um dia venha a se tornar pastor ou não. Se ele não se contenta em esperar no Senhor, mas está angustiado e, em conseqüência disso, está pecando, então, o desejo de seu coração não está centrado na glória do Senhor Jesus Cristo. Antes, seu desejo se tornou um ídolo (Ezequiel 14.1-11) ou concupiscência (1 João 2.15-17; 5.21).

Os ídolos no coração são desenfreados. Todos colocamos o coração nas coisas que Deus não deseja que tenhamos, ou que Ele não quer que tenhamos no momento. Algumas pessoas têm somente ídolos em seu coração. São descrentes, conseqüentemente, não possuem a capacidade de adorar a Cristo. Por outro lado, os crentes possuem uma capacidade dada por Deus para adorarem ao Senhor Jesus Cristo. De fato, uma das verdades fundamentais que vimos anteriormente foi a provisão de Deus para resolver o problema do pecado, por meio do Senhor Jesus Cristo. Este capítulo se estrutura neste fundamento, direcionando a devoção diária do coração da esposa a Cristo. Infelizmente, a devoção da esposa, assim como seus desejos, nem sempre são totalmente voltados para o Senhor Jesus. Assim, os cristãos também podem ter ídolos em seu coração.

"Um ídolo pode ser qualquer coisa. Pode até mesmo ser uma coisa boa. Mas, se desejarmos esta coisa com tamanha avidez, a ponto de pecarmos, se não a obtemos, ou pecarmos a fim de obtê-la, então, estamos adorando um ídolo, em vez de adorarmos a Cristo".[1] Cada um de nós está adorando alguma coisa ou alguém em nosso coração cada vez que acordamos num novo dia. O Pastor Stuart Scott diz que adoramos o que "servimos, falamos a respeito, aquilo pelo que nos sacrificamos, aquele que buscamos, aquilo em que gastamos tempo e dinheiro e em que confiamos" (Veja Salmos 115 e 135). Em outras palavras, quem ou o que você adora é "o que está em sua mente", "aquilo pelo que você anseia – ou deseja", o que é realmente importante para você" e "aquilo em que você coloca seu coração".

A palavra "coração" é usada 830 vezes nas Escrituras e inclui coisas não-materiais, tais como seus pensamentos, motivações e escolhas.

> As palavras dos meus lábios e o meditar do meu coração sejam agradáveis na tua presença, SENHOR, rocha minha e redentor meu!
> Salmos 19.14

Os crentes possuem uma capacidade, dada por Deus, de devoção pura e de adorarem o Senhor Jesus Cristo. Contudo, freqüentemente lutam com outros "deuses", concupiscências e anseios que competem por suas afeições. Esses "desejos" não são necessariamente maus em si mesmos. Por exemplo: pescar é divertido e certamente não é pecado. No entanto, a idolatria começa quando o pescador deixa de cumprir um compromisso para ir a uma pescaria. O problema é que suas afeições estão na pescaria, não no Senhor Jesus. Pescar possivelmente pode ter se tornado um ídolo.

---

1 PRIOLO, Lou. Anotações em classe, em *"idols of the heart"*. Atlanta Biblical Counseling Center, 1994.

Uma pessoa cujo coração está firmado no hábito de pescar pode tornar--se enraivecida ou frustrada; pode sentir autocomiseração, ser ansiosa, manipulativa ou amargurada. Pescar não é pecado, mas o que uma pessoa pensa a respeito disso pode ser pecado.

Tal como o pescador frustrado, as esposas podem ter afeições idólatras. Por exemplo, o modo como seu marido se comporta ou a trata pode facilmente tornar-se um ídolo, a ponto de até remover o Senhor Jesus Cristo, fazendo com que Ele deixe de ser sua afeição e anseio mais profundo. A seguir apresentamos uma lista de ídolos ou concupiscências comuns com os quais as mulheres cristãs lutam. Antes de ler a lista, peça a Deus que lhe mostre seus ídolos ou concupiscências (Salmos 139.23-24). Circule aqueles mediante os quais se sente culpada.

LISTA DE ÍDOLOS COMUNS (FALSOS DEUSES) NOS QUAIS AS ESPOSAS CORREM O RISCO DE COLOCAR O CORAÇÃO

- Boa saúde.
- Aparência física.
- Superestimar o relacionamento matrimonial cristão.
- Ser tratada com favoritismo.
- Ter uma vida livre de dores e mágoas.
- Prazeres mundanos (álcool, drogas, sexo).
- Um filho ou filhos.
- Outra pessoa (mulher ou homem).
- Um bem material.
- Um ideal ("Ação pela vida", "Ação pela paz").
- Dinheiro.
- Sucesso.
- Aprovação dos outros.
- Estar no controle.
- Ter suas "necessidades" supridas.

Você se sente bem à medida que as coisas vão bem nas áreas onde colocou o seu coração. Quando elas não saem como você planejou, frustração e ansiedade começam a crescer, até que chega ao desespero. Você se torna capaz de fazer qualquer coisa, até pecar, para ter o seu "ídolo". Além da frustração e da possível ansiedade, Deus também frustra a adoração ao seu ídolo, porque Ele quer que sua devoção seja unicamente a Ele (Mateus 22.37-38). Por conseguinte, as emoções dolorosas parecem tornar-se insuportáveis. Pastor Stuart Scott faz um diagrama do que ocorre:

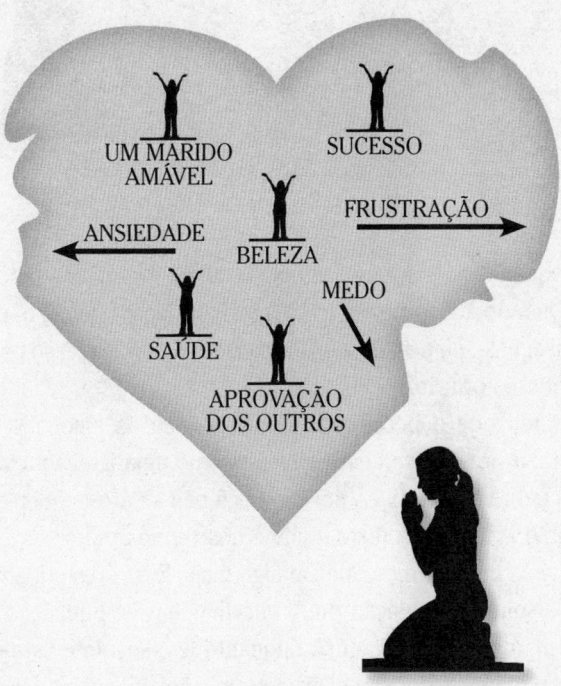

O diagrama do Pastor Scott inclui um coração que simboliza seus pensamentos, motivações e escolhas – o "centro de controle" de alguém. Os pequenos ícones representam o que ou quem você está adorando. Sua adoração continua ao despertar de cada dia. Você pode estar adorando o Senhor Jesus Cristo ou a alguém mais.

Os pequenos ícones representam os "deuses" que competem em seu coração. Quando alguma coisa é tão importante para nós, que pecamos a fim de consegui-la, ou pecamos quando ela não acontece, isso pode ser um ídolo em nosso coração.

À medida que o pecado de idolatria aflui, as emoções dolorosas aumentam e a pressão se desenvolve. É como uma ignição à vapor, sem segurança nem válvula de escape. Se você não se arrepender e voltar-se a Deus como refúgio (conforto e alívio nos termos dEle), será forçada a buscar alívio, conforto e escape em algo mais. E isto resulta em algo que David Powlison, da Fundação do Aconselhamento e Educação Cristã do Leste, chama de "falso salvador". Enquanto lê a seguinte lista de "falsos salvadores", pense sobre si mesma e circule aqueles nos quais você tem buscado conforto e alívio.

LISTA DE FALSOS SALVADORES OU REFÚGIOS

- Visão antibíblica de Deus ("gênio da lâmpada que é obrigado a realizar seus desejos")
- Sexo (imoralidade, pornografia, masturbação)
- Dormir
- Trabalho
- Televisão
- Ler
- Comida
- Fugir, afastar-se
- Apoiar-se nas pessoas para obter consolo
- Exagero nas compras
- Esportes
- Atividades físicas
- Recreação
- Passatempos
- Ministrar como forma de escape
- Manter-se ocupada na igreja ou em atividades voluntárias
- Drogas
- Álcool

O Pastor Scott fez um diagrama do alívio da pressão emocional:

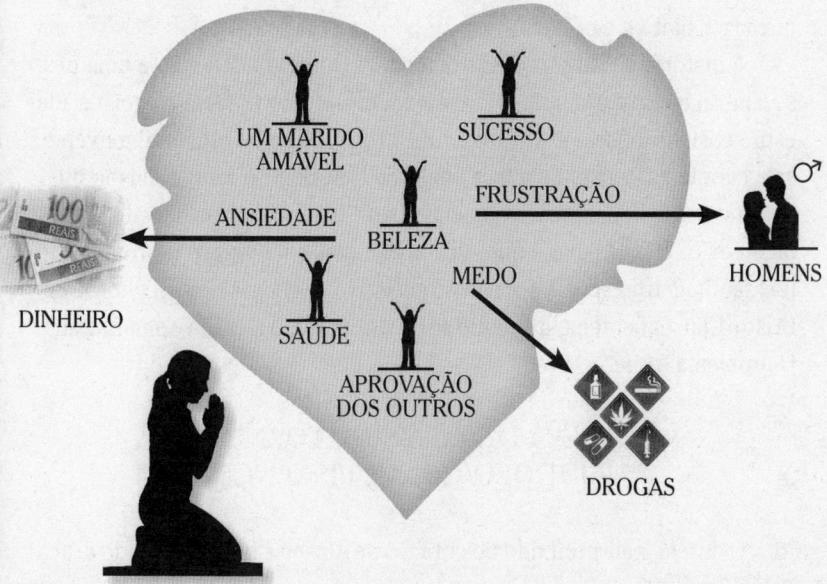

Buscar um "falso salvador" só acumula o pecado e piora as coisas. Aquilo que começa como uma medida de alívio temporário, acaba por escravizar a pessoa e torna-se um ídolo ou concupiscência. Há também conseqüências óbvias da busca de alívio em coisas como comida, drogas ou álcool. O Deus da Bíblia não quer que seu pecado piore; Ele deseja a adoração ímpar do seu coração. Ele deseja que seus pensamentos, motivações e escolhas estejam focalizados em glorificá-Lo. Deus deve ser seu maior anseio e refúgio. Seus pensamentos, motivações e escolhas devem estar firmados em glorificá-Lo, e não nos desejos idólatras do seu próprio coração.

A história de Allison

Allison começa a contar sua história com lágrimas nos olhos. Ela diz que seu marido é o problema, pois "ele não é afetivo, usa-me para o sexo e nunca diz que me ama. Ele não fala muito e assiste TV o tempo todo. Até faz coisas para mim, se eu pedir, mas ele deveria tomar a iniciativa. Quando tento conversar a respeito disso, ele fica irritado comigo por abordar o assunto. Ele é um homem bom, mas não quero viver o resto da minha vida com um marido que não me ama. Ele realmente não se importa. Não sei o que fazer. Sinto-me péssima".

A história de Allison é muito comum. O marido dela não é uma pessoa intratável ou cruel. Mas é reservado e, de certa forma, egoísta. Ele está satisfeito com o *status quo*, Allison não. Ela quer que ele converse, seja carinhoso com ela e a faça sentir-se especial. No fundo, Allison quer romance e doçura em seu casamento. Isto é uma coisa má? Não, definitivamente não. O problema é que Allison colocou seu coração no romance e nos sentimentos especiais, e não no serviço e na adoração ao Senhor Jesus Cristo. Conseqüentemente, sente-se desapontada, frustrada e amargurada. O problema é que...

O desejo de Allison tornou-se um ídolo/concupiscência

O desejo mais profundo do coração de Allison é que seu marido a faça sentir-se de determinada maneira. Os desejos dela não são necessariamente maus. O problema, contudo, é que eles se tornaram mais importantes para ela do que uma devoção pura ao Senhor Jesus Cristo. Todas as vezes que a esposa coloca seu coração em determinado comportamento de seu marido, ela se sentirá desapontada, frustrada e magoada. O primeiro indício para se reconhecer que o desejo do coração tornou-se um ídolo (algo mais importante para ela do que deleitar-se em Deus e servi-Lo) é que a esposa está disposta a pecar, a fim de alcançar aquele desejo. Antes de colocar seu coração no comportamento do marido, os desejos mais profundos de Allison devam ser os mesmos do salmista, no Salmos 119. Ele desejou, buscou e anelou por Deus com todo o seu coração.

O DESEJO DO CORAÇÃO DO SALMISTA
SALMOS 119

2   Bem-aventurados os que... o buscam de todo o coração.

10   De todo o coração te busquei...

16   Terei prazer nos teus decretos...

20   Consumida está a minha alma por desejar, incessantemente, os teus juízos.

24   Com efeito, os teus testemunhos são o meu prazer, são os meus conselheiros.

35   Guia-me pela vereda dos teus mandamentos, pois nela me comprazo.

36   Inclina-me o coração aos teus testemunhos, e não à cobiça.

40   Eis que tenho suspirado pelos teus preceitos; vivifica-me por tua justiça.

47   Terei prazer nos teus mandamentos, os quais eu amo.

69   Eu guardo de todo o coração os teus preceitos.

70   Eu me comprazo na tua lei.

77   Na tua lei está o <u>meu</u> <u>prazer</u>.

92   Não fosse a tua lei ter sido o <u>meu</u> <u>prazer</u>, há muito já teria eu perecido na minha angústia.

94   Sou teu; salva-me, pois eu <u>busco</u> os teus preceitos.

97   Quanto amo a tua lei! É a <u>minha</u> <u>meditação</u>, todo o dia!

111   Os teus testemunhos, recebi-os por legado perpétuo, porque me constituem <u>o</u> <u>prazer</u> <u>do</u> <u>coração</u>.

123   <u>Desfalecem-me</u> os olhos à espera da tua salvação e da promessa da tua justiça.

127   <u>Amo</u> <u>os</u> <u>teus</u> <u>mandamentos</u> mais que o ouro, mais do que o ouro refinado.

131   Abro a boca e aspiro, porque <u>anelo</u> <u>os</u> <u>teus</u> <u>mandamentos</u>.

143   Sobre mim vieram tribulação e angústia; todavia, <u>os</u> <u>teus</u> <u>manda-</u> <u>mentos</u> <u>são</u> <u>o</u> <u>meu</u> <u>prazer</u>.

145   <u>De</u> <u>todo</u> <u>o</u> <u>coração</u> <u>eu</u> <u>te</u> <u>invoco</u>; ouve-me, SENHOR; observo os teus decretos.

162   <u>Alegro-me</u> <u>nas</u> <u>tuas</u> <u>promessas</u>, como quem acha grandes despojos.

165   Grande paz têm os que <u>amam</u> <u>a</u> <u>tua</u> <u>lei</u>; para eles não há tropeço.

167   A minha alma tem observado os teus testemunhos; <u>eu</u> <u>os</u> <u>amo</u> <u>ardentemente</u>.

174   <u>Suspiro</u>, SENHOR, <u>por</u> <u>tua</u> <u>salvação</u>; a tua lei é todo o meu prazer.

                                                    (grifos meus)

O salmista tinha um anseio profundo por Deus em seu coração – por conhecê-Lo, conhecer e obedecer a sua Palavra. Ele também se deleitava na Palavra de Deus, chamando-a "tua lei", "teus preceitos", "teus estatutos" e "teus testemunhos". Deus era o mais importante para ele. O salmista desejava o que Deus desejava, não importando o que fosse. Semelhantemente, a esposa cristã pode ter o mesmo desejo profundo em seu coração, e deleite contínuo no Senhor, à medida que focaliza seus pensamentos naquilo que Deus é (especialmente em sua bondade), e em como está Deus operando em sua vida, a fim de que Ele seja glorificado.

DEUS – HONRANDO OS DESEJOS DO CORAÇÃO

De onde vem um coração com estes desejos santos? Ele é um dom gracioso de Deus ao crente (Jeremias 31.33; Ezequiel 36.26). A Escritura diz: "Agrada-te do SENHOR, e ele satisfará os desejos do teu coração" (Salmos 37.4). Isto significa que Deus colocará no coração dela os desejos que Ele quer. Em outras palavras, Deus coloca aquele tipo de anseio profundo no coração da pessoa. A responsabilidade da esposa é pedir a Deus este anelo e buscar diligentemente a Deus em sua Palavra. Ela também tem a responsabilidade de cultivar uma atitude de gratidão a Deus, independentemente das circunstâncias (1 Tessalonicenses 5.18). Para cultivar uma atitude de gratidão, ela precisa ter pensamentos deliberados de gratidão a Deus, ainda que não se sinta inclinada a isto. Deus fará o restante, porque faz parte do seu caráter responder a este tipo de oração. "E esta é a confiança que temos para com ele: que, se pedirmos alguma coisa segundo a sua vontade, ele nos ouve. E, se sabemos que ele nos ouve quanto ao que lhe pedimos, estamos certos de que obtemos os pedidos que lhe temos feito" (1 João 5.14-15).

Como seus desejos devem mudar? Em que devem consistir seus novos desejos? Aquilo que uma esposa deseja é o que lhe ocupa o tempo pensando, sonhando acordada, planejando e ansiando. Ela pode ter o coração em...

DESEJOS ERRADOS
(SE FOREM IDÓLATRAS OU CONCUPISCENTES)

- Que meu marido seja afetuoso.
- Que ele antecipe minhas necessidades sem que eu tenha de pedir.
- Que ele me faça elogios.
- Que ele me faça sentir especial.
- Que ele não fira meus sentimentos.
- Que converse comigo e compartilhe seus pensamentos e sentimentos.
- Que ele me coloque em primeiro lugar.

Por outro lado, a esposa deve <u>colocar</u> seu coração em...

DESEJOS CORRETOS

- Que eu conheça a Palavra de Deus e Lhe obedeça.
- Que eu me deleite nEle.
- Que eu O busque de todo o meu coração
- Que eu agrade a Deus independentemente das circunstâncias.
- Que eu cultive uma atitude de regozijo e gratidão pelo que Deus tem feito em minha vida, sem levar em conta o que o meu marido faz ou não.
- Que eu me regozije em Deus decidindo como minha vida e as circunstâncias podem glorificá-Lo ao máximo, a fim de que Ele me use para sua glória.

Em que você tem colocado o seu coração? O que é realmente importante para você? Aquilo em que tem colocado o seu coração fará toda a diferença em sua realização e em seu regozijo. Peça a Deus que lhe dê novos desejos do coração. Então, prossiga em buscar a Deus com a mesma paixão e energia que você emprega neste momento aos desejos idólatras (1 João 2.15-17).

> Portanto, se fostes ressuscitados juntamente com Cristo, buscai as coisas lá do alto, onde Cristo vive, assentado à direita de Deus. <u>Pensai nas coisas lá do alto</u>, não nas que são aqui da terra; porque morrestes, e a vossa vida está oculta juntamente com Cristo, em Deus. Quando Cristo, que é a nossa vida, se manifestar, então, vós também sereis manifestados com ele, em glória.
>
> Colossenses 3.1-4 (grifo meu)

Algumas das muitas maneiras de "pensar nas coisas lá do alto" são as seguintes:

- Pense e deleite-se deliberadamente no Senhor – em suas obras (criação, salvação, a "poda" pessoal dEle em sua vida).
- Desenvolva <u>contentamento</u> em sua vida. Agradeça freqüentemente

a Deus pelas circunstâncias em que você vive. Pense no hoje e no futuro de modo positivo, olhe adiante para aquilo que Deus fará em sua vida e como será Ele glorificado através de você.

- Ore e peça a Deus que lhe conceda novas motivações "porque Deus é quem efetua em vós tanto o querer como o realizar, segundo a sua boa vontade" (Filipenses 2.13). Se você se deleitar em Deus, Ele concederá ao seu coração novos desejos e motivações. "Agrada-te do Senhor e ele satisfará os desejos do teu coração" (Salmos 37.4). Isto significa que Ele substituirá os seus desejos idólatras por desejos que ele quer que você tenha.

- Invista mais de seu tempo livre na leitura da Bíblia, medite nela, decore passagens da Escritura e pense sobre os temas bíblicos.

- Tenha como alvo agradar a Deus, e não a sua felicidade pessoal.

- Esteja alerta à raiva (você se sentirá frustrada) e/ou ansiedade como indicador de que suas motivações provavelmente não são corretas. Assim que você estiver ciente de que está pecando, confesse a Deus. Tome algum tempo e esforce-se para ter um pensamento que honre a Deus em lugar do pensamento idólatra.

Allison estava infeliz porque estava pecando. Não eram as circunstâncias em que ela vivia que a faziam pecar, mas seu coração idólatra. Depois de passar por aconselhamento, Allison arrependeu-se. Agora é bem provável que seu marido comece a sentir-se atraído pela doçura dela e, também, se arrependa. Ainda que isso não aconteça, Allison estará adorando e servindo, de todo o seu coração o Senhor Jesus Cristo, o Rei entronizado no coração dela.

CAPÍTULO 8

Lar

A esfera de ação da esposa

PARTE UM
UMA DONA DE CASA

Tracy e Stacy são duas jovens esposas e mães. Ambas são cristãs. Contudo, são diferentes em alguns aspectos. Tracy ama sair e estar ocupada. Ela não consegue dizer não. Parece que a cada minuto do dia ela assume o compromisso de estar em algum lugar ou de fazer alguma coisa. Seu tempo, em grande parte, é empregado em atividades na igreja. Quando ela não está preparando o jantar das quartas-feiras, está dando aulas na Escola Bíblica Dominical e cantando no coral. Assiste regularmente às classes de estudo bíblico semanal das senhoras. Também auxilia os alunos que têm dificuldades de estudo nas classes de seus dois filhos e presta serviços voluntários uma vez por semana na escola. Não há um só dia em que ela esteja em casa. Seu marido já lhe pediu que vá com calma, mas ela afirma: "Tudo que estou fazendo é bom, e eles precisam de ajuda. Estaria sendo egoísta, se não fizesse tudo o que posso".

Stacy, por sua vez, é preguiçosa. Fica em casa, mas assiste muito à televisão. Ela dorme tarde e deixa que as crianças se cuidem por si mesmas e peguem o ônibus escolar. À noite, ela não tem sono, então, fica acordada até tarde lendo ou assistindo televisão. Adora falar ao telefone, e sempre surge com algum "novo projeto"; contudo, raramente, ou nunca, o conclui. Seu marido pede que ela faça o trabalho da casa, que se levante junto com as crianças e cuide da família.

Tanto Tracy quanto Stacy são cristãs e possuem o desejo de agradar a Deus. Entretanto, ambas precisam reavaliar seus estilos de vida e suas responsabilidades bíblicas em casa. Uma esposa piedosa é organizada, e se esforça bastante para administrar seu lar da melhor maneira possível, e cria também uma atmosfera otimista e alegre em sua família. Deus sempre designou que o lar fosse a esfera de ação da esposa. Conquanto este não seja um tópico popular em nossa cultura, Deus desejou e ainda deseja que a esposa seja uma boa "dona de casa" (Tt 2.5). Considere a esposa excelente de Provérbios 31.11-33 e observe como muitos versos se referem ao lar.

> *Busca lã e linho e de bom grado trabalha com as mãos... É ainda noite, e já se levanta, e dá mantimento à sua casa e a tarefa às suas servas. Examina uma propriedade e adquire-a; planta uma vinha com as rendas do seu trabalho... Ela percebe que seu ganho é bom; a sua lâmpada não se apaga de noite. Estende as mãos ao fuso, mãos que pegam na roca... No tocante à sua casa, não teme a neve, pois todos andam vestidos de lã escarlate. Faz para si cobertas, veste-se de linho fino e de púrpura... Ela faz roupas de linho fino, e vende-as, e dá cinta aos mercadores... Atende ao bom andamento da sua casa e não come o pão da preguiça.*
>
> *Provérbios 31.13, 15-16, 18-19, 21-22, 24, 27*

Dos vinte e dois versos desta passagem, nove referem-se diretamente ao seu trabalho no lar. Seu mundo girava em torno do seu lar e aparentemente ela experimentava satisfação numa tarefa bem realizada. O ministério-base do lar da esposa excelente não se aplica somente aos dias do rei Salomão, mas também aos nossos dias. O apóstolo Paulo escreveu a Tito a respeito desta questão:

> *Quanto às mulheres idosas, semelhantemente, que sejam sérias em seu proceder, não caluniadoras, não escravizadas a muito vinho; sejam mestras do bem, a fim de instruírem as jovens recém-casadas a amarem ao marido e a seus filhos, a serem sensatas, honestas, boas* <u>*donas de casa*</u>*, bondosas, sujeitas ao marido...*
>
> *Tito 2.3-5 (grifo meu)*

O que é exatamente uma "dona de casa"? No grego, "dona de casa" é apenas uma palavra, *oikourgos*, que vem de dois radicais: *oikos*, que significa "moradia, lar ou residência", e *ergon*, que significa "trabalhar ou ser empregado".[1] Então, uma "dona de casa" é alguém que guarda a habitação ou que cuida do lar. O senso comum ditava que as mulheres mais jovens, em sua maioria, deveriam estar em casa para realizar bem este objetivo.

Há uma expressão similar a "trabalhadora ou dona de casa" em 1 Timóteo 5.14. Ali a instrução é para as jovens viúvas:

> Quero, portanto, que as viúvas mais novas se casem, criem filhos, sejam boas <u>donas de casa</u> e não dêem ao adversário ocasião favorável de maledicência. Pois, com efeito, já algumas se desviaram, seguindo a Satanás.
>
> 1 Timóteo 5.14-15 (grifo meu)

A palavra grega traduzida por "dona de casa" é *oikodespoteo*. Significa literalmente "governar ou dirigir a casa".[2] Aqui a intenção da passagem é guardar a viúva de problemas e preservar sua reputação. Assim, em vez de meter-se em problemas, sua tarefa é governar o lar de maneira agradável a Deus.

O conceito bíblico de "dona de casa" não é popular nos dias atuais, mas acredito que Deus designou que as mulheres, principalmente as mais jovens, permaneçam em casa, cuidem bem de seus lares e de suas famílias. Uma esposa que se envolve em muitas atividades ou muito trabalho fora de casa não tem tempo nem energia para manter seu lar como deve.

Se a esposa está trabalhando fora do lar ou pensando em voltar a fazê-lo, deve examinar suas motivações. O que ela realmente quer? Em que ela tem colocado seu coração? Em tentar ser "alguém na vida"? Em ter bens materiais? Fugir da necessidade de cuidado das crianças? Substituir seu esposo na responsabilidade de trabalhar? Nenhum desses motivos glorifica a Deus. Eles servem ao "ego" e são pecaminosos. Motivos piedo-

---

1 THOMAS, Robert. #3626, p. 1669.
2 THOMAS, Robert. #3616, p. 1669.

sos seriam: aprender "a viver contente" (Filipenses 4.11); "Em tudo, dai graças" (1 Tessalonicenses 5.18); "Portanto, quer comais, quer bebais ou façais outra coisa qualquer, fazei tudo para a glória de Deus" (1 Coríntios 10.31). Ficar em casa e organizar uma moradia limpa e bem dirigida é a ênfase mais bíblica do ministério dado por Deus à esposa.

Você pode estar pensando: "Tudo isso é bom, mas e o casal que tem dívidas?" Um casal que está envolvido em tantas dívidas que a esposa tenha de trabalhar, deve fazer sacrifícios para viver dentro de suas possibilidades de orçamento, enquanto trabalha sistematicamente para reduzir seu débito. Em outras palavras, este casal deve fazer algo para que a esposa pare de trabalhar fora e fique em casa. Muitas vezes, se um casal fizesse uma avaliação honesta do que a esposa ganha, e considerasse quanto gastam de transporte, creche para as crianças, impostos, vestimenta, refeições fora de casa, empregada, notas do supermercado que aumentam em função da compra de comida congelada, o casal veria que está perdendo dinheiro. Seria muito mais sábio que ela ficasse em casa e cuidasse da família! Ainda que isso signifique que ele tenha de trabalhar horas extras ou arrumar um trabalho extra, para quitar as dívidas, ainda assim ele teria mais energia sobrando, pois sua esposa estaria em casa ajudando-o, organizando a vida familiar, as roupas, a comida, etc.

E se o marido instruir a esposa a trabalhar, ela deve se submeter? Sim, a não ser que a esposa o convença de que ela estaria pecando por trabalhar. Pode ser pecado para ela dar suporte financeiro ao marido, se ele se tornar irresponsável e preguiçoso. Ao contrário, ela deve beneficiar-se dos recursos bíblicos dados por Deus para protegê-la (veja o capítulo 14). Pode ser sábio para a esposa não trabalhar fora (apesar de não ser necessariamente pecado) e não colocar as crianças numa creche, se as crianças forem suscetíveis a adoecer muitas vezes, por ficarem juntas com outras crianças na creche. Certamente, há pecado se as crianças, destituídas do cuidado materno, não estão sendo criadas na "disciplina e na admoestação do Senhor" (Efésios 6.4).

Uma jovem mãe que aconselhei mostrou ao marido que o que ela poderia ganhar trabalhando fora de casa, no final, seria perda de dinheiro. No entanto, ela pensou numa alternativa bastante criativa e resolveu trabalhar duas ou três manhãs por semana limpando casas, enquanto as crianças estavam na escola. Mais tarde, ela trabalhou meio período para seu marido, quando ele estava começando um novo negócio. Esta opção foi melhor porque ela pôde administrar a casa e cuidar das crianças.

E se o marido adoecer ou morrer? Em alguns casos, creio que a igreja dela tem a responsabilidade de ajudá-la a ficar em casa com suas crianças (veja 1 Timóteo 5.1-16). Se a igreja não o fizer, ela deve procurar emprego para trabalhar em casa ou fora de casa. A não ser por impedimento providencial de Deus, a responsabilidade da esposa é ser "dona de casa" e manter um lar ordenado e organizado. Não significa que o marido e os filhos não possam ajudar, mas ela deve estabelecer as regras. Caos e desordem criam tensão e contenda. Roubam da esposa a energia necessária para desenvolver a relação com seu marido e seus filhos. A ocupação da esposa deve ser definida como manter um lar ordenado e limpo e ser organizada em relação às compras de supermercado e às refeições. Há muitos livros bons nas livrarias, que são muito úteis; e se esta área de sua vida está fora de controle, ela deve buscar recursos para mudar.

Muitas vezes, regras como "não sair de casa pela manhã, se a casa não estiver organizada, a cozinha limpa e os banheiros em ordem" podem revolucionar o trabalho de administração da casa. Chegar em casa e encontrar a cozinha limpa certamente facilita o preparo do jantar! Pensar no que fazer para o jantar logo após o café da manhã provê uma possibilidade de êxito em ter uma noite bem organizada. Talvez a carne tenha de ser descongelada ou a esposa precise estar em casa a determinada hora para ter tempo de preparar aquilo que foi planejado. Um pouco de planejamento faz toda a diferença!

A esposa deve ser boa e eficiente no que faz, não perder tempo e não ser preguiçosa. Se for preguiçosa, deve arrepender-se. Uma pessoa preguiçosa pode estar sempre fazendo alguma coisa, contudo, sempre são atividades que promovem a "boa vida", como ler, assistir televisão, ficar deitada na cama, etc. Qualquer cristão pode arrepender-se de sua preguiça e, com o auxílio de Deus, tornar-se auto-disciplinado. A esposa pode aprender a ser uma trabalhadora esforçada, fazendo-o "de todo o coração, como para o Senhor e não para homens" (Colossenses 3.23, grifo meu). Considere estas verdades gerais em Provérbios que se referem ao preguiçoso versus o diligente:

O Preguiçoso	O Diligente
Ó preguiçoso, até quando ficarás deitado? Quando te levantarás do teu sono? Um pouco para dormir, um pouco para tosquenejar, um pouco para encruzar os braços em repouso, assim sobrevirá a tua pobreza como um ladrão, e a tua necessidade, como um homem armado. *Provérbios 6.9-11*	*Vai ter com a formiga ó preguiçoso, considera os seus caminhos e sê sábio. Não tendo ela chefe, nem oficial, nem comandante, no estio, prepara o seu pão, na sega, ajunta o seu mantimento.* *Provérbios 6.6-8*
Mas o que dorme na sega é filho que envergonha. *Provérbios 10.5b*	*O que ajunta no verão é filho sábio.* *Provérbios 10.5a*
O preguiçoso não assará a sua caça. *Provérbios 12.27a*	*O bem precioso do homem é ser ele diligente.* *Provérbios 12.27b*
Quem é negligente na sua obra já é irmão do desperdiçador. *Provérbios 18.9*	*As formigas, povo sem força; todavia, no verão preparam a sua comida.* *Provérbios 30.25*
A preguiça faz cair em profundo sono, e o ocioso vem a padecer fome. *Provérbios 19.15*	*É ainda noite, e já se levanta, e dá mantimento à sua casa e a tarefa às suas servas.* *Provérbios 31.15*
Passei pelo campo do preguiçoso e junto à vinha do homem falto de entendimento; eis que tudo estava cheio de espinhos, e a sua superfície, coberta de urtigas, e o seu muro de pedra, em ruínas. Tendo-o visto, considerei; vi e recebi a instrução. Um pouco para dormir, um pouco para tosquenejar, um pouco para encruzar os braços em repouso, assim sobrevirá a tua pobreza como um ladrão, e a tua necessidade, como um homem armado. *Provérbios 24.30-34*	*Atende ao bom andamento de sua casa e não come o pão da preguiça.* *Provérbios 31.27*

Uma palavra de advertência: algumas esposas são perfeccionistas. Por isso, trabalham desnecessariamente mais do que devem e tornam infelizes todos os outros. Se por um lado, é bom ensinar as crianças a serem disciplinadas, por outro, é ruim ser intolerante, ríspida ou ansiosa, se as tarefas não estão perfeitas. Um quadro de horários, por mais útil que seja, pode ser interrompido ocasionalmente, por motivo de doença ou em função do marido ou da criança que precisa de um tempo para conversar. As pessoas são mais importantes do que uma casa limpa! Com relação a isso, a esposa ou mãe deve ser "tratável" (Tiago 3.17). A esposa cujo coração anela ter uma casa perfeita provavelmente possui um ídolo em seu coração. Ao contrário, ela deve <u>colocar</u> <u>seu</u> <u>coração</u> em glorificar o Senhor Jesus Cristo, e Ele, então, decidirá como e em que planejamento quer que ela O glorifique.

Se você está decidida a manter uma casa perfeita ou se é preguiçosa e não realiza suas responsabilidades em casa, está pecando. Confesse este pecado a Deus e à sua família. Peça o perdão deles. Comece a fazer todas as suas tarefas "como para o Senhor". O mundo debocha das esposas e mães dedicadas. O mundo é enganoso. Hoje mesmo, pela graça de Deus, você pode começar a ser a esposa excelente de Provérbios 31.27, aquela que "atende ao bom andamento de sua casa e não come o pão da preguiça".

PARTE DOIS
CRIANDO UMA ATMOSFERA PIEDOSA EM CASA

"Se a mamãe não está feliz, ninguém está!" Sorrimos quando lemos a placa na parede de uma loja. Mas nosso sorriso rapidamente se transforma numa cara fechada, se de fato "a mamãe não está feliz". Afinal, a esposa e mãe de família é sempre quem "dá o tom" dentro de casa. O "tom" que Deus quer que ela dê é o de alegria, otimismo e deleite no Senhor e em sua família.

A esposa e mãe que vê a vida como uma "cruz a carregar" influencia os outros em casa a pensarem do mesmo modo. Ela rouba facilmente a alegria de todos e, como o fermento no pão que ela assa, suas atitudes impiedosas se espalham a todos os demais. Se fosse pedido à sua família que descrevesse você, o que eles diriam? Será que diriam que você é uma cristã piedosa, que ama a vida e ama o Senhor? Ou diriam que você é uma mulher infeliz, queixosa e amargurada?

Se você não tem a "alegria do Senhor" (Neemias 8.10), pode começar agora a cultivar uma atitude alegre. Encontre passagens bíblicas que mostrem a bondade e as obras do Senhor. Por exemplo:

> *Meditarei no glorioso esplendor da tua majestade e nas tuas maravilhas. Falar-se-á do poder dos teus feitos tremendos, e contarei a tua grandeza. Divulgarão a memória da tua muita bondade e com júbilo celebrarão a tua justiça. Benigno e misericordioso é o Senhor, tardio em irar-se e de grande clemência. O Senhor é bom para todos, e as suas ternas misericórdias permeiam todas as suas obras. Todas as tuas obras te renderão graças, Senhor; e os teus santos te bendirão.*
> *Salmo 145.5-10*

Medite nessas passagens, lendo-as repetidamente. Pense no que elas significam e em como você poderá incorporá-las à sua vida. Medite nelas até que as decore. Realize suas tarefas domésticas diárias, louvando verdadeiramente a Deus, "com salmos, e hinos, e cânticos espirituais, com gratidão, em vosso coração" (Colossenses 3.16). Memorize seus hinos e cânticos de louvor favoritos que sejam baseados nas Escrituras e cante-os na mente ou em voz alta. Sorria e compartilhe com os outros membros de sua família as coisas maravilhosas que Deus tem feito por você e por eles naquele dia. Saia da cama pela manhã pensando "Este é o dia que o Senhor fez; regozijemo-nos e alegremo-nos nele" (Salmos 118.24, grifo meu).

Não fique remoendo, exagerando, nem aumentando os problemas em sua mente. Quando houver um problema, seja realista. Enfrente a realidade, mas seja honestamente otimista. Por exemplo: "Esta é uma circunstância difícil, mas o Senhor me concederá graça para superá-la".

Coloque seu marido, sua família e amigos em primeiro plano, ainda que isso tome o tempo que você dedicaria a si mesma. Se precisar de descanso extra em certos momentos do mês, planeje-o e de bom grado explique que está necessitando desse descanso. Contudo, não use cochilos como pretexto para ficar à-toa.

Expresse seu interesse pelos outros membros da família. Beneficie-se de momentos especiais com seu marido para dar-lhe um abraço extra ou um beijo. Enquanto passa pano no chão da cozinha, pare um pouquinho para abraçar suas crianças e sussurrar em seus ouvidos: "Amo você. Você é uma grande alegria para mim. Deus nos deu você como um presente!"

Ame o Senhor seu Deus com todo o seu coração, e ame a sua família quase a esse ponto. Seja paciente e gentil, e não seja egoísta. Crie uma atmosfera tal em seu lar, que seu marido e outros membros da família queiram vir para casa. Eles desejarão estar ao seu redor em vez de evitar você. Se você estiver lutando emocionalmente com a autocomiseração, o não ser apreciada ou com a impressão de estar sendo usada por sua família, conscientize-se de seus pensamentos. Lide biblicamente com os pecados de seu marido e seus filhos e substitua pensamentos pecaminosos por pensamentos bíblicos otimistas, expressando-os aos outros.

Deleite-se no Senhor e ser biblicamente otimista e amável; não ceda a temores histéricos. A chave para vencer o temor é amar (1 João 4.18). O medo certamente destruirá uma atmosfera piedosa em qualquer lar. Se você é uma pessoa medrosa, sua responsabilidade é arrepender-se (para mais informações sobre como vencer o medo, veja o capítulo 19).

A esposa que possui um espírito manso e tranquilo vindo do Senhor promove uma atmosfera tranquila, confortante e reanimadora em seu lar. Ela confia intensamente no Senhor e não entra em pânico nas circunstâncias difíceis. Ela possui uma confiança tranquila de que "todas as coisas cooperam para o bem daqueles que amam a Deus" (Romanos 8.28). Sua fé e confiança em Deus crescem diariamente, à medida que estuda as Escrituras, pois ela está crescendo "na graça e no conhecimento de nosso Senhor e Salvador Jesus Cristo" (2 Pedro 3.18). Ela exerce uma influência tranquila sobre sua família, sem alarmá-los ou irritá-los. É reanimador estar perto dela.

A esposa e mãe que é mansa e tranquila é o oposto daquela que é ríspida e legalista. Uma esposa ríspida e legalista é totalmente intratável. Enquanto ela se apega a seu rígido padrão (o qual, a propósito, pode mudar, dependendo de seu humor), é impossível de ser persuadida, além de fazer e dizer coisas extremamente prejudiciais aos outros, no lar. É muito provável que ela seja culpável de orgulho, ira e malícia. Proporciona à sua família um gosto amargo a respeito do cristianismo. Sua esfera de ação no lar não é um conforto e refúgio, mas uma "zona de guerra" para quem quer que esteja em casa. Seu lar é um lugar de reunião para contendas, rivalidades e temor. Sua família teme o tipo de humor em que ela possa estar, a cada dia.

Sem dúvida, com as palavras "o amor é paciente, é benigno" (1 Coríntios 13.4), Deus quer que você, se ainda não criou uma atmosfera piedosa em casa, venha a se tornar uma mulher de "espírito manso e tranqüilo" (1 Pedro 3.4). Você pode começar hoje a orar por arrependimento, examinar as Escrituras e praticar o que aprender, deleitando-se alegremente naquilo que o Senhor Jesus Cristo fez por você, está fazendo no presente e fará no futuro. O lar é a esfera de ação da esposa. O que você fará do seu lar?

....

CAPÍTULO 9

Amor

A escolha da esposa

Como conselheira de mulheres, freqüentemente escuto esposas dizerem: "Não amo mais o meu marido. Nós nos amávamos antes, mas tudo mudou". Depois de algum tempo conversando, percebo que o que ela quer dizer, na maioria das vezes, é: "Aqueles sentimentos românticos que eu tinha, se foram para sempre. O que sinto agora é mágoa, ressentimento, frustração, temor ou amor por um outro homem". A esposa que não ama mais o marido cria um dilema, porque os crentes *têm* de amar os outros. Amar os outros é tão importante que o Senhor Jesus ensinou que o segundo maior mandamento é "Amarás o teu próximo" (Mateus 22.39). O marido é a pessoa mais próxima da esposa! Sendo assim, amar o marido é algo que as esposas devem fazer!

Visto que a maioria das esposas "amava" o marido ao se casar, o que aconteceu com aquele amor? Se você analisar biblicamente cada situação, muitas delas se enquadram em uma das três categorias de pecado que destroem o amor: egoísmo (1 Coríntios 13.5), ressentimento (1 Coríntios 13.5) ou medo (1 João 4.18). Com freqüência, ocorre uma combinação destes fatores. Contudo, não importando o que tenha acontecido e como a esposa esteja se sentindo, Deus pode operar na vida dela e de seu marido e conceder-lhes um amor de um pelo outro que eles jamais sonhariam ser possível. O amor de Deus é justo e altruísta. Quando o amor de Deus é expressado entre o marido e a esposa, estes com freqüência experimentam sentimentos compassivos e "doçura" entre si. O amor bíblico pode aproximar o casal num laço íntimo mais duradouro do que tudo que a intensidade dos seus primeiros dias de paixão trouxeram. O laço de amor entre o marido e a esposa é especial por causa da intimidade de serem "uma só carne"; uma bênção que lhes foi dada por Deus (Gênesis 2.24). E, ainda que o marido não retribua em amor, amar deve ser a escolha da esposa, por causa do mandamento de Cristo. Deus utiliza inúmeras maneiras para indicar às esposas sua responsabilidade de amar o marido.

O AMOR DA ESPOSA POR SEU MARIDO: PRINCÍPIOS BÍBLICOS

PRINCÍPIO 1
ESPOSAS DEVEM AMAR SEUS MARIDOS.

Na Bíblia, há um mandamento geral dado a todos os crentes para amarem os outros.

> *Novo mandamento vos dou: que vos ameis uns aos outros; assim como eu vos amei, que também vos ameis uns aos outros. Nisto conhecerão todos que sois meus discípulos: se tiverdes amor uns aos outros.*
>
> João 13.34-35

Neste versículo, o substantivo grego que significa amor é *ágape*, o verbo é *agapao*. O amor *ágape* é uma atitude de Deus para com seu Filho e para com a raça humana em geral – é amor sacrificial, amor doador. *Ágape* é a vontade de Deus para os crentes, em relação à atitude de uns para com os outros, assim como sua atitude para com todos os homens.[1] Em outras palavras, é um amor que se dá aos outros mesmo que nada seja retribuído. A forma substantiva *ágape* é primariamente uma atitude. A forma verbal

---

1 VINE, W. E. *Vine's Expository Dictionary of New Testament Words*. McLean, Virgínia: MacDonald Publishing Co. p. 702,703.

agapao descreve primariamente uma ação prática. Em ambos os modos, é uma *escolha* que temos o dever de fazer.

A falta de amor *agapao* pode ser observada no exemplo da esposa que fica brava com seu marido. À medida que a intensidade de sua raiva aumenta, ela começa a gritar e a jogar coisas. No meio de toda essa agressão, a campainha toca. Ela se dirige à porta e, quando abre, ali está o seu pastor. Ela sorri para ele e diz com alegria: "Olá!" É provável que ela não tenha se *sentido* cordialmente disposta a isso. (Observe: se ela *realmente* estava ou não demonstrando amor *ágape*, isto dependia de suas ações exteriores *e* motivações.) Contudo, ela (ao menos exteriormente) escolheu demonstrar amor ao pastor, uma vez que "o amor é benigno... não se conduz inconvenientemente" (1 Coríntios 13.4a,5a). A questão é que esta esposa poderia ter escolhido demonstrar amor ao marido do mesmo modo como o fez ao pastor, independentemente de *sentir-se* inclinada a fazê-lo ou não!

O amor cristão está num plano mais elevado do que o amor humano. Ele veio <u>do</u> Deus de amor para nós. W. E. Vine descreve o amor *ágape* da seguinte maneira:

> *O amor cristão... não é um impulso dos sentimentos, não acontece por inclinação natural, nem se doa apenas àqueles com os quais se descobre alguma afinidade... o amor procura uma oportunidade de fazer o bem a todos... é um amor prático (de uma pessoa para com a outra).*[2]

A esposa deve amar seu marido porque todos os crentes têm de amar os outros. Ela também é ensinada (indiretamente) em Tito 2.3-4 a amar o marido: "Quanto às mulheres idosas... que sejam sérias em seu proceder... a fim de instruírem as jovens recém-casadas <u>a</u> <u>amarem</u> <u>ao</u> <u>marido</u>" (grifo meu). Nesta passagem, a palavra grega traduzida por "amar ao marido" é *philandros*, que significa literalmente "amor de homem". Vem de duas palavras gregas – *phileo* e *andros*. De acordo com o *Dicionário Vine*,[3] *phileo* "representa mais propriamente afeição terna... gentileza". *Andros* é a palavra que significa "homem ou marido". Nesse contexto, *philandros* é corretamente traduzida como "amar ao marido".

---

2 Idem, p. 703.
3 Idem.

A esposa pode, em termos práticos, expressar "afeição terna" ao marido de vários modos, os quais veremos mais adiante neste capítulo. Um incidente particular que se destaca para mim aconteceu logo depois que nossa filha deu à luz gêmeas. Eu estava na casa de Anna, cuidando dela. Os bebês estavam dormindo em seus berços. Sanford, meu marido, passou lá depois do trabalho para ajudar. A primeira coisa que ele fez foi entrar no quarto dos bebês, apoiar-se sobre cada berço e "estudar" os bebês por um longo período. Fui atrás dele e o vi a observar os bebês. Enquanto meus olhos se enchiam de lágrimas, pensei: "Ele é tão querido para mim". Mais tarde, contei-lhe o que estivera pensando e apreciei o momento que Deus nos havia dado. Isto foi amor *philandros*, por causa da "afeição terna" que pensei e senti.

Há outro modo bastante especial de descrever o amor entre marido e esposa – eles devem se tornar "uma só carne" (Gênesis 2.24). Contudo, ainda que envolva a união física, o amor "uma só carne" consiste primeiramente num laço emocional, que nasce da revelação de si mesmo ao outro. Antes da Queda, Adão e Eva experimentavam intimidade completa um com o outro, pois "estavam nus e não se envergonhavam" (Gênesis 2.25). Desde a Queda, maridos e esposas têm o potencial para recuperar, por meio de Cristo, a intimidade e unidade que Adão e Eva possuíam antes de pecar. Ser "uma só carne" é um dom especial de Deus.

As esposas também devem amar o marido como o seu próximo mais íntimo. O Senhor Jesus deixou claro: "Amarás o teu próximo como a ti mesmo" (Mateus 22.39). Compare o quanto você se esforça para demonstrar amor às suas amigas com o esforço que faz para demonstrar amor a seu marido. Ele é seu próximo mais achegado. Ele deve vir primeiro.

As esposas não somente têm de amar o marido como a pessoa mais próxima, mas também como uma manifestação da graça de Deus. A graça de Deus, nesse sentido, é o favor Divino concedido aos crentes para capacitá-los a viverem a vida cristã. Jerry Bridges explica a graça de Deus aos crentes como algo que inclui:

> ...dois significados complementares e relacionados. O primeiro é o favor imerecido de Deus a nós por meio de Cristo, por quem a salvação e todas as outras bênçãos nos são concedidas gratuitamente. O segundo é a assistência divina a nós, por meio do Espírito Santo. Ob-

*viamente, o segundo significado está encerrado no primeiro, porque
a assistência do Espírito é uma de "todas as outras bênçãos" que nos
são dadas por meio de Cristo.*[4]

Mesmo sob as mais dolorosas circunstâncias você pode demonstrar
amor a seu marido, pois o Senhor diz: "A minha graça te basta" (2 Coríntios 12.9). Se você é crente, Deus lhe dará poder sobrenatural (graça) para
demonstrar amor a seu marido, desde que você obedeça a Deus, tendo
pensamentos amáveis e praticando ações amorosas. Lembre-se que às vezes você terá de ir diretamente contra seus sentimentos.

O amor que vem de Deus não é primariamente um sentimento; é
uma escolha. Pensar de maneira objetiva (biblicamente) e não de maneira subjetiva (baseada em sentimentos), ajudará você a demonstrar amor.
Você faz isso renovando sua mente com a Escritura, à medida que estuda,
medita, memoriza e pensa na Escritura. O apóstolo Paulo nos diz: "Trans-
formai-vos pela renovação da vossa mente"; "Vos renoveis no espírito do
vosso entendimento" (Romanos 12.2 e Efésios 4.23). Isto não vai lhe acontecer apenas passivamente. Você precisa exercitar estas virtudes. Aqui
estão alguns exemplos de pensamentos antibíblicos errôneos comparados
a pensamentos bíblicos e corretos. Um é pecaminoso, o outro é amoroso.

PENSAMENTOS ANTIBÍBLICOS ERRÔNEOS	PENSAMENTOS BÍBLICOS CORRETOS
Não o amo mais.	Não sinto amor neste momento, mas Deus mudará meus senti- mentos à medida que aprendo a pensar e a agir de modo amoroso.
Não vou viver uma mentira e ser hipócrita – e eu o deixar, pelo menos estarei sendo honesta.	Nunca sou hipócrita quando obe- deço a Deus, em vez de obedecer aos meus sentimentos.
Ele nunca mudará.	Somente Deus pode saber se ele mudará ou não. Comprometo-me a amá-lo independente de sentir vontade ou não.

---

4 BRIDGES, Jerry. *Transforming grace*. Colorado Springs, Colorado: Nav Press, 1991. p. 138.

As esposas têm de amar o marido. De fato, isto é tão importante que Deus aborda este assunto de vários ângulos:

- As mulheres mais idosas devem ensinar e encorajar as mais jovens a amarem o marido;
- A esposa deve amar o marido, revelando-se a ele num laço íntimo, físico e emocional, de "uma só carne";
- A esposa deve amar o marido como seu próximo mais achegado;
- O amor é uma manifestação da graça de Deus.

Infelizmente há muitas reações antibíblicas que destroem o amor. Uma delas é o egoísmo.

PRINCÍPIO 2
O EGOÍSMO É UMA BARREIRA PARA O AMOR.

Todas as pessoas são egoístas por natureza. Elas já chegam a este mundo egoístas. Não é necessário observar por muito tempo para perceber que um bebê só se preocupa consigo mesmo. As crianças pequenas prestam atenção a si mesmas, enquanto disputam entre os brinquedos e a atenção da mãe. Adolescentes são conhecidos por sua concentração em si mesmos e por colocarem-se em primeiro plano. Adultos, infelizmente, não são diferentes. Anseiam satisfazer suas necessidades, sentir-se bem consigo mesmos e defender seus direitos.

Em nossa cultura hedonista e narcisista, é revolucionário ouvir alguém dizer: "Negue-se a si mesmo" ou: "Dê preferência aos outros". Todavia, é exatamente isto que Deus diz que devemos fazer. É um paradoxo. Em outras palavras, temos de fazer o oposto daquilo que parece lógico. Falando de modo geral, para ter alegria, felicidade e a realização que deseja, você deve colocar-se de lado e priorizar a Deus e aos outros. Quanto aos relacionamentos humanos, você deve colocar seu marido em primeiro plano. No que diz respeito ao seu relacionamento com Deus, coloque seu coração em glorificá-Lo, independentemente de que as coisas aconteçam ou não a seu modo.

Nada façais por partidarismo ou vanglória, mas por humildade, considerando cada um os outros superiores a si mesmo. Não tenha cada um em vista o que é propriamente seu, senão também cada qual o que é dos outros.

Filipenses 2.3-4

Amai-vos cordialmente uns aos outros com amor fraternal, preferindo-vos em honra uns aos outros.

Romanos 12.10

Expressando de modo claro e simples: a esposa deve demonstrar amor ao marido, priorizando-o. Ela deve pensar: "O amor... não procura os seus interesses" (1 Coríntios 13.5). "Posso demonstrar amor a meu marido cedendo a ele nesta questão". À medida que ela der preferência ao marido e revestir-se de amor (veja o princípio 5), estará amando o marido em lugar de ser egoísta.

A esta altura você deve estar boquiaberta, pensando: "Se eu fizer isso, ele vai tirar vantagem de mim! Durante anos ele tem sido extremamente egoísta!" Pode ser que sua preocupação seja válida, mas os crentes têm de contrapor-se ao mal com bênçãos e repreensão, e não com mais egoísmo e mal. Deus quer que você trate o egoísmo de seu marido biblicamente (veja o capítulo 14 para detalhes práticos). No entanto, você tem de ser generosa, ainda que ele seja sempre egoísta. Lembre-se de que você não tem de <u>sentir-se</u> "inclinada" a ser generosa, você apenas tem de praticar a generosidade.

Quando surgem circunstâncias em que seu marido quer fazer uma coisa e você realmente quer fazer outra, expresse sua opinião. Se ainda assim ele continuar querendo fazer algo do modo dele, diga a si mesma: "'O amor... não procura os seus interesses' (1 Coríntios 13.5). Posso demonstrar amor a ele, considerando-o mais importante do que eu e deixando que ele faça do jeito dele".

Como conselheira, conversei com várias mulheres que eram egoístas. Mais adiante, quando as questionava, descobria que elas mantinham normalmente certas crenças seculares a respeito do amor. Muitas vezes tais crenças eram: "O amor é romance e sentimentos"; "O amor é incondicional, a ponto de aceitar até um comportamento pecaminoso"; ou: "Amar é ter minhas necessidades supridas". Com freqüência, as senhoras que se aconselhavam comigo admitiam que muitas vezes sonhavam acordadas com outro homem sendo romântico com elas. Suas crenças sobre amor só serviam para encorajar as concupiscências da carne. Infelizmente, anseios desse tipo nunca podem ser satisfeitos, uma vez que a nossa carne sempre vai querer mais e mais. Devemos nos vigiar contra esses pensamentos, especialmente porque "nos últimos dias, sobrevirão tempos difíceis, pois os homens serão egoístas... mais amigos dos prazeres que amigos de Deus" (2 Timóteo 3.1-4).

Basear o amor em romance e sentimentos é, na melhor das hipóteses, imaturidade. É egoísmo, e sempre tem mais a ver com luxúria do que com amor. Romance é também outra das paixões consumistas de nosso país. "Sentimentos" são sempre algo frustrante. Isto me lembra algo semelhante a uma criança que tem expectativas irreais a respeito do Natal e sempre fica decepcionada. Do mesmo modo que eu nunca ganhei o pônei que ansiava ter, a maioria de mulheres nunca terá o romance que deseja. É muito melhor pensar: "Como posso demonstrar amor?" (o amor é paciente, etc.) do que: "Como posso receber amor?" Talvez você tenha sido influenciada pelo modo como o mundo pensa a respeito do amor. Se é assim, adote a visão bíblica de que o amor é paciente, não procura os seus interesses, é benigno, etc. Conforme você muda seu pensamento, suas expectativas mudarão.

Outra visão errada é a de que o amor é incondicional. É comum tanto o marido como a esposa acreditarem que devem ser amados incondicionalmente, o que em geral significa que, embora um dos cônjuges esteja pecando, o outro deve aceitar aquele comportamento pecaminoso sem tentar restabelecer o pecador a um relacionamento correto com Deus. Não obstante, ignorar um pecado contínuo nunca é uma atitude amorosa, porque o amor "não se alegra com a injustiça, mas regozija-se com a verdade" (1 Coríntios 13.6). (Para mais informações, veja o capítulo 5. Observe: o amor bíblico é incondicional no sentido de que o amor os obriga, comumente, a permanecerem casados e continuarem a demonstrar amor, ainda que o outro nunca mude.) Lembre-se de que, se tem tido pensamentos errados a respeito do que é o verdadeiro amor, você é responsável diante de Deus por mudar seu modo de pensar (Romanos 12.2; 2 Coríntios 10.5).

Sempre que alguém tem uma filosofia de vida baseada em "minhas necessidades" (eu), está propenso a cair na armadilha de não ser amoroso e de ser egoísta, fútil ou orgulhoso. Considere o apóstolo Paulo ou o Senhor Jesus Cristo. Nem um nem outro teve suprida a sua "necessidade" de ser amado por alguém; ainda assim, ambos continuaram a demonstrar amor a Deus e aos outros. Seu foco estava naquilo que Deus queria que eles fizessem. Esta era a alegria e até mesmo a satisfação deles. Por outro lado, nós, por natureza, somos amantes de nós mesmos. Se você luta com o fato de não ser amoroso e tem a visão errada do amor, talvez você esteja anelando pelo tipo de amor errado. Portanto, há um ídolo em seu coração.

Outros ídolos típicos são: independência, ser tratada justamente, ter a aprovação e a concordância de seu marido, romance e entusiasmo, ter um marido e uma família que servem ao Senhor. Como já tratamos dos ídolos do coração, no capítulo 7, não repetirei o assunto. Entretanto, se seu coração <u>almeja</u> a coisa errada, você certamente se decepcionará. Arrependa-se do ídolo em seu coração.

O arrependimento lhe será mais fácil, se você não fizer provisão "para a carne" (Romanos 13.14). Provisões carnais incluem aqueles prazeres que estimulam seus desejos sensuais e egocêntricos e reforçam uma visão antibíblica e mundana do amor, tais como: novelas, livros de romance, masturbação ou fantasias. Você tem de parar de satisfazer à carne, se deseja amar seu marido e não a si mesma.

O egoísmo não é o único impedimento para o amor bíblico; a amargura também é um obstáculo para o amor.

PRINCÍPIO 3
A AMARGURA É UMA BARREIRA PARA O AMOR.

Muitas esposas que aconselhei me diziam que não estavam amarguradas, e sim, apenas "magoadas". Gentilmente, explicava-lhes que "magoada" e "ressentida" é, em geral, como uma pessoa se sente quando está amargurada. Existem vários sinais comuns de amargura. Enquanto lê a lista a seguir, pergunte a si mesma se está manifestando algum destes sinais.

SINAIS COMUNS DE AMARGURA

FOFOCA E DIFAMAÇÃO.

Quando a esposa reclama, fala mal e difama seu marido, contaminando a outros. Ela não tem nada ou quase nada de bom para falar dele.

Atentando, diligentemente, por que ninguém seja faltoso, separando-se da graça de Deus; nem haja alguma raiz de amargura que, brotando, vos perturbe, e, por meio dela, muitos sejam contaminados...

Hebreus 12.15-17

INGRATIDÃO E RECLAMAÇÃO

A esposa não é grata a seu marido. Ela murmura consigo mesma e reclama dele aos outros.

Fazei tudo sem murmurações nem contendas. Filipenses 2.14

JULGAR MOTIVOS

O que quer que ele faça é suspeito aos olhos dela. Mesmo que ele faça alguma coisa boa, ela pensa que não houve motivo. Por exemplo: "Ele só fez aquilo para parecer bom diante dos pais". "Sei que aquele gesto pareceu bom, mas não foi bem isso que ele quis dizer".

Portanto, nada julgueis antes do tempo, até que venha o Senhor, o qual não somente trará à plena luz as coisas ocultas das trevas, mas também manifestará os desígnios dos corações; e, então, cada um receberá o seu louvor da parte de Deus.

1 Coríntios 4.5 (grifo meu)

EGOCENTRISMO

A esposa gasta muito tempo pensando em si mesma. Ela é muito absorta em si mesma. Focaliza-se em si mesma e nas suas próprias mágoas.

Não tenha cada um em vista o que é propriamente seu.

Filipenses 2.4

TRISTEZA EXCESSIVA

A dor e a mágoa enchem o coração, transbordando até tirar toda a alegria, paz e amor que ela costumava ter, podendo, algumas vezes, até deixá-la abatida.

Porque vos tenho dito estas coisas, a tristeza encheu o vosso coração. João 16.6

VINGANÇA

A esposa procura meios de evitar o marido. Talvez ela saia quando ele chega em casa, fique com um semblante sombrio ou o receba com frieza. Ela está devolvendo o que ele lhe fez.

Não torneis a ninguém mal por mal... não vos vingueis a vós mesmos, amados, mas dai lugar à ira.

Romanos 12.17, 19

REMOER

A esposa fica remoendo aquilo que seu marido fez. Ela pensa naquilo com freqüência e recorda algo repetidamente em seus pensamentos.

O amor... não se ressente do mal.

1 Coríntios 13.5

PERDA DA ALEGRIA

A esposa tem pouco ou nenhum deleite em seu relacionamento com o Senhor. Por causa de seu pecado, em lugar da paz e da alegria de Deus, ela experimenta intensa dor emocional e infelicidade.

Terei prazer nos teus mandamentos, os quais eu amo.

Salmo 119.47

UMA ATITUDE CRÍTICA E JULGADORA

É difícil para a esposa tirar o foco daquilo que seu marido fez errado e colocá-lo no que ela tem feito errado.

Hipócrita! Tira primeiro a trave de teu olho e, então, verás claramente para tirar o argueiro do olho de teu irmão.

Mateus 7.5

Se o seu marido lhe feriu, seria útil que você refletisse sobre quais problemas em seu casamento são responsabilidade dele, e quais são a sua parte. Por exemplo, suponha que você acredite que, nos problemas de seu casamento, 40% da culpa é sua, e 60%, de seu marido. Esta porcentagem pode ser ilustrada da seguinte maneira:

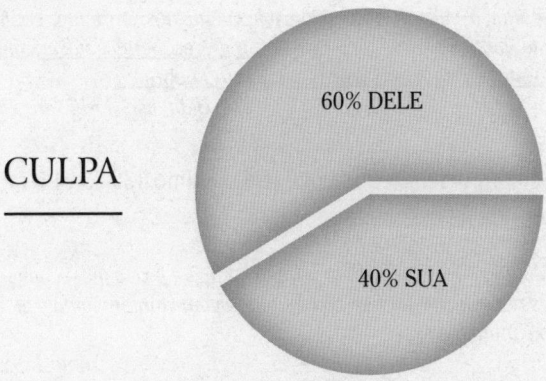

CULPA
————

Deus deseja que você comece a lidar biblicamente com sua amargura, assumindo 100% de responsabilidade pelos seus 40% de culpa.

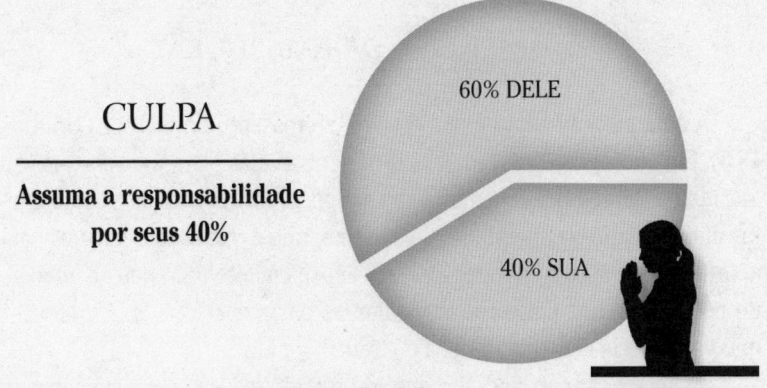

CULPA
————————

**Assuma a responsabilidade
por seus 40%**

Foi isso que o Senhor Jesus quis dizer quando falou: "Tira <u>primeiro</u> a trave de teu olho e, então, verás claramente para tirar o argueiro do olho de teu irmão" (Mateus 7.5, grifo meu). Algo que auxilia na identificação do seu pecado é fazer o estudo bíblico "Despojar-se e Revestir-se", incluso no apêndice deste livro. Procure uma mulher crente que tenha maturidade espiritual e peça-lhe que se torne responsável por você e a ajude a lidar hoje com seu próprio pecado. Deus a ajudará, se você pedir.

Porque não temos sumo sacerdote que não possa compadecer-se das nossas fraquezas; antes, foi ele tentado em todas as coisas, à nossa

semelhança, mas sem pecado. Acheguemo-nos, portanto, confiada-
mente, junto ao trono da graça, <u>a fim de recebermos misericórdia e</u>
<u>acharmos graça para socorro em ocasião oportuna</u>.
Hebreus 4.15-16 (grifo meu)

Também recomendo que você leia o Salmo 139.23-24 e faça a oração que está contida nestes versos.

Sonda-me, ó Deus, e conhece o meu coração, prova-me e conhece os
meus pensamentos; vê se há em mim algum caminho mau e guia-me
pelo caminho eterno.
Salmo 139.23-24

Tirar "a trave de seu olho" é o ponto de partida para arrepender-se da amargura. O próximo passo é estudar a doutrina da amargura e reagir corretamente.

A DOUTRINA DA AMARGURA

A amargura aumenta quando você "se ressente do mal" (1 Coríntios 13.5). Em outras palavras, ao pensar nas coisas más e prejudiciais que seu marido fez, você está alimentando a amargura. Talvez você seja como muitas mulheres que se assentam e ficam remoendo o que aconteceu, ou ficam acordadas durante a noite repassando em sua mente tudo que aconteceu, do começo ao fim. Em geral, Deus não faz parte deste cenário, a não ser que você esteja culpando a Deus ou irada com Ele.

Se você ficar pensando no que seu marido fez, sua dor emocional se intensificará demasiadamente, tornando-se às vezes algo aparentemente insuportável. Você vai começar a sentir-se como o profeta Jeremias. Veja como ele expressou sua amargura:

Afastou a paz de minha alma; esqueci-me do bem. Então, disse eu: já
pereceu a minha glória, como também a minha esperança no SENHOR.
Lamentações 3.17-18

É um estado terrivelmente triste não ter mais forças, nem felicidade, nem paz, nem esperança. Nesta altura, sua dor emocional se intensifica, e seu pecado provavelmente se multiplicará.

Além da amargura, você começa ter maus pensamentos e a expressar cólera, ira, gritaria, blasfêmia e, possivelmente, malícia (Efésios 4.31). A esta altura, seu marido estará impossibilitado de fazer qualquer coisa certa a seus olhos, ainda que ele esteja tentando. O autor da carta aos Hebreus expressou isto da seguinte maneira: "Atentando, diligentemente, por que ninguém seja faltoso, separando-se da graça de Deus; nem haja alguma raiz de amargura que, brotando, vos perturbe, e, por meio dela, muitos sejam contaminados" (Hebreus 12.15). Esteja certa de que, se não se arrepender, seu pecado contaminará a outros.

Sua amargura vai ferir seus filhos, isto sem mencionar seu pecado contra Deus. Em vez de ferir os outros e pecar contra Deus, você pode arrepender-se, pedindo perdão a Deus e ao seu marido (1 João 1.9). Deus é fiel e a perdoará e purificará de toda a injustiça. Ao pedir perdão a seu marido, tenha em mente que você está se concentrando em assumir 100% da responsabilidade pelos seus 40% de erro. Mais tarde veremos como reagir biblicamente aos 60% dele.

Você eliminará seus sentimentos de amargura à medida que purificar sua consciência e começar a andar a segunda milha, ou seja, fazer algo extra e bem especial para o seu marido. Isto significa ir além de sua chamada ao dever. O Senhor Jesus disse: "Se alguém te obrigar a andar uma milha, vai com ele duas" (Mateus 5.41).

Seu marido pode não merecer que você ande "a segunda milha", mas, de qualquer maneira, faça-o. Faça algo de que ele realmente goste, tal como preparar sua refeição predileta, massagear suas costas ou comprar-lhe um presente, embrulhando-o num lindo papel. Pense naquilo que você gostaria que ele lhe fizesse e, então, faça a ele. Ponha em prática a exortação do Senhor Jesus: "Tudo quanto, pois, quereis que os homens vos façam, assim fazei-o vós também a eles" (Mateus 7.12). Nunca é fácil ir contra os sentimentos e andar a "segunda milha", mas esta é uma atitude necessária para vencer o sentimento de amargura. Deus a ajudará, à medida que você reagir corretamente às circunstâncias difíceis.

Enquanto anda a segunda milha, tenha em mente que você não deve pagar "mal por mal ou injúria por injúria"; antes, pelo contrário, bendizer (1 Pedro 3.9). Também não deve se deixar "vencer do mal", mas vencer o mal com o bem (Romanos 12.21). Deus quer que você retribua com o

bem e não com mal. Coloque isto em prática. Quanto mais intensamente você sofrer, maior a necessidade de uma retribuição "abençoadora".
Conseqüentemente, sua dor emocional cessará, e você estará glorificando
imensamente a Deus, se o seu intuito é obedecer e agradar a Deus.

Confessar a amargura, purificar a consciência e bendizer darão grandes resultados, mas, além disso, você deve se despojar da amargura,
revestindo-se de pensamentos benignos, compassivos e perdoadores. Leia
e considere cuidadosamente este texto:

> *Longe de vós, toda amargura, e cólera, e ira, e gritaria, e blasfêmias,
> e bem assim toda malícia. Antes, sede <u>uns para com os outros be-
> nignos, compassivos, perdoando-vos uns aos outros, como também
> Deus</u>, em Cristo, vos perdoou.*
>
> *Efésios 4.31-32 (grifo meu)*

De que modo uma pessoa se torna benigna, compassiva e perdoadora? Tudo começa com o que ela pensa. Estude cuidadosamente os
seguintes exemplos:

Pensamentos Amargurados	Pensamentos Benignos, Compassivos e Perdoadores
Ele não me ama. Ele só ama a si mesmo.	*Ele não demonstra amor como deveria, mas sua capacidade de amar pode aumentar.* *Colossenses 3.14*
Como ele ousa voltar mal-humorado do trabalho e descontar em mim!	*Talvez ele esteja se sentindo pressionado no trabalho.* *Efésios 4.31-32*
Faço tanto por ele, e veja o que recebo em troca!	*Imagino que posso fazer algo diferente, para tornar isso mais fácil para ele.* *Filipenses 2.3-4*

Pensamentos Amargurados	Pensamentos Benignos, Compassivos e Perdoadores
Ele só está pensando em si mesmo.	*Talvez ele não esteja se sentindo bem hoje.* *Colossenses 3.12*
Ele é estúpido, não vou falar com ele novamente!	*Talvez ele tenha entendido mal o que eu quis dizer.* *Efésios 4.1-3*
Não posso acreditar no que ele decidiu. Que ridículo!	*Talvez ele tenha informações que eu não tenho.* *1 Coríntios 4.5*
Não posso acreditar no que ele me fez!	*O que ele tem feito é difícil, mas Deus me concederá graça para superar isso.* *1 Coríntios 10.13*
Nunca o perdoarei.	*Depois de tudo que o Senhor me perdoou, isto é o mínimo que posso fazer.* *Mateus 18.32-33*
Ele nunca mudará.	*Pela graça de Deus, ele pode mudar.* *1 Coríntios 6.11*
Isto vai além do que posso suportar. Não há esperança.	*Não há nada que tenha acontecido que Deus não possa perdoar, que eu não possa perdoar, e que não possamos modificar juntos.* *1 João 1.9*
Ele fez aquilo de propósito, para me ferir.	*Somente Deus pode saber porque ele fez o que fez. A minha responsabilidade é crer no melhor.* *1 Coríntios 13.7*

PENSAMENTOS AMARGURADOS	PENSAMENTOS BENIGNOS, COMPASSIVOS E PERDOADORES
Ele devia ter entendido melhor.	*Como ele poderia saber? Eu nunca lhe contei. Ele não pode ler minha mente.* *Efésios 4.15*
Vou mostrar-lhe como é.	*Retribuirei a ele com bênção.* *1 Pedro 3.9*
Nunca devíamos ter nos casado.	*Ele é meu marido, e estou comprometida com ele, não importa o que aconteça.* *Mateus 19.6*
Deus entende que não posso suportar isso.	*Deus me dará sabedoria e graça para continuar.* *Tiago 1.5*
Orei a respeito disso e sinto 'paz' em pedir o divórcio.	*Seria bom ter isso resolvido, mas estou comprometida em proceder do modo como Deus determinou.* *Colossenses 3.2*
Queria que ele estivesse morto.	*Oro para que Deus tenha misericórdia dele e que ele se arrependa.* *2 Pedro 3.9*
Eu o odeio.	*Posso demonstrar-lhe amor, independentemente de eu sentir vontade ou não.* *1 Coríntios 13.4-7*
Ele me dá repulsa. Pensar nele me tocando me dá náuseas.	*O fato de meu marido querer ter sexo comigo é uma coisa boa. Posso mostrar-lhe amor, concentrando-me em agradá-lo.* *1 Coríntios 7.3-4*
Como Deus pôde deixar que ele fizesse isso comigo?	*Deus tem um propósito em tudo que estou sofrendo. Ele pode usar e usará isso para o meu bem e para a sua glória.* *Romanos 8.28-29*

Mantenha um diário de seus pensamentos de amargura. Cada vez que você ficar magoada ou ressentida, escreva seus pensamentos, palavra por palavra. Reflita sobre cada um deles e mude-os em pensamentos benignos, compassivos e perdoadores. Saiba que você estará mostrando amor a Deus e a seu marido, à medida que vai "levando cativo todo pensamento à obediência de Cristo" (2 Coríntios 10.5; veja também Romanos 12.2 e Filipenses 4.8). Por fim, destrua sua lista de pensamentos de amargura, para que ninguém seja ferido por seus pensamentos errados, por tomarem conhecimento da lista.

É importante que você veja sua amargura sob a perspectiva de Deus. Freqüentemente, as esposas que aconselho são amarguradas. A amargura da esposa pode muito bem ser um pecado pior do que aquilo que o marido tenha feito, especialmente se ele está arrependido, e ela não o perdoa. Sempre digo às senhoras que aconselho: "Não há nada que seu marido tenha feito que Deus não possa perdoar e que você não possa perdoar!". Deixe-me repetir para enfatizar: se você está amargurada e não perdoa, então, está agindo de maneira maldosa. Temos de perdoar, assim como fomos perdoadas. Mesmo as circunstâncias mais difíceis podem ser reconciliadas. Tenha em mente que os membros da igreja de Corinto eram um grupo de antigos beberrões, adúlteros, homossexuais, fornicadores, insultadores, etc. Todavia, Paulo escreveu sobre eles: "Tais fostes alguns de vós" (1 Coríntios 6.9-11, grifo meu).

Para entendermos a importância de perdoar e o que isto significa para Deus, considere Mateus 18.22-35. Em Mateus 18, Jesus conta a história do servo que devia tanto que não poderia nunca pagar sua dívida. Ele implorou misericórdia, e o seu senhor o perdoou. Este servo, no entanto, tinha um conservo que lhe devia uma pequena quantia. O seu conservo implorou-lhe por misericórdia e mais tempo; e prometeu pagar-lhe. Mas o servo credor não foi compassivo, não lhe perdoou a dívida e o lançou na prisão. O senhor deste servo credor descobriu o que se passara e ficou irado. Em Mateus 18.32-33, lemos que o Senhor lhe disse: "Servo malvado, perdoei-te aquela dívida toda porque me suplicaste; não devias tu, igualmente, compadecer-te do teu conservo, como também eu me compadeci de ti?" O senhor, então, entregou-o aos torturadores. O que se segue é um aviso solene a todos nós: "Assim também meu Pai celeste vos fará, se do íntimo não perdoardes cada um a seu irmão" (Mateus 18.35). Se você está amargurada, não é perdoadora e deve buscar arrependimento.

Você pode estar pensando: "Como posso perdoá-lo, se ele continua sendo infiel, irresponsável, enganoso, beberrão e descontrolado?" Perceba que Deus providenciou muitos recursos para proteger-lhe, se este é o caso (veja o capítulo 14). Perceba também que perdão e confiança não são a mesma coisa. Há algumas circunstâncias nas quais você seria ingênua, se confiasse em seu marido. Tenha cautela, uma vez que "o simples dá crédito a toda palavra" (Provérbios 14.15). Contudo, apesar disso, você deve perdoar e se esforçar pela reconciliação. Então, à medida que seu marido for mais e mais fiel, sua confiança nele aumentará.

Por exemplo, o marido de uma das esposas que aconselhei tinha um problema de ira violenta. Ele ficava enfurecido, dizia coisas cruéis e vis e batia nela. Depois, ele sempre pedia desculpas. Por ser isso um padrão habitual na vida dele, ela lhe disse: "Eu o perdôo, mas não confio em você. Por isso, um de nós terá de informar à liderança da igreja a respeito do seu problema com a ira. Você o fará ou devo eu fazê-lo?" À medida que ele foi se submetendo à autoridade da igreja, a sua confiança nele começou a aumentar, gradativamente. Era responsabilidade dele reconquistar a confiança dela. Era responsabilidade dela arrepender-se de sua amargura e perdoá-lo. Quando o marido não coopera com a sua parte de responsabilidade, então, a esposa deve beneficiar-se das outras formas de proteção, explicadas no capítulo 14.

Deixe-me sintetizar esta seção sobre amargura com o seguinte exemplo: suponha que você tenha sido ofendida por seu marido. Suponha que o que ele fez é mau, contudo, não há base bíblica para divórcio. Pode ser que você acredite não ter feito absolutamente nada errado. A mágoa inicial que você sente não é absolutamente pecado. Qualquer um poderia ficar ofendido por aquilo que você acabou de experimentar. Mas o que você faz em seguida é crucial. Você pode escolher reagir à mágoa com humildade ou com orgulho. Veja o que acontece quando você reage com humildade, e não com orgulho.

Duas reações diferentes ao ser magoada

Orgulho			
Sentimentos **FERIDOS** → Como ele pode ter feito isto comigo? *Não há justo, nem um sequer.* *Romanos 3.10*	**Ira** → Isto me deixa tão irada! *O açular a ira produz contenda.* *Provérbios 30.33*	**Amargura** → Vou dizer-lhe que nunca o perdoarei! *Malfeitores... os quais afiam a língua como espada e apontam, quais flechas, palavras amargas.* *Salmos 64.2-3*	**Rebelião** → Vou me divorciar dele! *Ora, aos casados, ordeno, não eu, mas o Senhor, que a mulher não se separe do marido.* *1 Coríntios 7.10*

Humildade			
Sentimentos **FERIDOS** → Senhor, que queres que eu faça? *Tende em vós o mesmo sentimento que houve também em Cristo Jesus... [que] a si mesmo se humilhou.* *Filipenses 2.5-8*	**Benigna,** **COMPASSIVA,** **PERDOADORA** → Sinto-me triste por ele, pois sei que está em conflito. *Sede uns para com os outros benignos, compassivos, perdoando-vos uns aos outros, como também Deus, em Cristo, vos perdoou.* *Efésios 4.32*	**Amorosa** → Eu lhe demonstrarei amor, não pensando no que ele me fez. *O amor... não se ressente do mal.* *1 Coríntios 13.4-5*	**Perdoadora** → Eu o perdoarei. *Se teu irmão pecar contra ti, repreende-o; se ele se arrepender, perdoa-lhe.* *Lucas 17.3-4*

A amargura destrói o amor. Ela estimula sentimentos esmagadores. O pecado da amargura se espalha e magoa outras pessoas. Além disso, é um pecado grave contra Deus. A chave para arrepender-se do pecado de amargura é "levar cativo todo pensamento", substituir aqueles pensamentos amargurados por pensamentos benignos, compassivos e perdoadores e caminhar a "segunda milha". Na verdade, não há nada que seu marido tenha feito que você não possa perdoar. Se ele não é digno de confiança, pode reconquistar sua confiança; e, embora ele seja falho diante de Deus, você não tem de ser. Se o seu coração está endurecido e amargurado, por que você não ora agora mesmo e inicia o processo de arrependimento? Planeje como poderá andar a "segunda milha". Anote seus pensamentos de amargura e substitua-os por pensamentos piedosos. Se você está relutando em perdoar seu marido, medite em tudo que o Senhor já lhe perdoou. Qual será a sua oração?

PRINCÍPIO 4
O MEDO É UMA BARREIRA PARA O AMOR.

O medo é uma batalha comum a muitas esposas. Uma pode temer não conseguir as coisas do seu jeito. Outra pode estar vivendo com medo, porque seu marido é irado e alcoólatra, etc. Em qualquer caso, o medo dificultará muito a sua tarefa de amá-lo. A chave bíblica para vencer o medo é confiar em Deus e amar seu marido. O Rei Davi compôs um salmo sobre confiar em Deus quando se enfrenta circunstâncias amedrontadoras:

> O Senhor é minha luz e a minha salvação; de quem terei medo? O Senhor é a fortaleza da minha vida; a quem temerei? Quando malfeitores me sobrevêm para me destruir, meus opressores e inimigos, eles é que tropeçam e caem. Ainda que um exército se acampe contra mim, não se atemorizará o meu coração; e, se estourar contra mim a guerra, ainda assim terei confiança.
>
> Salmo 27.1-3

Além de confiar em Deus, a esposa é ensinada, de modo específico, a viver "praticando o bem e não temendo perturbação alguma" (1 Pedro 3.6). Enquanto ela pratica o bem, demonstra amor a Deus por meio da obediência a Ele, assim como também demonstra amor ao marido (veja também Mateus 22.37-39). Se você tem medo de que seu marido morra, ou a deixe, ou abuse de você de algum modo horrível, a chave para vencer seu temor é confiar em Deus e amar seu marido. (Para mais informações sobre vencer o medo, veja o capítulo 19).

PRINCÍPIO 5
A ESPOSA DEVE "REVESTIR-SE" DE AMOR.

Revesti-vos, pois, como eleitos de Deus, santos e amados, de ternos afetos de misericórdia, de bondade, de humildade, de mansidão, de longanimidade. Suportai-vos uns aos outros, perdoai-vos mutuamente, caso alguém tenha motivo de queixa contra outrem. Assim como o Senhor vos perdoou, assim também perdoai vós; acima de tudo isto, porém, esteja o amor, que é o vínculo da perfeição.
Colossenses 3.12-14 (grifo meu)

Algumas pessoas parecem ser naturalmente mais amorosas que outras. Quer seja uma dessas pessoas, quer não, você é admoestada repetidamente na Escritura a seguir o amor e a andar em amor. Você faz isso sendo paciente, benigna, etc. Pondere cada uma das seguintes sugestões práticas sobre "revestir-se" de amor:

REVESTINDO-SE DE AMOR

"O AMOR É PACIENTE."

É normal que a esposa fique irritada quando as coisas não acontecem à sua maneira, quando algo interfere em seus planos ou quando ela não se sente bem. Contudo, por um ato do querer, ela pode ser paciente, quer sinta vontade, quer não. Desse modo, obedecer a Deus é uma escolha ativa, humilde e dependente, e o Espírito Santo a ajudará, derramando sobre ela a graça de Deus. Uma boa maneira de desenvolver a virtude da paciência é memorizar a Escritura e citá-la para si mesma, no momento em que sentir que a irritação começa a surgir. Por exemplo: "Todo homem, pois, seja pronto para ouvir, tardio para falar, tardio para se irar. Porque a ira do homem não produz a justiça de Deus" (Tiago 1.19-20). Outro exemplo é agradecer a Deus por coisas especificamente irritantes, uma vez que a Escritura nos ordena: "Em tudo, dai graças, porque esta é a vontade de Deus em Cristo Jesus para convosco" (1 Tessalonicenses 5.18). Freqüentemente, apenas diga para si mesma: "O amor é paciente". Isto nos ajuda muito quando a tensão está se acumulando. Sentir-se impaciente ou frustrada são emoções que a esposa experimenta quando nutre ira pecaminosa e pensamentos egoístas. Ela deve confessar este pecado a Deus, uma vez que isso é uma atitude mental, antes de ser um pecado exterior.

O AMOR "É BENIGNO".

Ser bondosa é uma chave para criar uma atmosfera apropriada em casa. A benignidade é demonstrada num tom de voz gentil e em atitudes benignas. A benignidade atrai as pessoas a nós, assim como o criticismo e a rispidez as afastam. Isto não deveria ser uma surpresa, pois "a bondade de Deus é que te conduz ao arrependimento" (Romanos 2.4). A esposa deve pensar em meios de expressar bondade ao marido. Por exemplo: seu marido fica irritado com um projeto que está tentando terminar, porque as instruções não são claras. Ela poderia dizer-lhe gentilmente: "Sinto muito que isto seja tão irritante. Há alguma coisa que eu possa fazer para tornar isto mais fácil para você?" Um tom de voz gentil e atos bondosos podem ser possíveis por meio da graça de Deus.

O AMOR "NÃO ARDE EM CIÚMES".

Ciúme é o medo de ser substituído por outra pessoa ou coisa. Pode ser uma preocupação válida ou um "sofisma" (2 Coríntios 10.4). De qualquer forma, é egocentrismo e preocupação excessiva consigo mesma. Em lugar disso, a esposa pode demonstrar amor ficando alegre por seu marido ir jogar futebol. Outro exemplo de demonstração de amor, ao invés de ciúmes, é ficar contente quando ele tiver a oportunidade chegar mais cedo em casa e, na chegada dele, expressar sua alegria. A esposa que não é ciumenta demonstra amor a seu marido, de modo que ele não tenha uma recepção desagradável ao chegar em casa, depois de trabalhar até mais tarde. Em vez de ter ciúmes, ela sente prazer porque ele finalmente está em casa. Se ela tem temores legítimos de ser substituída, deve reagir de maneira bíblica, em vez de expressar um medo histérico e enciumado.

O AMOR "NÃO SE UFANA".

O amor não se envaidece. A palavra grega traduzida por "ufana" significa "falar presunçosamente". Presunção é "uma apreciação excessiva de seu próprio valor"[5]. Significa, muitas vezes, "gabar-se" de seu marido e de seu relacionamento. Algumas esposas tentam fazer com que as coisas pareçam melhores do que realmente são. Tomam por certo que merecem todas as coisas boas que seu marido faz. Pode ser que exista uma crença subentendida de que a esposa merece mais. Ao contrário disso, Deus quer que ela se glorie "no Senhor" (2 Coríntios 10.17). Então, ela estará dando mérito reconhecido a Deus, ao invés de gloriar-se em si mesma ou em seu marido, com um coração orgulhoso.

O AMOR "NÃO SE ENSOBERBECE".

Um coração soberbo é cheio de arrogância. É difícil falar qualquer coisa a uma esposa arrogante. Ela é defensiva quando se discorda dela, é reprovada ou corrigida. Ela age de modo arrogante e "sabe tudo" quando está cheia de orgulho. Uma esposa orgulhosa magoa profundamente o seu marido. Em vez de ser arrogante, a esposa deve ser uma serva humilde para o marido e para os outros, ouvindo cuidadosamente a opinião dele e considerando a possibilidade de que esteja errada ou mal informada. Estas reações são um modo pelo qual a esposa demonstra amor ao marido.

O AMOR "NÃO SE CONDUZ INCONVENIENTEMENTE".

A esposa se conduz inconvenientemente ou de maneira rude quando desrespeita e não é submissa ao marido. Quando ela o desrespeita, está envergonhando-o. Uma esposa amorosa age de modo adequado e apropriado. Ela não reage baseada em seu humor. Ela é constante, e seu marido pode esperar que ela reaja em amor. Ela tem boas maneiras.

O AMOR "NÃO PROCURA OS SEUS INTERESSES".

O egoísmo é falta de amor, um problema comum com o qual pastores e conselheiros matrimoniais se deparam. A esposa pode demonstrar

---

5 *Webster's Seventh New Collegiate Dictionary.* Springfield, Massachusetts: G. & C. Merriam Company, 1963. p. 171.

amor ao marido realizando os desejos dele, se isto não envolver pecado. Ela deve estar mais preocupada com o que faz para ele, do que com o que ele faz para ela. Uma esposa teimosa e egoísta provoca seu marido à frustração e ao desencorajamento. Portanto, ela deve considerá-lo mais importante do que ela mesma (Filipenses 2.3) e não buscar seus próprios interesses (1 Coríntios 13.5).

O AMOR "NÃO SE EXASPERA".

Demonstrar amor significa que a esposa se controla mesmo sob as mais difíceis circunstâncias. Um fato triste é que às vezes as esposas ficam irritadas e provocadas, mesmo quando as circunstâncias não são especificamente difíceis. Uma esposa demonstra amor quando possui a virtude do autocontrole. Ela percebe que não lhe sobrevém tentação que não seja humana, mas que Deus é fiel e não permitirá que ela seja tentada além de suas forças; "pelo contrário, juntamente com a tentação, vos proverá livramento, de sorte que a possais suportar" (1 Coríntios 10.13). Em vez de se encolerizar, ela responde com paciência e bondade.

O AMOR "NÃO SE RESSENTE DO MAL".

A esposa demonstra amor, não se apegando à sua amargura, mas perdoando; não trazendo de volta o passado ao seu marido e não rememorando pensamentos amargurados. Ficar atenta a si mesma e a corrigir seus pensamentos é um bom modo de demonstrar amor. Remoer a ofensa sofrida é falta de amor, é ressentir-se do mal.

O AMOR "NÃO SE ALEGRA COM A INJUSTIÇA, MAS REGOZIJA-SE COM A VERDADE".

Uma esposa amorosa é alguém que não somente lida de maneira apropriada com o pecado em sua vida, mas também não influencia, tenta ou provoca seu marido a pecar. Ela lhe diz a verdade. Uma conseqüência de ser justa é que ela, ao mesmo tempo, demonstra amor. Outra maneira de demonstrar amor a seu marido é estimulá-lo "ao amor e às boas obras", encorajando-lhe e dando-lhe suporte, a fim de que ele seja piedoso e pratique atos piedosos (Hebreus 10.24).

O AMOR "TUDO SOFRE".

"Tudo sofre" inclui momentos em que seu marido é egoísta ou que esteja passando por dias difíceis no trabalho. Ela está comprometida com ele, e ele sabe disso. Amar envolve sacrificar o "eu", e é importante lembrar que se ela tem de sofrer, que seja por "praticar o que é bom" (1 Pedro 3.17).

O AMOR "TUDO CRÊ".

O amor bíblico pinta o outro com a melhor cor possível. Em outras palavras, a esposa demonstra amor ao marido acreditando no melhor, ao invés de presumir o pior a respeito do que ele diz ou faz e de seus motivos. Quando, por vezes, o "pior" é um fato, a esposa tem de organizar sua vida e seus alvos pela fé e não pelo que vê. Em outras palavras, não importa o que seu marido tenha feito, uma esposa amorosa e piedosa confia que a soberania de Deus está sobre o seu casamento. Ela sabe que Deus tem um propósito nas circunstâncias e crê, sem dúvida alguma, que "todas as coisas cooperam para o bem daqueles que amam a Deus" (Romanos 8.28).

O AMOR "TUDO ESPERA".

Toda a esperança da esposa cristã está baseada em Jesus Cristo, e "todo aquele que nele crê não será confundido" (Romanos 10.11). Sua esperança é uma expectativa confiante, não apenas um pensamento desejoso. Sua esperança está arraigada no Eterno Rei da Glória, o todo-poderoso Criador do universo que, a seu tempo, realizará o que convém. "Fiel é o que vos chama, o qual também o fará" (1 Tessalonicenses 5.24). Um crescimento visível de sua esperança em Deus é confiar que seu marido se tornará mais e mais piedoso, se ele é crente; e que, talvez, será salvo, caso ainda não o seja. "Tudo" (que o amor espera) abrange cada aspecto de seu casamento e do relacionamento com seu marido. Ela deve dizer a si mesma coisas do tipo: "Meu marido me desapontou, mas Deus nunca me desapontará. Deus pode usar o que aconteceu para levar meu marido a arrepender-se".

O AMOR "TUDO SUPORTA".

A esposa que "tudo suporta" encara tribulações e pressões que vêm à sua vida como uma oportunidade especial de tornar-se mais semelhante ao Senhor Jesus. Nem sempre ela tem prazer em tempos difíceis, mas os suporta com o auxílio de Deus. Ela demonstra amor como Jesus, que "suportou a cruz, não fazendo caso da ignomínia" (Hebreus 12.2). Por que Ele fez isso? "Em troca da alegria que lhe estava proposta" (Hebreus 12.2). Semelhantemente, a esposa pode escolher demonstrar amor a Deus e a seu marido, suportando de maneira correta as tribulações e pressões que sobrevêm ao seu casamento. Ela pode dizer a si mesma: "Isto é bem difícil, mas, com a graça de Deus, posso suportar".

Revestir-se de amor começa com motivações e pensamentos bíblicos e progride para as ações. Sentir amor e entusiasmo para com seu marido só começará depois que você estiver praticando pensamentos e ações amorosas por um tempo. Considere cuidadosamente os seguintes exemplos de pensamentos amáveis:

PENSAMENTOS AMÁVEIS

• Ele pode não estar de bom humor, mas não vou evitá-lo, pois o amor **"não se exaspera"**.

1 Coríntios 13.5

• Posso demonstrar-lhe amor ouvindo-o com paciência, pois **"o amor é paciente"**.

1 Coríntios 13.4

• Cada dia que suporto de maneira correta este tempo difícil, estou mostrando amor a meu marido, porque o **amor "tudo suporta"**.

1 Coríntios 13.7

• Não ficarei pensando no que ele fez, porque o amor **"não se ressente do mal"**.

1 Coríntios 13.5

• Uma vez que não posso provar o contrário, eu lhe demonstrarei amor **acreditando no melhor.**

1 Coríntios 13.7

• Vou demonstrar amor ao meu marido ficando feliz por ele ir jogar futebol, pois **"o amor... não arde em ciúmes"** e "não procura os seus interesses".

1 Coríntios 13.4-5

A seguir, sugiro enfaticamente que você decore 1 Coríntios 13.4-7. Anote cada aspecto do amor contido nesta passagem. Pense e escreva modos específicos e concretos pelos quais você pode expressar amor ao seu marido, por meio de seus pensamentos ou de suas ações. Se houver alguma senhora mais velha e mais madura espiritualmente em sua igreja, você pode considerar a possibilidade de pedir-lhe que a ajude neste projeto. Trabalhe nisto diligentemente. Revestir-se de amor não acontece automaticamente. Este é o maior mandamento. Deve ser a qualidade de caráter sobre a qual você mais se empenhe. Apenas ler este livro não fará de você uma pessoa mais amorosa. Revestir-se de amor, sim.

CAPÍTULO 10

Respeito

A reverência da esposa

Há muitos anos, num domingo pela manhã, meu marido saiu do banheiro pronto para ir à igreja. Logo percebi que a camisa e a gravata não combinavam. Então, disse num tom sarcástico: "Você não vai usar esta gravata, vai?" O que se seguiu foi um momento difícil, porque, obviamente, ele ia usá-la. Finalmente, ele replicou num tom irritado e desconsiderado: "Vou sim. O que há de errado com ela?" Mas, continuei a falar-lhe sobre a gravata. Mais tarde, quando pensava neste incidente, percebi que a pergunta que lhe fiz naquela ocasião poderia tê-lo feito sentir-se tolo. Se ele tivesse respondido: "Não, não vou usá-la", estaria mentindo, porque ele já tinha colocado a gravata. Se ele tivesse respondido: "Sim, vou usá-la", era visível a minha opinião de que ele parecia ridículo. Não havia uma maneira gentil de fazê-lo mudar a gravata, sem que ele parecesse um tolo. Enquanto pensava em como eu o fizera sentir-se, pensei também no versículo que admoesta a esposa: "Respeite ao marido" (Efésios 5.33). Sei, como sua "auxiliadora idônea" (Gênesis 2.20), que ele precisava de ajuda, e não que eu o "rebaixasse" de modo sarcástico. Minha primeira responsabilidade diante de Deus nesta situação era respeitá-lo, e a segunda era fazer sugestões que ajudassem. Este capítulo desafia a esposa excelente a assumir sua responsabilidade bíblica de "reverenciar" seu marido, incluindo princípios bíblicos e práticos a respeito de como fazer isso.

Desrespeitar o marido não é algo a que eu dei início. Tem sido um problema desde que a irmã Eva pecou. A Escritura contém vários exemplos de mulheres que foram desrespeitosas, inclusive a esposa de Jó e a esposa de Davi. A esposa de Jó cometeu um ato de desrespeito estarrecedor. Ela não ficou contente por que "em tudo isto [tribulação] Jó não pecou" (Jó 1.22) e apontou o dedo indicador para Deus e para Jó, dizendo-lhe: "Amaldiçoa a Deus e morre" (Jó 2.9). Cerca de quinhentos anos mais tarde, a esposa de Davi, Mical, roubou a alegria de Davi pelo retorno da arca da aliança a Jerusalém. Davi estava emocionado e dançava de alegria, pois finalmente o Templo de Deus poderia ser construído. Mical viu o que ele estava fazendo e ralhou sarcasticamente com ele, dizendo: "Que bela figura fez o rei de Israel, descobrindo-se hoje... como, sem pejo, se descobre um vadio qualquer!" (2 Samuel 6.5, 13-20). (Observe: Davi não estava nu, mas despido de suas vestes reais e usando apenas vestes sacerdotais.)

A Escritura contém exemplos negativos de mulheres desrespeitosas, mas, felizmente, também inclui exemplos positivos de mulheres respeitadoras. Por exemplo, Bate-Seba mostrou respeito para com Davi quando "se inclinou, e se prostrou com o rosto em terra diante do rei, e disse: Viva o rei Davi, meu senhor, para sempre!" (1 Reis 1.31). A rainha Ester também aproximou-se de seu marido, o rei Assuero, de maneira respeitosa, dizendo: "Se achei favor perante o rei, e se bem parecer ao rei conceder-me a petição..." (Ester 5.8). Pedro exorta as mulheres cristãs de hoje a serem como "as santas mulheres que esperavam em Deus" (1 Pedro 3.5), e usou como exemplo Sara, que "obedeceu a Abraão, chamando-lhe senhor" (1 Pedro 3.6). Seria estranho ouvir mulheres contemporâneas chamando seu marido de "senhor"; contudo, elas podem demonstrar o mesmo respeito e acatamento por meio de vocabulário moderno, em um tom de voz respeitoso.

Independentemente da época, Deus diz: "A esposa respeite ao marido" (Efésios 5.33). A fim de entender melhor este assunto, organizei este conceito em cinco princípios bíblicos que explicam o respeito da esposa por seu marido e concluí o capítulo com uma tabela de valores para que você complete e veja realmente o quanto tem respeitado seu marido.

RESPEITAR O MARIDO:

CINCO PRINCÍPIOS BÍBLICOS

A esposa tem de respeitar o marido. Efésios 5.33
A esposa tem de respeitar a posição do marido. 1 Coríntios 11.3
A esposa tem de agir de maneira respeitosa. Provérbios 31.23
A esposa deve repreender respeitosamente o marido. Colossenses 4.6
A esposa que não é respeitosa pode experimentar
conseqüências severas. Gálatas 6.1

PRINCÍPIO 1
A ESPOSA TEM DE RESPEITAR O MARIDO.

Se você quer fazer a vontade de Deus, respeitar seu marido não é uma opção. Efésios 5.33 atesta diretamente: "A esposa respeite ao marido". A palavra grega traduzida por respeitar é *phobeo*, que vem de uma palavra que significa "ser atemorizado ou alarmado". Significa "ter grande temor a, reverenciar, respeitar ou tratar como alguém especial".[1] A *The Amplified Bible* (A Bíblia Amplificada) nos dá um maior entendimento do significado deste versículo: "A mulher respeite ao marido – que ela o note, respeite, honre, prefira, venere e o estime; e que ela o acate, o elogie, o ame e o admire excedentemente". O verbo "respeite" está no tempo presente, na voz média e no modo subjuntivo. (Observação: A. T. Robertson diz que o uso do subjuntivo aqui é um "imperativo prático", sem um verbo principal,[2] ou seja, para todos os propósitos práticos é um imperativo, um comando). Isto significa que a esposa tem de escolher continuamente respeitar ao marido. Mas, se você sentir (e talvez esteja certa) que a personalidade de seu marido (caráter, talentos, habilidades, etc.) não merece seu respeito? Você pode perguntar: "Estou livre deste mandamento de Deus?" Não, porque...

---

1 ROBERTSON, A. T. Word pictures in the New Testament. Grand Rapids, Michigan: Baker Book House, 1931. p. 547.
2 Idem.

PRINCÍPIO 2
A ESPOSA TEM DE RESPEITAR A POSIÇÃO DO MARIDO.

Os maridos receberam de Deus autoridade sobre suas famílias. A esposa tem de reagir respeitosamente ao marido por causa da posição dada a ele por Deus. As Escrituras deixam claro: "Cristo o cabeça de todo homem, e o homem, o cabeça da mulher, e Deus, o cabeça de Cristo" (1 Coríntios 11.3). No lar, na igreja e no estado, Deus estabeleceu posições de autoridade que sempre exigem respeito dos que estão sob a autoridade (1 Pedro 2.17; Hebreus 13.17; Efésios 5.23). Este respeito não é apenas uma demonstração externa, mas também uma atitude interna do coração obediente a Deus. A atitude de tratar a outrem com respeito aplica-se quer a autoridade seja Deus sobre as suas criaturas, quer sejam os pais sobre os filhos, quer seja o senhor sobre o escravo, quer sejam anciãos sobre a igreja, quer seja o marido sobre a esposa (1 Coríntios 11.3).

Você pode ser mais esperta, mais sábia ou mais bem-dotada que seu marido; contudo, ainda assim, tem de respeitar a posição que Deus deu a ele. Você é como o soldado que permanece atento, em continência, e diz: "Sim, senhor!" a seu superior oficial. Aquele oficial de posição mais alta pode, de fato, ser inferior ao soldado em inteligência, profissionalismo, compromisso, caráter, sabedoria, talentos ou aparência física, mas o soldado tem de fazer continência ao "uniforme". O respeito é dado à posição e não necessariamente à personalidade. Lembre-se que, por si mesma, você não possui nenhum atributo favorável, ou talento, que Deus não lhe tenha concedido.

Pois quem é que te faz sobressair? E que tens tu que não tenhas recebido? E, se o recebeste, por que te vanglorias, como se não o tiveras recebido?

1 Coríntios 4.7

Uma esposa piedosa mostrará respeito à posição de seu marido não somente nos momentos difíceis, quando ele pecar ou cometer erros (veja o princípio 4), mas também o respeitará todos os dias, mesmo sendo ele uma pessoa comum. Se o seu marido está nesta categoria (como está a maioria dos maridos), Deus quer que você seja grata a ele por seu trabalho comum, sua aparência, sua falta de eloqüência, etc. De fato, Deus quer que

você dê graças em tudo (1 Tessalonicenses 5.18). Em nosso mundo das te-
lenovelas, é difícil ficarmos satisfeitas com um marido comum do dia-a-dia.
Se você se inclinar para as coisas do Espírito (as coisas que Deus deseja),
será grata pelo que tem e não se concentrará naquilo que não tem (Romanos 8.5). Quando você crê que merece algo melhor, talvez esteja pensando
de si mesma "além do que convém" (Romanos 12.3) e julgando seu marido
pelos padrões do mundo, e não pelos padrões de Deus (1 Samuel 16.7).

De todas as circunstâncias em que a esposa tem de respeitar o marido, talvez a mais difícil seja quando ele é incrédulo. Contudo, mesmo que
ele não seja crente, seu marido tem de ser respeitado em virtude de sua
posição. Ele é o seu marido, e o pai dos seus filhos, e não "uma cruz que
você tem de carregar". Deus quer que você comece a evangelizar seu marido, mas não da maneira que você planeja. Sua responsabilidade é tentar
ganhá-lo "sem palavra alguma", por meio do seu procedimento, ao observar o seu "<u>honesto comportamento</u> cheio de temor" (1 Pedro 3.1-2). Ele
está perdido e debaixo da condenação de Deus. Não consigo pensar em
nada mais importante do que influenciá-lo para Jesus Cristo. No entanto,
lembre-se de que isto deve ser feito à maneira de Deus, não à sua. Você não
deve pregar para ele, e sim orar por ele, amá-lo, apreciá-lo e respeitá-lo.
Tenha cuidado no modo como você fala com ele e a respeito dele. Deus
está agindo no mundo para salvar pecadores. É fundamental que você siga
os mandamentos de Deus e espere em seu tempo perfeito. (Para mais informações a respeito de ser casada com um incrédulo, veja o princípio 3,
no capítulo 13, e o princípio 4, no capítulo 14,).

PRINCÍPIO 3
A ESPOSA TEM DE AGIR DE MANEIRA RESPEITOSA.

A esposa é desrespeitosa quando faz piada de seu marido, rebaixa-o,
é sarcástica, impaciente, ríspida ou irritada. O desrespeito pode vir em
forma de palavras que ofendem ou no olhar censurador. Muitas formas
de desrespeito são pecados, não importa a quem você esteja se dirigindo.
Contudo, como esposa você possui uma ordem especial de Deus para agir
de maneira respeitosa para com seu marido.

Vale lembrar que agir com respeito é uma maneira de demonstrar amor a seu marido, pois o amor "não se conduz inconvenientemente" (1 Coríntios 13.5). Também lhe será proveitoso convencer-se de que pode obedecer a Deus, quer <u>sinta</u> vontade, quer não. Hormônios, cansaço ou até mesmo doença não são justificativas diante de Deus para que você desrespeite seu marido ou peque de qualquer outra maneira. Deus nunca permitirá que você seja tentada além de suas forças (1 Coríntios 10.13). É possível, pela graça de Deus, passar por esses tempos difíceis sem pecar.

Ao falar com seu marido, seja especificamente cautelosa em suas palavras, tom de voz e compostura. Suas palavras devem ser salutares e edificantes (veja Efésios 4.29). Seu tom de voz deve ser gentil e calmo (veja Gálatas 5.23). Sua compostura (um sorriso ou expressão agradável) deve mostrar respeito, mesmo quando você discordar dele, ou quando ele estiver pecando. Se você se voltar a Deus, Ele a ajudará, pois é seu auxílio e seu Deus (Salmos 42.11).

Provavelmente a coisa mais útil que você pode fazer seja pedir a seu marido que a ajude a mostrar-lhe respeito. Se ele concordar, apontará suas palavras desrespeitosas, seu tom de voz ou expressão. Se a sua tendência natural é rebelar-se e, quem sabe, até "perder a linha", peça a ele (antes do próximo incidente) que ele a instrua a refletir sobre a sua atitude e a orar. Quando você estiver mais calma, volte, e ele discutirá o assunto com você. Uma pessoa insensata não dará ouvidos e pode até "explodir" (Provérbios 12.15-16). No entanto, você pode escolher ser sábia e reta. "O coração do justo medita o que há de responder, mas a boca dos perversos transborda maldades" (Provérbios 15.28). Sua disposição em deixar que seu marido a ajude neste sentido refletirá seu nível de maturidade e compromisso com o Senhor Jesus Cristo. Submeter-se a esta responsabilidade pode ser, de certa maneira, constrangedor ou até humilhante. Mas não se esqueça de que Deus dá graça ao humilde!

Deixe-me concluir este princípio com um exemplo. Suponha que o período menstrual da esposa esteja próximo, deixando-lhe muito tensa e nervosa. É uma manhã de sábado, e eles receberão visitas naquela noite. Ela gostaria de ter ajuda para limpar a casa, mas seu marido está distraído, assistindo a um jogo de futebol na televisão. Ela se dirige a ele com aspereza, num tom feio e irado: "<u>Por</u> <u>que</u> você não me ajuda, em vez de ficar sentado aí, vendo TV? Deve ser bom fazer o que quer! Não posso acreditar que você tenha tão pouca consideração!" Ela acabou de ser rude, desagradável, espalhafatosa e grosseira. Pecou contra Deus e contra seu marido. Ela poderia ter dito calma e gentilmente: "Querido, estou tendo dificuldade nesta manhã, porque está quase no dia de meu período menstrual e tenho muito a fazer, até que tudo esteja pronto para as nossas visitas. Eu sei que o jogo está bom, mas você me ajudaria a terminar a limpeza? Você poderia gravar o jogo e assistir mais tarde". É fácil perceber como "a doçura no falar aumenta o saber" (Provérbios 16.21). Ele estará muito mais disposto a ajudá-la gentilmente, se ela pedir em tom de respeito e com palavras respeitosas. Caso ele se recuse a ajudá-la, ela perceberá que ele está sendo egoísta ou preguiçoso. Então, talvez uma repreensão bíblica respeitosa esteja a caminho.

PRINCÍPIO 4
A ESPOSA DEVE REPREENDER RESPEITOSAMENTE O MARIDO.

Todo cristão deve ter <u>grande</u> <u>cuidado</u> quando ministra uma repreensão. Repreender é dizer a alguém o que aquela pessoa está fazendo errado. Aquele que repreende precisa ter a motivação de restabelecer o outro a um relacionamento correto com Deus. A repreensão deve ser feita de maneira gentil e mais particular possível (Mateus 18.15), enquanto aquele que repreende se guarda de não ser igualmente tentado (Gálatas 6.1). Se todo este cuidado deve ser tomado de um cristão para com outro, quanto mais cuidado deve haver entre uma esposa e seu marido! Se o seu marido está pecando, pense em como você poderia demonstrar-lhe amor por meio da repreensão (Provérbios 27.5), . Afinal, o amor "não se exaspera, não se ressente do mal; não se alegra com a injustiça, mas regozija-se com a verdade" (1 Coríntios 13.5-6).

Além de demonstrar amor, sua repreensão respeitosa é uma maneira de vencer "o mal com o bem" (Romanos 12.21). Você estará retribuindo-o com o bem, e não com o mal. Deus promete que usará sua boa reação para amontoar "brasas vivas" sobre a cabeça de seu marido (Romanos 12.20). Em outras palavras, Deus provavelmente pressionará ainda mais o seu marido a arrepender-se por causa de sua repreensão respeitosa e correta.

Seu marido estará muito mais inclinado a receber e, ao menos, a considerar sua repreensão, se ela for feita de modo respeitoso. Se você for grosseira, ele provavelmente reagirá à sua atitude, em vez de reagir à questão em si mesma. Para fazer uma repreensão correta é importante que você pense objetivamente a respeito do que aconteceu, e não subjetivamente. Isto significa que você não deve focalizar a si mesma, pensando: "Como ele pôde fazer isso comigo?", mas: "Como Deus quer que eu responda, a fim de ajudar meu marido a mudar?" Suas emoções não a deixarão abatida, se você olhar objetivamente o pecado de seu marido como pecado contra Deus, não se apegando a ofensas pessoais. (Se desejar informações mais detalhadas sobre como ministrar uma repreensão, veja o capítulo 5.)

Como esposa, você tem de respeitar seu marido mesmo quando ele peca e falha. Se ele perder o emprego, for rebaixado de cargo ou não promovido; se o seu negócio falhar, ou ele fracassar de alguma outra forma, pode ser que ele mereça sua sábia repreensão. Por mais importante que seja a repreensão bíblica, sua compaixão e bondade são mais importantes. Coloque-se no lugar dele e imagine como ele deve estar se sentindo. Se você ficar histérica, atacá-lo violentamente e disser coisas cruéis, isso o magoará profundamente e não honrará a Deus. Ao contrário, expressões como: "Sei que é difícil, mas de alguma forma vamos superar isso com o auxílio do Senhor"; ou: "Sinto muito por você ter de passar por isso"; ou: "Vamos nos recuperar financeiramente e podemos aprender com isso. Deus pode usar isso para o nosso bem" o ajudarão a arrepender-se e a humilhar-se, se necessário, diante de Deus e dos outros. Ele pode até precisar de sua repreensão gentil e bíblica, mas seu coração compassivo e respeitoso provavelmente contribuirá para restabelecê-lo a um relacionamento correto com Deus. Siga o exemplo de Deus:

> *Amai, porém, os vossos inimigos, fazei o bem e emprestai, sem esperar nenhuma paga; será grande o vosso galardão, e sereis filhos do Altíssimo. Pois ele é benigno até para com os ingratos e maus. Sede misericordiosos, como também é misericordioso o vosso Pai.*
> Lucas 6.35-36 (grifo meu)

> *O homem bondoso faz bem a si mesmo, mas o cruel a si mesmo se fere.*
> Provérbios 11.17

> *Bem-aventurados os misericordiosos, porque alcançarão misericórdia.*
> Mateus 5.7

Falar palavras boas e edificantes, em um tom de voz gentil, é uma maneira correta de demonstrar respeito e amor a seu marido, se ele pecou ou falhou em alguma área. Como Deus pode usar sua bondade para mostrar-se bom e glorificar seu santo nome! Se você for desrespeitosa e grosseira, Deus provavelmente a pressionará a arrepender-se, ou as conseqüências poderão ser severas.

PRINCÍPIO 5
A ESPOSA QUE NÃO É RESPEITOSA PODE EXPERIMENTAR CONSEQÜÊNCIAS SEVERAS.

Se você não é respeitosa para com seu marido, a conseqüência mais provável é que ele a repreenderá. Diante de Deus, seu marido também é responsável por repreendê-la, quando você pecar (Gálatas 6.1). Além disso, ele pode ficar magoado, perder a motivação de ser seu líder espiritual, parar de atuar como líder da família, e/ou sentir-se constrangido e humilhado. A Escritura descreve como ele se sente, quando você não o respeita: a mulher "que procede vergonhosamente é como podridão nos seus ossos" (Provérbios 12.4, grifo meu).

Além de sentir-se ferido, ele pode reagir de modo pecaminoso, ficando desanimado, comportando-se de modo amargurado, irado, abusivo ou defensivo. O que ele poderia fazer é pagar "mal com mal" (1 Pedro 3.9). Ainda mais grave que receber o impacto da reação pecaminosa dele é o seu pecado de desrespeito, que mancha a reputação do Senhor Jesus Cristo, pois você deve responder a seu marido "como convém no Senhor" (Colossenses 3.18). Qualquer coisa que não seja uma atitude gentil e respeitosa não convém nem é apropriada diante de Deus.

As esposas não são as únicas instruídas a respeitarem ao marido. Os filhos são ensinados a honrarem seus pais (Efésios 6.2-3). Se você não respeita o seu marido, seus filhos provavelmente desenvolverão a mesma atitude. Será muito mais difícil para eles honrarem o pai, se você o subestima e fala com ele num tom de voz sarcástico ou ríspido. Seu pecado pode fazer com que seus filhos fiquem inseguros ou irritados, pensem no pai de modo desrespeitoso, ou até reajam abertamente da mesma maneira que você tem reagido a ele. Se você agir assim, seus filhos terão dificuldade de honrar o pai como deveriam.

Agora que abordamos os princípios bíblicos do respeito da esposa para com o marido, faça uma avaliação de como você está se saindo nestes princípios. Faça o teste abaixo, marcando um X ao lado dos itens que você sabe que é culpada de desrespeito. Se houver qualquer dúvida, pergunte a seu marido o que ele acha.

RESPEITANDO O MARIDO...
UMA AUTO-AVALIAÇÃO

(   ) Você fala com seu marido com ar de superioridade, de modo a "rebaixá-lo"?

Por exemplo:

Qual é o <u>seu</u> problema?

Qualquer um poderia ter feito melhor do que você.

Meu pai nunca teria feito isso.

Você não é capaz de fazer nada certo?

Eu devia conhecê-lo melhor, quando decidi depender de você.

Não seja estúpido.

O que você acabou de dizer é ridículo.

Seu idiota!

Você é muito lerdo, vou fazer por mim mesma.

Melhor é morar numa terra deserta do que com a mulher rixosa e iracunda.
                                                                    Provérbios 21.19

(   ) Você trata seu marido, em particular, com o mesmo respeito com que trata seu pastor, seu vizinho, seus amigos, em público?

Tratai todos com honra, amai os irmãos, temei a Deus, honrai o rei.
                                                                    1 Pedro 2.17

(Se tratar todos com honra é a maneira como você deve tratar os outros, quanto mais respeito você deve mostrar para com seu marido.)

( ) A sua expressão mostra desrespeito através de olhares irados, olhares de desgosto, braços cruzados, etc?

> *Então, lhe disse o Senhor: Por que andas irado, e por que descaiu o teu semblante? Se procederes bem, não é certo que serás aceito? Se, todavia, procederes mal, eis que o pecado jaz à porta; o seu desejo será contra ti, mas a ti cumpre dominá-lo.*
>
> Gênesis 4.6-7

( ) Você fala por seu marido ou o interrompe?

> *O amor é paciente... não se conduz inconvenientemente, não procura os seus interesses.*
>
> 1 Coríntios 13.4-5

( ) Você tenta intimidar seu marido, fazendo ameaças, atacando-o verbalmente, chorando ou manipulando-o de alguma outra maneira, para conseguir o que quer?

> *A mulher sábia edifica a sua casa, mas a insensata, com as próprias mãos, a derriba.*
>
> Provérbios 14.1

( ) Você conta os defeitos dele aos outros?

> *Seu marido é estimado entre os juízes, quando se assenta com os anciãos da terra.*
>
> Provérbios 31.23

( ) Você o contradiz, de modo inapropriado, na frente dos outros?

> *Ela lhe faz bem e não mal, todos os dias da sua vida.*
>
> Provérbios 31.12

( ) Você o compara desfavoravelmente a outro homem?

> *Porque aprendi a viver contente em toda e qualquer situação.*
>
> Filipenses 4.11

( ) Você ouve cuidadosamente a opinião de seu marido, tentando entendê-lo?

Todo homem, pois, seja pronto para ouvir, tardio para falar.
Tiago 1.19

( ) Você respeita a posição dele em casa, de maneira tal que ele pode depender de você para fazer o que lhe pede, mesmo quando não está em casa?

O coração do seu marido confia nela, e não haverá falta de ganho.
Provérbios 31.11

( ) Você respeita os pedidos dele, tentando fazer o que ele pede, mesmo que não seja importante para você?

Pois foi assim também que a si mesmas se ataviaram, outrora, as santas mulheres que esperavam em Deus, estando submissas a seu próprio marido.
1 Pedro 3.5

( ) Seu marido diria que você possui um espírito manso e tranqüilo? Isto é evidente na maneira como o trata.

Não seja o adorno da esposa o que é exterior, como frisado de cabelos, adereços de ouro, aparato de vestuário; seja, porém, o homem interior do coração, unido ao incorruptível trajo de um espírito manso e tranqüilo, que é de grande valor diante de Deus.
1 Pedro 3.3-4

( ) Você tem obedecido a Deus, sendo respeitosa para com seu marido?

A esposa respeite ao marido.   *Efésios 5.33*

As respostas (sim ou não) marcadas acima podem demonstrar se você tem sido ou não tão respeitosa quanto Deus requer. Confesse seus pecados a Deus, compreendendo que Ele é "fiel e justo para nos perdoar..."

(1 João 1.9) e peça perdão ao seu marido. Seja clara quanto ao que você fez de errado. Peça ao seu marido que a ajude e lhe fale quando ele perceber que você não está agindo com respeito.

Respeitar a autoridade é praticamente uma arte perdida, mas se você é uma esposa verdadeiramente cristã, por meio da graça capacitadora de Deus, pode cultivar uma atitude respeitosa. Circunstâncias vêm e vão, maridos acertam e falham, alguns merecem respeito e outros não, mas qualquer que seja a sua situação, você pode, por um ato da vontade, mostrar respeito bíblico para com seu marido e, ao mesmo tempo, demonstrar amor a Deus. Isto é importante diante de Deus. Tratar seu marido com respeito não é algo que seu marido deve primeiramente ganhar de você, mas é algo que você escolhe demonstrar a ele. É uma atitude fundamentada no coração, que deve prevalecer independente das circunstâncias e de seus sentimentos. Quanto de seu esforço você está disposta a empregar nisto?

CAPÍTULO 11

Intimidade

A reação da esposa

Dois dias antes do casamento de minha filha Anna, uma de suas amigas veio até à nossa casa para fazer as unhas dela. Esta amiga tinha se casado havia pouco tempo. Enquanto conversavam, riam e cochichavam, Anna virou-se para mim e disse: "Mamãe, venha conversar com a gente". Sentindo que alguma coisa estava "no ar", parei de dobrar as roupas e juntei-me a elas. Disse: "Sobre o que vocês querem que eu fale?" Nenhuma das duas pôde me dizer. Anna dizia: "Ah! você sabe". No começo eu não sabia, mas finalmente adivinhei. O assunto era sexo. Então, perguntei: "O que vocês querem saber?" As duas responderam: "Queremos algumas informações". Conversamos e dei-lhes algumas "informações". Mais tarde, quando refletia na conversa que tivemos, pensei como fora bom elas terem vindo a mim, e, como cristãs, termos uma conversa que honrou ao Senhor.

A relação sexual entre o marido e a esposa é uma dádiva de Deus, para o prazer da intimidade física e a procriação da vida. Tudo que Deus criou é bom, e a intimidade física entre o marido e a esposa não é uma exceção. O mundo tem distorcido e pervertido aquilo que Deus tencionou como santo e reto. O casal cristão possui o potencial de manter relações sexuais e continuar puro em pensamentos, ações e motivos. Para entender a intimidade física como Deus planejou, temos de considerar a intenção original de Deus.

Deus designou o sexo no casamento para intimidade física e procriação. "A procriação é o mais alto privilégio e responsabilidade que Deus deu ao homem, para dar continuidade à vida. A concepção de uma criança é um ato cooperativo entre Deus e o homem, para criar e trazer seres eternos à existência".[1] Deus disse a Adão e Eva: "Sede fecundos, multiplicai-vos, enchei a terra e sujeitai-a" (Gênesis 1.28). Novamente, depois do dilúvio: "Sede fecundos, multiplicai-vos e enchei a terra... povoai a terra e multiplicai-vos nela" (Gênesis 9.1, 7).

Além da procriação, Deus deu ao homem intimidade física para intensificar a proximidade e a unidade dentro do casamento. A Bíblia descreve a união entre o homem e a mulher, no casamento, como "uma só carne" (Gênesis 2.24). "Por isso, deixa o homem pai e mãe e se une à sua mulher, tornando-se os dois uma só carne" (Gênesis 2.24). "Deus dá ao homem a responsabilidade pela unidade no casamento. Este mandamento se repete mais duas vezes, em Mateus 19.5 e Efésios 5.31. Tanto no Antigo como no Novo Testamento, as palavras traduzidas por 'uma só carne' significam mais comumente o corpo físico do homem e da mulher (no hebraico, _basar_, e no grego, _sarx_). 'Unir', em hebraico é _dabag_ e, em grego é _proskolao_. Ambas palavras significam 'colar junto, grudar, juntar-se intimamente'."[2]

A união física entre o marido e a esposa é designada por Deus para satisfazer o desejo por companheirismo, para proteger o marido e a esposa da tentação e para que eles compartilhem um grande prazer e alegria. O companheirismo é fortalecido pelo laço privativo, íntimo e físico de um casal em matrimônio. A Bíblia fala com freqüência da união sexual do homem e da mulher como "coabitar" um com o outro (veja Gênesis 4.1, Lucas 1.34). O companheirismo por meio da intimidade sexual é reservado ao marido e à esposa e designado para protegê-los da tentação.

"Um relacionamento físico saudável e apropriado entre um homem e uma mulher, no casamento, protege cada cônjuge da tentação do adultério."[3]

---

1 SHERWOOD, Ed "A biblical view of sex in marriage". 4-2-93.
2 THOMAS, Robert. #1692, p. 1507.
3 SHERWOOD, Ed. "A biblical view of sex in marriage". 4-2-93.

Mas, por causa da impureza, cada um tenha a sua própria esposa, e cada uma, o seu próprio marido. O marido conceda à esposa o que lhe é devido, e também, semelhantemente, a esposa, ao seu marido. A mulher não tem poder sobre o seu próprio corpo, e sim o marido; e também, semelhantemente, o marido não tem poder sobre o seu próprio corpo, e sim a mulher. Não vos priveis um ao outro, salvo talvez por mútuo consentimento, por algum tempo, para vos dedicardes à oração e, novamente, vos ajuntardes, para que Satanás não vos tente por causa da incontinência... Caso, porém, não se dominem, que se casem; porque é melhor casar do que viver abrasado.

1 Coríntios 7.2-5, 9

Além de suprir a necessidade de companheirismo e de proteção do marido e da esposa contra a tentação, a intimidade sexual também é designada para a doação e recepção mútua de grande prazer e alegria entre o marido e a esposa. "Há grande prazer e alegria no ato de cada cônjuge dar-se propriamente a si mesmo ao outro, na relação sexual".[4] Salomão escreveu: "Alegra-te com a mulher da tua mocidade... embriaga-te sempre com as suas carícias" (Provérbios 5.18-19). Deus designou que o sexo fosse prazeroso, para intensificar a atração entre o marido e a esposa, num profundo laço íntimo, e para a procriação dos filhos. Deus deu ao homem esses desejos físicos para que seu plano fosse realizado.

Tanto homens quanto mulheres possuem desejos sexuais. Contudo, uma vez que os desejos do homem tendem a ser mais fortes, pode ser difícil para os homens pensarem em outra coisa que não seja sexo, quando experimentam anseio físico. Sendo assim, Deus instruiu a esposa a suprir as necessidades físicas de seu marido. A esposa também experimenta anseio físico. Por isso, Deus instruiu o marido a satisfazer as necessidades físicas de sua esposa. De outro modo, o marido e a esposa podem ser tentados a nutrir pensamentos e ações imorais. De fato, o marido deve ser <u>tão</u> satisfeito, que, embora outra mulher o seduza, ele não será tentado. Salomão expressou isso aos maridos da seguinte maneira:

Seja bendito o teu manancial, e alegra-te com a mulher da tua mocidade, corça de amores e gazela graciosa. <u>Saciem-te os seus seios em todo o tempo;</u> e embriaga-te sempre com as suas carícias.

Provérbios 5.18-19 (grifo meu)

---

4 Idem.

A palavra "saciem" significa "satisfazer". Em outras palavras, o marido está tão satisfeito com o amor dela, que ninguém mais teria sequer um olhar de relance da parte dele. Seria como comer, comer e comer, até que você ficasse satisfeito. Se alguém lhe oferecesse sua sobremesa favorita, você nem mesmo sentiria vontade de experimentá-la. Do mesmo modo, o marido deve ser "saciado" pelo amor de sua esposa.

Como mencionei anteriormente, maridos e esposas devem cumprir o mandamento de Deus e corresponder aos desejos físicos um do outro. Com relação à união física com seu marido, a esposa não tem "poder sobre seu corpo", mas seu marido tem. Da mesma forma, o marido não tem "poder sobre seu corpo", mas sua esposa tem. "Não ter poder sobre seu próprio corpo" significa que nenhum dos dois tem a opção de recusar-se ao outro, a não ser que um dos dois esteja providencialmente impedido ou que o casal tenha concordado em refrear-se temporariamente do sexo, para dedicar-se à oração.

Corresponder fisicamente a seu marido é um mandamento de Deus; portanto, quando a esposa obedece, ela está demonstrando amor a Deus, assim como ao marido, por não estar enganando-o. E, se o marido deseja sexo num momento que seja inconveniente para ela? Se possível, a esposa deve organizar seu horário para que eles tenham tempo juntos, e assim ele saiba que é importante para ela satisfazer os desejos dele. Às vezes, pode ser possível reorganizar o horário dela, deixando a limpeza da casa ou dizendo à amiga que ligará depois.

Se for realmente impossível naquele momento, a esposa deve deixar para uma ocasião mais oportuna, num tempo específico. Então, quando ela cumprir sua promessa, deve fazer valer a pena o tempo que ele esperou. Quando a esposa não tem relação sexual com seu marido, embora esteja ciente do desejo dele, ela precisa perguntar a si mesma se não está sendo egoísta e colocando-se em primeiro plano. Se for assim, ela está enganando-o. "Bem", você pode perguntar, "e se ela não estiver 'no clima'"?

Uma das melhores maneiras para uma esposa entrar "no clima" e gostar de ter relação sexual com seu marido é que se concentre em agradá-lo. Não fazer sexo com seu cônjuge torna fácil para ele pensar e sentir que ela não o ama ou que não está disposta a satisfazer suas necessidades. Ele pode acabar ficando fisicamente frustrado, irritado e tentado a satisfazer-se com outra pessoa.

A esposa deve não só concentrar-se em agradar seu marido, como também lembrar que o prazer dela aumenta o prazer dele. Ao se concentrar em agradá-lo, ela está muito mais propensa a tornar-se mais e mais interessada no processo para si mesma. Entretanto, é importante que a esposa diga ao marido o que é agradável para ela.

Algumas esposas acreditam que seu marido sabe tudo sobre sexo e que não precisam dizer nada a ele. Isto não é verdade. Só a esposa pode saber o que é agradável para ela; e, então, pode falar com ele, ser específica e ajudá-lo a ser um bom amante dela. Ela deve pegar a mão dele amorosamente e guiá-lo pelas partes de seu corpo que ela gostaria que ele acariciasse. Se ele não tiver nenhuma noção de carinho, ela deve guiar a mão dele e gentilmente mostrar-lhe o que ela gostaria que ele fizesse. Ela nunca deve pressupor que ele sabe automaticamente, e que está sendo desligado ou insensível. O Doutor Wayne Mack dá a seguinte ilustração: "Minha esposa tem coçado as minhas costas por anos e, ainda assim, não tem achado o ponto certo logo no começo"! Assim é o ato sexual. Mesmo que o marido seja sofisticado na anatomia e fisiologia feminina, ele precisa ser guiado amorosamente ao "ponto certo". É responsabilidade da esposa ensiná-lo.

Se a esposa não está obtendo prazer sexual satisfatório, ela e seu marido devem adquirir ou tomar emprestado um dos bons livros cristãos sobre sexo e se informarem. Um livro que é informativo e foi especialmente bem escrito é o do Dr. Ed Wheat, *Intended for Pleasure* (Designados para o Prazer).[5] Este livro é tão prático, que o Dr. Bob Smith, do Ministério de Aconselhamento da Fé Batista, em Lafayette, Indiana, recomenda que os recém-casados levem o livro com eles para sua lua-de-mel. (O Dr. Smith escreveu uma resenha de *Intended for Pleasure* no *The Jornal of Pastoral Practice*).[6] Durante a lua-de-mel, eles devem fazer turnos para lerem um ao outro em voz alta e explorarem e experimentarem o corpo um do outro. Dessa maneira, o casal se acostumará a falar um com o outro sobre o seu relacionamento sexual e superará qualquer possível constrangimento. A

5 WHEAT, Ed. Intended for pleasure. Grand Rapids, Michigan: Fleming H. Revell, 1977.
6 SMITH, Bob. "Book Review", The Journal of Pastoral Practice vl 8, #3,1989. p. 52-58.

idéia do Doutor Smith também é boa para casais que já estão casados e que gostariam de melhorar sua intimidade física. Relações sexuais entre marido e esposa não devem ser uma obrigação, mas um prazer no qual ambos tenham expectativa e desfrutem.

A Escritura nos ensina muito sobre relações sexuais. Considere cada um dos seguintes princípios bíblicos. Eles foram adaptados, para uso neste livro, do material do Doutor Jay Adams no *Manual do Conselheiro Cristão*.[7]

PRINCÍPIO 1
O SEXO DENTRO DO CASAMENTO É SANTO E BOM.

Digno de honra entre todos seja o matrimônio, bem como o leito sem mácula.

Hebreus 13.4

Viu Deus tudo quanto fizera, e eis que era muito bom.   Gênesis 1.31

Um "leito sem mácula" significa que o casal tem relações sexuais, e nenhum dos dois é infiel ao outro, nem impuro em seus pensamentos e ações. O sexo sem mácula entre a esposa e seu marido não é, de modo nenhum, pecaminoso ou sujo. A esposa deve ter uma atitude piedosa, percebendo que intimidade física com seu marido não é um ato profano ou menos santo do que orar ou cantar no coral. Uma vez que seus pensamentos, motivações e ações sejam puros, ela está agradando a Deus; e Deus vê que ela está fazendo algo bom.

PRINCÍPIO 2
O PRAZER É CORRETO E NÃO É PECAMINOSO.

Eu sou do meu amado, e ele tem saudades de mim. Vem, ó meu amado, saiamos ao campo, passemos as noites nas aldeias. Levantemo-nos cedo de manhã para ir às vinhas; vejamos se florescem as vides, se se abre a flor, se já brotam as romeiras; dar-te-ei ali o meu amor.

Cântico dos Cânticos 7.10-12

---

7 ADAMS, Jay. O manual do conselheiro cristão. Editora Fiel, 1982.

O prazer proveniente da intimidade física entre o marido e a esposa é afirmado pela Escritura e deve ser alegre. Haverá momentos em que, por muitas razões, o ato sexual não terá o mesmo nível de intensidade de outros momentos. Contudo, ele deve ainda assim ser um momento agradável e prazeroso entre o casal, no matrimônio. Conheço um marido que ora com a esposa antes de "fazerem amor". Eles pedem que Deus abençoe aquele tempo e dizem que Deus sempre o faz. Geralmente, marido e esposa devem chegar a um clímax, mas, se um ou outro estiver muito cansado ou providencialmente impedido de algum modo (tal como no período menstrual da esposa ou na gravidez), eles podem expressar amor um ao outro, se não por intercurso vaginal, que seja por estimulação manual.

PRINCÍPIO 3
A ESPOSA DEVE BUSCAR A SATISFAÇÃO DO MARIDO E NÃO DE SI MESMA.

Eu dormia, mas o meu coração velava; eis a voz do meu amado, que está batendo: Abre-me, minha irmã, querida minha, pomba minha, imaculada minha, porque a minha cabeça está cheia de orvalho, os meus cabelos, das gotas da noite. Já despi a minha túnica, hei de vesti-la outra vez? Já lavei os pés, tornarei a sujá-los? O meu amado meteu a mão por uma fresta, e o meu coração se comoveu por amor dele. Levantei-me para abrir ao meu amado.

Cântico dos Cânticos 5.2-5

Se uma esposa pensa: "Como posso dar prazer ao meu marido?", ela está demonstrando amor. Ao dar prazer ao marido, a esposa possivelmente começará a experimentar mais prazer do que imaginava. Isto é normal, pois, em geral, a mulher leva mais tempo para ficar sexualmente estimulada. Buscar a satisfação do marido deve levar a esposa a pensar nele e nas qualidades que a atraem a ele. Ela deve elogiar com sinceridade as qualidades que admira nele. Infelizmente, em nossa sociedade, é fácil as esposas esquecerem este princípio, devido ao esgotamento físico.

Às vezes, é difícil que jovens mães com crianças pequenas tenham um pouco de energia no final do dia. Ainda assim, a mãe ocupada deve planejar com antecedência seu dia ou sua semana, para ter um tempo especial com seu marido. Ela pode estar ocupada com as crianças e, ao mesmo tempo, <u>pensar</u> em seu marido, tendo a expectativa de estar com ele. Ela precisará falar com ele, para que ele também planeje as suas atividades. Reservar tempo e energia para ele valerá a pena. Esta dica contribui para que a mãe ocupada seja uma mulher centralizada em seu marido.

Outro meio de ser uma esposa centralizada no marido é pedir-lhe que satisfaça seus desejos sexuais, em vez de procurar alívio sexual por meio da masturbação, que é um ato pecaminoso e egoísta. Lembre-se de que ele não tem poder sobre seu próprio corpo para recusar tal pedido! Às vezes, a esposa hesita em aproximar-se do marido e fica magoada, porque ele não parece estar interessado nela. Em vez de pressupor que ele quer magoá-la, que não a ama ou que não se sente fisicamente atraído por ela, a esposa deve conversar abertamente com ele e fazer-lhe propostas. Se ele não corresponder, estará pecando (veja o capítulo 14, que ensina como lidar com o pecado do marido). Se ele corresponder às propostas dela, embora preferisse estar fazendo outra coisa, terá a alegria de saber que está sofrendo "por causa da justiça". A Bíblia é clara ao dizer que marido e esposa devem pensar um no outro e não em si mesmos.

PRINCÍPIO 4
AS RELAÇÕES SEXUAIS DEVEM SER REGULARES E CONTÍNUAS.

Saciem-te os seus seios em todo o tempo.　　　　　　*Provérbios 5.19*

Não há um número certo de vezes por semana, mas as relações sexuais devem ser freqüentes o bastante para que nenhum dos dois experimente frustração ou tentação. Às vezes, os casais caem num hábito de não ter ou raramente ter relações sexuais. Eles ficam ocupados e cansados e acabam vivendo juntos mais como irmão e irmã do que como marido e mulher. A intimidade sexual, contudo, deve ser parte regular e contínua de seu relacionamento.

PRINCÍPIO 5
A ESPOSA NUNCA DEVE BARGANHAR
COM O MARIDO EM TROCA DE SEUS FAVORES.

Nada façais por partidarismo ou vanglória, mas por humildade, considerando cada um os outros superiores a si mesmo. Não tenha cada um em vista o que é propriamente seu, senão também cada qual o que é dos outros.

Filipenses 2.3-4

Barganhar com seu marido em troca dos "favores" dele é egoísmo. Tal esposa tem uma motivação incorreta. Ao invés de servir a si mesma, ela deve servir ao marido. A esposa está sendo egoísta quando barganha favores e trata o seu marido como criança, tentando manipulá-lo. A motivação da esposa não deve ser o que ela pode conseguir de seu marido; deve ser a glória de Deus.

PRINCÍPIO 6
AS RELAÇÕES SEXUAIS DEVEM SER PROPORCIONAIS E RECÍPROCAS.

O marido conceda à esposa o que lhe é devido, e também, semelhantemente, a esposa, ao seu marido. A mulher não tem poder sobre o seu próprio corpo, e sim o marido; e também, semelhantemente, o marido não tem poder sobre o seu próprio corpo, e sim a mulher. Não vos priveis um ao outro, salvo talvez por mútuo consentimento, por algum tempo, para vos dedicardes à oração e, novamente, vos ajuntardes, para que Satanás não vos tente por causa da incontinência.

1 Coríntios 7.3-5

Relações sexuais em proporção correta e recíprocas significa que a esposa e o marido podem e devem sentir-se livres para iniciar uma relação sexual, desde que tenham consideração um para com o outro. Qualquer coisa é aceitável desde que seja de comum acordo, prazeroso e não ofensivo ao outro. Exceções a isto incluem quaisquer atos pecaminosos, tais como: sodomia (penetração anal), assistir pornografia e compartilhar fantasias sexuais a respeito de outra pessoa (Gálatas 5.19). Ter relações sexuais é apropriado a qualquer momento do dia ou da noite e não devem se restringir apenas à hora de ir para cama. É perfeitamente aceitável e, por vezes, até preferível ao marido ou à esposa levar seu parceiro ao ápice sexual pelo estímulo manual e/ou penetração. Suas relações sexuais devem ser adequadas e recíprocas.

Para sumariar este capítulo, lembre-se de que a esposa tem várias obrigações bíblicas para com seu marido, com relação à intimidade física. Ela deve satisfazê-lo completamente tanto quanto possível. Ela deve ir a ele para satisfazer suas próprias necessidades nesta área, entendendo que ela tem autoridade sobre o corpo dele. Às vezes, ela deve iniciar o sexo planejando com antecedência, tendo expectativa e não temor pelo tempo em que estarão juntos. Ela não deve participar de nenhuma prática pecaminosa, tal como masturbação, pornografia, sexo anal ou fantasias sexuais com outro homem. Ela deve ter uma motivação pura diante de Deus e ver a relação sexual como um ato bom e santo, que Deus declara "bom".

Se você não tem pensando em sexo, nem está participando do sexo com seu marido de modo que honre a Deus, você deve buscar arrependimento. Agora mesmo você pode curvar sua cabeça e confessar seu pecado a Deus, e Ele será fiel para perdoá-la e purificá-la de toda a sua iniqüidade. Em seguida, faça o que o livro de Tiago sugere, mostre sua fé com as obras (Tiago 2.18), planejando momentos de intimidade física com seu marido, dando-se a ele, tendo expectativa de estar com ele e esperando ansiosamente pelos momentos em que poderão estar juntos. Seja uma esposa amorosa, calorosa e responsiva. Se você não está com humor, concentre-se em agradar seu marido, e seu humor provavelmente melhorará. Não glorifique a Deus só no domingo pela manhã, mas também na intimidade do leito matrimonial.

Neste capítulo compartilhei com você algumas das mesmas "dicas" que dei a Anna e à sua amiga. Deus é bom e a relação sexual dentro do casamento é boa. Comece a ver o sexo do mesmo modo que Deus vê e corresponda generosamente a seu marido em amor.

CAPÍTULO 12

Submissão

A alegria da esposa

Em uma igreja em Atlanta, uma professora entrou na sala de aula e ouviu as meninas, que tinham entre oito e nove anos, conversando entusiasmadas entre si. E perguntou: "Meninas, sobre o que estão conversando?" Uma das meninas, falando pelo grupo, deu um passo à frente e disse: "Mal podemos esperar até completarmos dezoito anos!" "Por quê?", perguntou a professora, pensando que a menina diria que poderiam namorar ou usar maquiagem. Em vez disso, ela declarou: "Porque, quando tivermos dezoito anos, ninguém vai nos dizer o que fazer!" Depois de reunir os alunos, a professora assentou-se e, refreando sua admiração, explicou: "Acho que tenho más notícias para vocês. Tenho quase quarenta anos, e as pessoas ainda me dizem o que fazer!" E continuou explicando que isso não era realmente ruim e sim algo bom. É parte do plano de Deus para cada pessoa. O que aquelas preciosas meninas tinham de aprender é que Deus quer que cada pessoa viva sob autoridade. O que quero que <u>você</u> aprenda neste capítulo é como Deus quer que você "ande com Ele" em <u>prazerosa</u> submissão bíblica a seu marido.

O MUNDO ORDENADO POR DEUS

Deus criou um mundo ordenado e, para manter esta ordem, apontou três instituições com suas próprias esferas de autoridade: a família, a igreja e o estado. Deus assim planejou para que as pessoas pudessem viver juntas em harmonia e serem protegidas. Por exemplo, Deus tencionou que os pais protejam seus filhos (Efésios 6.1-4), os anciões protejam os membros da igreja (Hebreus 13.17) e o governo proteja seus cidadãos (Romanos 13.1-2). Dentro da família, Deus deu ao marido autoridade sobre a esposa, para protegê-la (Efésios 5.28-29). De fato, submissão ao marido é o alvo de Deus para a esposa cristã. Isto é tão importante para Deus, que Ele fez da submissão ao marido uma manifestação do "andar com o Senhor", "andar na vontade de Deus" e "encher-se do Espírito" (Efésios 5.15-18).

> *Portanto, vede prudentemente como andais... procurai compreender qual a vontade do Senhor... enchei-vos do Espírito, falando entre vós com salmos, entoando e louvando de coração ao Senhor com hinos e cânticos espirituais, dando sempre graças por tudo a nosso Deus e Pai, em nome de nosso Senhor Jesus Cristo, sujeitando-vos uns aos outros no temor de Cristo. As mulheres sejam submissas ao seu próprio marido.*
>
> Efésios 5.15-22 (grifo meu)

Muitas vezes a esposa pode não enxergar claramente a importância de sua submissão, por focalizar as coisas erradas que seu marido está fazendo. Em vez disso, ela deve aprender a...

FOCALIZAR-SE EM SUA RESPONSABILIDADE

Os maridos também são pecadores, portanto, às vezes serão culpados de pecarem contra sua esposa. Se a esposa se preocupa principalmente com o que o seu marido deve fazer, ela provavelmente não verá o que Deus deseja que ela entenda e faça. A esposa deve focalizar-se em suas três responsabilidades básicas dadas por Deus em relação ao marido: amá-lo, respeitá-lo e submeter-se a ele. Suas "boas obras" não dependem do que seu marido faz, mas dependem da obediência a Deus nestas três áreas.

Quando o marido peca contra a sua esposa, ofendendo-a profundamente, ela pode apegar-se facilmente a pensamentos que levam-na a ignorar ou justificar seu próprio comportamento pecaminoso, tais como:

- Se ao menos ele fizesse o que deveria fazer.
- Se ao menos ele não fosse tão egoísta, eu poderia ser uma esposa melhor.
- Nunca poderei ser o que Deus quer que eu seja, porque meu marido não está fazendo a coisa certa.
- Ele é quem tem de mudar, e não eu.
- Deus não espera que eu me submeta a um tirano como ele.
- Não há motivo para tentar, ele nunca vai mudar.

Sem dúvida, muitos maridos, senão todos, precisam fazer algumas mudanças em sua vida. Entretanto, a Escritura nunca diz que a obediência da esposa a Deus depende da conduta de seu marido. A esposa que tem algum dos pensamentos expostos acima, precisa tirar o foco do erro de seu marido e colocá-lo em agradar a Deus, deixando primeiramente sua própria desobediência à Palavra. O Senhor Jesus explica isto da seguinte maneira:

> Hipócrita! Tira *primeiro* a trave do teu olho e, então, verás claramente para tirar o argueiro do olho de teu irmão.
>
> Mateus 7.5 (grifo meu)

À medida que a esposa focaliza-se em sua responsabilidade designada por Deus, de submeter-se biblicamente ao marido, ela começa, então, a ver mais claramente sua situação e aprende a lidar melhor com o pecado do marido, de maneira biblicamente apropriada. Ademais, enquanto estuda o que a Palavra de Deus diz a respeito da submissão da esposa piedosa, qualquer dúvida que ela tenha com relação à submissão deve ser esclarecida.

Pode ser que o entendimento da esposa sobre a verdadeira submissão bíblica tenha sido muito distorcido. A desconfiança e a hostilidade para com a submissão bíblica são desmedidas em nossa sociedade. Por causa da falta de ensinamento claro e fiel, a desconfiança e hostilidade existem freqüentemente dentro da própria comunidade cristã. Um mal-entendido bastante comum é o de que a submissão da esposa a seu marido é um fardo, uma "cruz que a esposa tem de carregar". Contudo, isto é contrário ao ensino bíblico. A submissão de uma esposa piedosa é mais que um dever; deve ser o deleite de seu coração. Há pelo menos –

QUATRO PRINCÍPIOS BÍBLICOS
A RESPEITO DA SUBMISSÃO E DA ALEGRIA

A alegria provém da confiança e da obediência à Palavra de Deus.

A alegria resulta de saber que Deus está trabalhando para realizar seus propósitos, mesmo em circunstâncias difíceis.

A alegria provém de seguir o exemplo do Senhor Jesus Cristo, especialmente em tempos difíceis.

A alegria resulta de uma vida "cheia do Espírito".

PRINCÍPIO 1
A ALEGRIA PROVÉM DA CONFIANÇA
E DA OBEDIÊNCIA À PALAVRA DE DEUS.

Os teus testemunhos... me constituem o prazer do coração.
Salmo 119.111

Os testemunhos de Deus, ou seja, a Palavra, eram o prazer do salmista. Ele não tinha prazer somente em <u>alguns</u> dos testemunhos de Deus, mas em <u>todos</u> eles. Para a esposa crente, a submissão bíblica a seu marido é um dos testemunhos de Deus e deve, portanto, ser um prazer para ela.

Porque este é o amor de Deus: que guardemos os seus mandamentos;
ora, os seus mandamentos não são penosos.
1 João 5.3

A vida cristã piedosa deve ser um deleite prazeroso nos mandamentos de Deus, não uma vida de ressentimento e luta contra eles. Os mandamentos de Deus são dados para o nosso bem e nossa proteção (Deuteronômio

10.13). Portanto, eles devem ser uma alegria para nós, e não um fardo. Os mandamentos de Deus se tornam um prazer quando você <u>resolve</u> submeter-se humildemente a eles, antes da oportunidade de praticá-los. Então, quando for provada, você já terá decidido a quem obedecerá.

PRINCÍPIO 2

A ALEGRIA RESULTA DE SABER QUE DEUS ESTÁ TRABALHANDO PARA REALIZAR SEUS PROPÓSITOS, MESMO EM CIRCUNSTÂNCIAS DIFÍCEIS.

Meus irmãos, tende por motivo de toda alegria o passardes por várias provações.

Tiago 1.2

Deus sempre está realizando seu propósito nas circunstâncias da vida de uma esposa. Ele quer desenvolver nela um caráter cristão e dar-lhe a oportunidade e o privilégio de glorificá-Lo. Deus pode até usar o que é mau ou perverso para o bem da esposa, à medida que o caráter de Cristo é desenvolvido nela. O propósito de Deus será realizado, não importa o que aconteça! "Sabemos que todas as coisas cooperam para o bem daqueles que amam a Deus, daqueles que são chamados segundo o <u>seu propósito</u>" (Romanos 8.28 - grifo meu). Portanto, somos ordenados a ter "por motivo de toda alegria" o passarmos por provações. Você faz isso quando, no meio de uma provação, pensa: "Isto é bom para mim, e Deus tem um propósito nisto, ou, então, Ele não permitiria. Não está sendo fácil passar por isso, mas estou alegre por saber que Deus está trabalhando em minha vida para realizar seus propósitos".

PRINCÍPIO 3

A ALEGRIA PROVÉM DE SEGUIR O EXEMPLO DO SENHOR JESUS CRISTO, ESPECIALMENTE EM TEMPOS DIFÍCEIS.

Jesus, o qual, em troca da <u>alegria</u> que lhe estava proposta, <u>suportou a cruz</u>, <u>não fazendo caso da ignomínia</u>.

Hebreus 12.2 (grifo meu)

Assim como o Senhor Jesus, a esposa pode ficar alegre em saber que está agradando o Senhor e que esta "momentânea tribulação" (como Paulo diz) "produz para nós eterno peso de glória, acima de toda comparação" (2 Coríntios 4.17).

Ao olhar o amanhã, contemple-o com esperança no Senhor Jesus Cristo. Por causa dEle, você pode ser alguém que, "quanto ao dia de amanhã, não tem preocupações" (Provérbios 31.25). Você precisa treinar-se a contemplar a vida por meio do cuidado providencial de Deus sobre você. Em tribulações, diga a si mesma: "O amor 'tudo suporta' (1 Coríntios 13.7). Posso suportar isto por mais um dia. Posso ter alegria em agradar ao Senhor e terei alegria na eternidade, porque O agradei agora".

PRINCÍPIO 4
A ALEGRIA RESULTA DE UMA VIDA "CHEIA DO ESPÍRITO".

Há alegria no interior de uma pessoa que é cheia do Espírito. Efésios 5.18 ordena aos cristãos: "Enchei-vos do Espírito". Estar cheia do Espírito significa estar controlada pelo Espírito Santo e pela Palavra de Deus (Colossenses 3.16). Não é uma experiência que você sente, mas é uma responsabilidade bíblica que envolve, em parte, o modo de pensar sobre a vida e sobre Deus, descrito em Efésios 5. Enquanto lemos Efésios 5, vemos a alegria numa pessoa que é "cheia do Espírito", porque ela está...

Entoando e louvando de coração ao Senhor com hinos e cânticos espirituais, dando sempre graças por tudo.

Efésios 5.19-20

Esta pessoa alegre, "cheia do Espírito", será também submissa "ao seu próprio marido, como ao Senhor... em tudo" (Efésios 5.22-24). Desse modo, estar cheia do Espírito abrange tanto a submissão quanto a alegria da esposa ("entoando e louvando de coração ao Senhor com hinos e cânticos espirituais, dando sempre graças por tudo"). Além disso, há outra conexão bíblica numa pessoa que é cheia do Espírito, pois ela manifesta o fruto do Espírito, e a alegria é uma parte desse fruto (veja Gálatas 5.22).

Se você for "cheia do Espírito", estará expressando gratidão a Deus em todas as circunstâncias diárias. A gratidão deve sempre estar em seus pensamentos, assim como em sua expressão verbal. "Senhor, obrigada por..."

é um pensamento freqüente da pessoa que está alegre, "cheia do Espírito".

Ao entender o relacionamento bíblico entre a submissão e a alegria, lembre-se de que submeter-se nem sempre será prazeroso, mas que sempre há alegria em glorificar o Senhor Jesus Cristo. Você deve, portanto, comprometer-se em aprender a submissão, não com medo do que pode vir, mas com a expectativa de como você pode melhor glorificar o Senhor. Este é o propósito de Deus ordenado a você. Ele criou um mundo organizado, e somente Ele tem o direito soberano de determinar como Ele deseja que você (como parte de sua criação) O glorifique. Nos próximos dois capítulos, os princípios bíblicos de submissão e as provisões de Deus para proteção da esposa submissa serão discutidos. Se você luta com a submissão, ore pedindo a Deus que a auxilie a ver a submissão da esposa com o coração e os olhos dEle.

PARTE TRÊS

....

A submissão da esposa

A REALIZAÇÃO DA ESPOSA EXCELENTE

CAPÍTULO 13

Submissão bíblica

A base de proteção da esposa

Muitas mulheres, mesmo crentes, são confusas e por vezes até hostis em relação ao significado da submissão da esposa ao marido. Este tópico é muito difamado e mal entendido, tanto no mundo quanto na igreja. Se as mulheres aderem a tal ensinamento, isto, às vezes, as faz sentirem-se tolas. As feministas são veementes em sua objeção à submissão, levantando questões como: "A esposa deve ficar calada e deixar o marido bater nela?" ou: "O marido dela é um alcoólatra e irresponsável. Ela o tem suportado por anos. Deve deixar que ele passe por cima dela?" Estas questões merecem uma resposta, uma verdadeira resposta bíblica.

Alguns crentes ensinam que a esposa deve ser totalmente submissa ao marido, ainda que ele esteja pecando contra ela (ex.: ameaçando-a ou ofendendo-a por abuso físico ou verbal). A Bíblia realmente ensina aquilo que alguns chamam de "teologia do capacho"? Não, a Bíblia ensina que Deus providenciou várias maneiras de proteger a esposa cujo marido está pecando e que ela tem a responsabilidade de se beneficiar da proteção de Deus. Alguns até pensam que a esposa, se não faz nada, é mais espiritual por ser chamada a sofrer passivamente, por amor ao Senhor. No entanto, que mérito há em não fazer uso das medidas que Deus providenciou para a proteção dela?

A Bíblia ensina que sofrer desnecessariamente não é espiritual, e sim um insensato "culto de si mesmo" (veja Colossenses 2.18-23). Podemos chamar isto de uma forma de ascetismo, o que é a "prática estrita da abnegação como meio de prática religiosa".[1] Em outras palavras, quanto mais ela sofre, mais espiritual ela se torna. Mas não é isto que o apóstolo diz em 1 Pedro 3.17: "Se for da vontade de Deus, é melhor que sofrais por praticardes o que é bom".

Como forma de reação à visão de submissão tipo "capacho" ou "estou sofrendo pelo Senhor", algumas igrejas foram a outro extremo e têm aderido a uma visão feminista do papel da esposa. A "mulher liberada" é tolerada e até defendida em muitas igrejas. Muitas vezes, os pastores evitam a questão da submissão por ser um assunto tão explosivo. Aqueles que tratam do assunto o fazem de forma mais agradável, de uma maneira adocicada, como que enfatizando "a submissão mútua do marido e da esposa", em vez de ensinar claramente a responsabilidade da esposa. Infelizmente, isto é confuso e enganoso para as muitas mulheres crentes que desejam conhecer e fazer a vontade do Senhor. Por causa da freqüente falta de percepção e representação do verdadeiro ensino bíblico, a esposa precisa saber o que realmente é a submissão bíblica, e como Deus intenta que isto O glorifique. Os seguintes CINCO PRINCÍPIOS ajudarão você a entender a submissão bíblica.

CINCO PRINCÍPIOS BÍBLICOS A RESPEITO DA SUBMISSÃO DA ESPOSA

A esposa deve ser submissa ao marido em tudo, exceto no caso de pecado.

A esposa submissa não tem medo de fazer o que é correto.

A esposa deve ser submissa mesmo que seu marido não seja crente.

A esposa submissa não desonra a Palavra de Deus.

A esposa sábia buscará, de uma mulher piedosa mais velha, aconselhamento e instrução a respeito da submissão.

---

1 Webster's Dictionary, p. 51.

PRINCÍPIO 1
A ESPOSA DEVE SER SUBMISSA AO MARIDO EM TUDO, EXCETO NO CASO DE PECADO.

*As mulheres sejam submissas ao seu próprio marido, como ao Se-
nhor... Como, porém, a igreja está sujeita a Cristo, assim também as
mulheres sejam em tudo submissas ao seu marido.*
Efésios 5.22,24

A expressão "sejam submissas", no grego, é a palavra *hypotassō*, um
termo militar que significa ser colocado sob ordem militar. Esta posição da
esposa sob a autoridade do marido foi escolhida com soberania por Deus,
para que haja ordem e harmonia no lar. Ela tem uma POSIÇÃO diferente,
mas não é uma PESSOA INFERIOR. As esposas crentes precisam se ver
como Deus as vê.

Porque para com Deus não há acepção de pessoas.   *Romanos 2.11*

...nem homem nem mulher; porque todos vós sois um em Cristo Jesus.
Gálatas 3.28

Deus não faz acepção entre homens e mulheres. Embora sejam
iguais diante de Deus, a esposa deve ter a atitude do Senhor Jesus Cristo:
uma servidão submissa, a fim de realizar o papel designado por Deus no
casamento.

*Tende em vós o mesmo sentimento que houve em Cristo Jesus, pois
ele, subsistindo em forma de Deus, não julgou como usurpação o ser
igual a Deus; antes, a si mesmo se esvaziou, assumindo a forma de servo, tornando-se em semelhança de homens; e, reconhecido em figura
humana, a si mesmo se humilhou, tornando-se obediente até a morte.*
Filipenses 2.5-8

Assim como Cristo não é inferior ao Pai, a esposa não é inferior ao
marido. Cristo subordinou-se à vontade do Pai, a fim de cumprir o plano
da redenção. Do mesmo modo, a esposa também se submete ao marido,
para que o plano de Deus para a família seja realizado. Ela não é inferior,
mas seu papel é diferente. O papel da esposa é o de "auxiliadora idônea"

de seu marido. Certamente Deus sabe que os maridos precisam de todo o auxílio que possam conseguir!

> *Disse mais o SENHOR Deus: Não é bom que o homem esteja só; far-lhe--ei uma <u>auxiliadora</u> que lhe seja <u>idônea</u>.*
>
> Gênesis 2.18 (grifo meu)

> *Porque também o homem não foi criado por causa da mulher, e sim a mulher, por causa do homem.*
>
> 1 Coríntios 11.9

Considerar a esfera da submissão "em tudo" (Efésios 5.24) abrange todas as áreas da vida, tais como finanças, decoração da casa, o comprimento do cabelo da esposa, o que fazer para o jantar e a disciplina dos filhos. Como exemplo, considere o caso de uma esposa insubmissa que estava furiosa com seu marido, porque ele não gostou do sofá antigo que ela adquiriu e disse-lhe que o devolvesse. Uma vez que ele não estava pedindo-lhe que pecasse, ela deveria ter se submetido graciosamente. O fator importante é que a esposa deve obedecer ao marido, enquanto isso não envolva pecado. Mesmo que o marido tenha autoridade dada por Deus sobre a esposa, apenas Deus tem autoridade absoluta sobre ela. Em outras palavras, a autoridade de Deus é maior. Portanto, se o marido lhe pede que faça algo pecaminoso, ela deve antes "obedecer a Deus do que aos homens" (Atos 5.29). Consideremos agora como o marido pode pedir que ela peque.

EXEMPLOS DE PEDIDOS DO MARIDO OS QUAIS ENVOLVEM PECADOS

A ORDEM DO MARIDO:
Você está proibida de ir à igreja.

O MANDAMENTO DE DEUS:
> *Não deixemos de congregar-nos* (Hebreus 10.25)

EXPLICAÇÃO: Se o marido não é crente e não quer que sua esposa freqüente a igreja, ela deve desobedecer respeitosamente. Contudo, ela deve assegurar-se de que o ressentimento do marido não seja por ela estar valorizando mais seus amigos crentes na igreja do que se importando com ele. Se este é o caso, a esposa deve fazer as concessões necessárias, para assegurar-se de que seu marido é mais importante para ela do que seus amigos. Por exemplo, se ocasionalmente o marido quiser que sua esposa vá viajar com ele, ela deve ir e aproveitar o tempo com ele. Deus se agrada mais do desejo de ser fiel em todas as coisas do que de uma atitude rígida de freqüentar a igreja.

A ORDEM DO MARIDO:
Você está proibida de falar sobre Deus às crianças.

O MANDAMENTO DE DEUS:
O temor do Senhor é o princípio do saber, mas os loucos desprezam a sabedoria e o ensino. Filho meu, ouve o ensino de teu pai e não deixes a instrução de sua mãe
(Provérbios 1.7-8).

EXPLICAÇÃO: Novamente, o marido está pedindo a esposa que transgrida o mandamento de Deus aos pais crentes. A esposa deve ser gentil e explicar respeitosamente ao marido por que não pode submeter-se à sua ordem. O que ela pode fazer, contudo, é planejar os momentos de devocional e ensino para a hora em que o marido não está em casa ou para um momento que não interfira no horário dele. Mesmo quando ela precisar repreender ou corrigir os filhos, pode esperar até que esteja a sós com a criança, para explicar a base bíblica para sua repreensão. A esposa deve tentar ao máximo não ser ofensiva para com seu marido incrédulo (veja princípio 4), mas não pode concordar em nunca falar sobre o Senhor aos filhos.

A ORDEM DO MARIDO:
Quero que você participe de imoralidade/pornografia.

O MANDAMENTO DE DEUS:
Mas a impudicícia e toda sorte de impurezas ou cobiça nem sequer se nomeiem entre vós, como convém a santos
(Efésios 5.3).

EXPLICAÇÃO: Quando o marido tem um problema com luxúria, é comum que ele tente levar sua esposa ao mesmo pecado. A esposa pode desenvolver um problema com libidinagem, se ela se expor à pornografia ou a atos sexuais pecaminosos, pervertidos, dos quais ela deve recusar-se a participar. Se o marido for crente ou não, ela deve beneficiar-se das provisões apropriadas que Deus deu para sua proteção. Isto maximizará a oportunidade de que o marido se arrependa (veja o capítulo 14).

A ORDEM DO MARIDO:
O marido crente diz: Proíbo você de repreender-me.

O MANDAMENTO DE DEUS:
Irmãos, se alguém for surpreendido nalguma falta, vós, que sois espirituais, corrigi-o com espírito de brandura; e guarda-te para que não sejas também tentado

(Gálatas 6.1).

EXPLICAÇÃO: Algumas pessoas acreditam equivocadamente que a esposa crente não deve nunca repreender o marido crente. Tal crença errônea é se baseia na interpretação errada de 1 Pedro 3.1, que diz: o marido "seja ganho, sem palavra alguma, por meio do procedimento de sua esposa". Esta passagem refere-se especificamente à mulher que é casada com um incrédulo (veja o capítulo 14, recurso 4). Esta passagem não pode ser aplicada corretamente ao casamento em que ambos são crentes. Eles não são apenas esposo e esposa, mas também irmãos nos Senhor. Os cônjuges crentes devem auxiliar um ao outro a se tornarem mais e mais semelhante a Cristo, uma vez que são, "juntamente, herdeiros da mesma graça de vida" (1 Pedro 3.7).

Outros acreditam que a esposa não deve repreender o marido porque não estará amando-o incondicionalmente. Em outras palavras, ela deve amá-lo e não dizer nada, quer ele mude, quer não. No entanto, o amor piedoso "não se alegra com a injustiça, mas regozija-se com a verdade" (1 Coríntios 13.6). Quando a esposa percebe um padrão de comportamento pecaminoso em seu marido crente, ela deve ir até ele em particular e, de maneira gentil e direta, repreendê-lo em amor. Se ele a proibir de repreendê-lo, estará pedindo que ela desobedeça ao Senhor. Neste caso, ela deve escolher obedecer a Deus, em lugar de obedecer ao marido.

A ORDEM DO MARIDO:
Não conte a ninguém o meu pecado. Quero que você minta em meu favor.

O MANDAMENTO DE DEUS:
> Por isso, deixando a mentira, FALE CADA UM A VERDADE COM O SEU PRÓXIMO, porque somos membros uns dos outros
>
> (Efésios 4.25 – grifo meu).

EXPLICAÇÃO: Sendo o marido crente ou não, este é um ato que ela não deve praticar. Se ela já procedeu assim, deve ir até ele e explicar que fez algo antibíblico e que não pode fazê-lo novamente (Provérbios 6.2-3). Em vez de encobrir o pecado dele, ela deve colocar pressão bíblica sobre ele, para que se arrependa (para mais detalhes, veja o capítulo 14).

A Escritura é clara com relação à submissão da esposa ao marido em todas as coisas, desde que seu marido não lhe peça algo que seja pecado. Uma palavra de advertência: se a esposa se recusa a submeter-se porque crê que ele está lhe pedindo que faça algo pecaminoso, ela deve assegurar-se de que aquilo que ele lhe pede é realmente pecado. Por exemplo: suponha que uma esposa tenha uma forte convicção de não comer num restaurante onde servem bebidas alcoólicas, e o marido quer que vão juntos àquele restaurante. O que ela deve fazer? Deve buscar as Escrituras para ver se a sua recusa reflete uma ordem bíblica ou um padrão pessoal dela. Desde que não seja uma ordem bíblica, ela deve ir com alegria.

Aqui está outra palavra de advertência: muitas esposas crentes consideram-se submissas, porque nunca comprariam uma casa sem a permissão do marido, ou venderiam o carro sem a aprovação dele. Contudo, se perguntassem ao marido se elas são submissas, ele provavelmente responderia "Não". Obviamente, estas são duas perspectivas diferentes. A responsabilidade da esposa é mudar de perspectiva e ver a submissão através da visão de Deus e de seu marido. O marido é o cabeça do lar, e a esposa deve submeter-se ao marido até nos menores pedidos ou diretrizes aparentemente insignificantes, porque são importantes para ele. A não ser que ela esteja providencialmente impedida, sua falha em submeter-se não é apenas insubordinação ao marido, mas também desobediência a Deus.

Uma maneira de a esposa começar a efetuar com humildade as mudanças necessárias é perguntar ao marido: "O que estou fazendo errado em nosso casamento?" Ainda que ele seja incrédulo, provavelmente pode ver falhas de caráter ou insubmissão em sua esposa. Sendo ele crente ou não, ela deve submeter-se a ele em tudo, salvo quando a submissão envolver pecado.

PRINCÍPIO 2
A ESPOSA SUBMISSA NÃO TEM MEDO DE FAZER O QUE É CORRETO.

Como fazia Sara, que obedeceu a Abraão, chamando-lhe senhor, da qual vós vos tornastes filhas, praticando o bem e não temendo perturbação alguma.

1 Pedro 3.6

Às vezes, as esposas enfrentam circunstâncias muito assustadoras, por causa de imoralidade, abuso físico ou verbal, irresponsabilidade, ameaças em deixar o lar ou o uso de álcool/drogas pelo marido. Qualquer esposa ficaria assustada, se o marido se comportasse de um desses modos. O que a esposa pode fazer para vencer seu medo? Uma chave para vencer o medo é simplesmente "praticar o bem" (1 Pedro 3.6). Por exemplo, demonstrar amor a Deus e ao marido é "praticar o bem". Amar a Deus e aos outros são os dois maiores mandamentos (veja Mateus 22.37-39). Muitos crentes sabem que devem demonstrar amor a Deus, obedecendo à sua Palavra; devem também demonstrar amor aos outros, assim como a esposa ao marido, mas como isso realmente acontece?

EXEMPLOS PRÁTICOS DE DEMONSTRAÇÃO DE AMOR

Em geral, a esposa mostra amor para com Deus obedecendo-Lhe, quer ela tenha vontade, quer não, embora isto lhe traga constrangimento pessoal ou emoções dolorosas (João 14.23). A esposa também demonstra amor a Deus pensando o que é verdadeiro, justo e de boa fama (Filipenses 4.8) e ministrando repreensões bíblicas (Gálatas 6.1). A esposa demonstra amor ao marido não relembrando as coisas erradas que ele fez (1 Coríntios 13.5), abençoando-o, ainda que ele faça o "mal" contra ela (1 Pedro 3.9) ou suportando um tempo difícil (1 Coríntios 13.7). Além disso, ela também demonstra amor ao marido quando reage de forma objetiva e esperançosa ao que ele fez, pois percebe que ele pode arrepender-se, não importando quão difíceis sejam as circunstâncias. Outra maneira que ela tem de demonstrar amor é falar com ele de modo gentil e respeitoso, porém verdadeiro (1 Coríntios 13.6; Efésios 5.33). E, sem dúvida, a esposa demonstra amor ao marido quando ora por ele (Tiago 5.16). Quanto mais a esposa busca amar a Deus e ao marido, tanto mais seu medo diminui. Se o medo não desaparecer completamente, ao menos não a vencerá. Demonstrar amor a Deus e ao próximo é uma força muito mais poderosa do que o medo que ela possa sentir em relação ao que o seu marido lhe faça.

Contudo, o que fazer se o marido a desaponta repetidamente, mentindo ou enganando-a? Ela deve aprender a colocar maior confiança em Deus, porém, não necessariamente em seu marido. Deve perdoá-lo, embora em algumas situações seja insensato confiar nele. Ele pode, entretanto, reconquistar a confiança dela sendo fiel e honesto além do esperado. A esposa deve ser como "as santas mulheres que <u>esperavam em Deus</u>" (1 Pedro 3.5, grifo meu). Uma chave para não sentir medo de fazer a coisa certa é que ela aprenda a pensar naquilo que for verdadeiro, respeitável, justo, puro, amável e de boa fama (veja Filipenses 4.8). Esta mesma passagem ordena: "**S**eja isso o que ocupe o vosso pensamento".

Exemplos de pensamentos que produzem medo e amor

Pensamentos Que Produzem Medo	Pensamentos Que Produzem Amor
Se ele ficar irado e me deixar, não vou agüentar. (Este pensamento é errado, porque se focaliza no "ego".)	Se ele ficar irado e me deixar, só ele ficará irado. Vou demonstrar amor a Deus e a meu marido, independentemente de que ele me deixe ou não. Deus me dará a graça de suportar a ira de meu marido <u>naquele momento</u>." (Este pensamento está correto, porque está voltado para Deus e dá crédito a Ele.)

Pensamentos Que Produzem Medo	Pensamentos Que Produzem Amor
Ele está bebendo de novo. O que acontecerá, se ele perder o emprego? (Este pensamento é errado, porque é uma preocupação e se focaliza na questão errada.)	É mais importante para ele arrepender-se do que manter seu trabalho. Ser demitido pode ser uma pressão extra que Deus usará para chamar sua atenção. Se ele perder o emprego, será difícil, contudo, Deus me dará a graça de passar por isso, se for necessário.
O que os outros vão pensar se descobrirem o que ele fez? (Este pensamento é errado, porque se focaliza no que os outros podem pensar e não naquilo que Deus diz.)	É responsabilidade dos outros verem isto como um pecado "comum ao homem". A esperança está no fato de que isto é pecado, e de que ele pode arrepender-se e ser perdoado.

Uma esposa submissa não tem medo de fazer o que é correto. Ela se confia a Deus, sabendo que, na dificuldade, Ele lhe concederá a graça de que necessita, a fim de passar por isso, no momento em que ela precisar dessa graça. Nem sempre, mas, na maioria das vezes, quando a esposa reage da maneira certa para com seu marido, isto produz resultados melhores do que antecipara. Na ocasião em que isto não trouxer os resultados esperados, a esposa poderá ter consolo em saber que estava agradando o Senhor, e, se tiver de sofrer, isso acontecerá porque ela está praticando o que é bom (1 Pedro 3.17).

PRINCÍPIO 3
A ESPOSA DEVE SER SUBMISSA
MESMO QUE SEU MARIDO NÃO SEJA CRENTE.

Mulheres, sede vós, igualmente, submissas a vosso próprio marido, para que, se ele ainda não obedece à palavra, seja ganho, sem palavra alguma, por meio do procedimento de sua esposa, ao observar o vosso honesto comportamento cheio de temor.

1 Pedro 3.1-2

Como veremos no capítulo 14, o marido que "ainda não obedece à palavra" é um incrédulo (veja 1 Pedro 2.8). Quando uma mulher crente é casada com um incrédulo, sua responsabilidade é viver uma vida piedosa e reagir a seu marido com respeito. Sua atitude deve ser *a favor* dele e não *contra* ele. Ela deve admirá-lo e amá-lo, pensando nele como seu marido e pai de seus filhos, não como seu inimigo. Ela não deve esperar que ele pense ou aja como crente, nem deve ficar abatida, se ele não mostrar interesse pela igreja ou por estudos bíblicos. Ela pode admirar o marido e o seu relacionamento com ele e, ao mesmo tempo, ser tudo o que Deus tenciona que ela seja.

Às vezes, a esposa de um marido incrédulo fica abatida e frustrada, porque talvez tenha uma visão idólatra do que pensa que seu casamento deve ser. Ela diz a si mesma: "*Nunca* serei feliz, a não ser que ele se converta". Sua frustração pode ser resultado de não ter o que deseja. Em vez de ficar frustrada, a devoção de seu coração deve desviar-se de seu ídolo de desejar um casamento cristão e focalizar-se no Senhor Jesus Cristo, adorando-O e servindo-O. Só Deus sabe se, quando e de que maneira o marido dela se converterá.

À medida que a esposa de um incrédulo se dedica ao Senhor, corresponderá ao marido com um "honesto comportamento cheio de temor" (1 Pedro 3.2). É muito provável que sua piedade e respeito por ele quebrantem seu coração para com ela. Se isto não acontecer, e o coração dele tornar-se mais endurecido, ela pode se colocar numa posição em que, "se o descrente quiser apartar-se, que se aparte" (1 Coríntios 7.15). Se ele a deixar, isto deve acontecer por causa de sua atitude submissa e respeitosa e de uma recusa apropriada ao pecado, e não porque ela foi rixosa, desrespeitosa e rebelde.

Há muitos anos, conheci uma mulher crente que tinha um casamento muito tempestuoso com um incrédulo. Provavelmente, o problema era tanto da parte dela quanto dele. Quando ela parou de contender com Deus por causa das atitudes de seu marido e submeteu-se a ele, seu marido começou a tratá-la um pouco melhor. Mais tarde, eles descobriram que ela tinha câncer terminal. Enquanto atravessavam juntos a doença, ele viu que ela extraía tremenda força e conforto de Deus e de sua Palavra. Um dia, ele veio a ela com lágrimas nos olhos e pediu perdão, expressando interesse em tornar-se crente. Ela amorosamente o evangelizou, e eles se ajoelharam junto à cama, onde ela o levou ao Senhor. Ela está com o Senhor agora, e muitas vezes penso nela. Estou muito feliz por ela ter tido aquela alegria antes de morrer. Ela obedeceu ao Senhor e estava sempre preparada para responder a todo àquele que pedisse razão da esperança que havia nela (1 Pedro 3.15).

Além de estar preparada para compartilhar sua fé, quando seu marido lhe pedir, a esposa de um incrédulo deve consentir graciosamente em sair com ele e seus amigos, mantendo-se firme quanto a pecados pessoais, tais como ficar bêbada, mentir, cometer pecados sexuais, etc. Se ela tiver de recusar algo, deve fazê-lo graciosamente, dizendo, por exemplo: "Obrigada por incluir-me, mas isto é algo de que não posso participar. Talvez nós pudéssemos... (jogar boliche ou sair para jantar)". Desse modo, ela fará com que saibam que gostaria de estar com eles. Além disso, se ela preparar de antemão alguns tópicos interessantes para discussão, a conversa poderá, por vezes, ser discretamente desviada de tópicos mundanos, sem que ela pareça ser farisaica e, ao mesmo tempo, fazer com que seu marido sinta-se confortável. Ela pode preparar com antecipação tópicos para conversas, lendo e recordando os temas de artigos de revistas e jornais que sejam interessantes e não ofensivos ao marido e a seus amigos. Além de demonstrar amor aos outros, seus esforços podem fazer toda a diferença, ainda que ela tenha um bom tempo ou não. Certamente, este seria um modo gracioso de mostrar amor para com seu marido e os amigos.

PRINCÍPIO 4
A ESPOSA SUBMISSA NÃO DESONRA A PALAVRA DE DEUS.

A serem... sujeitas ao marido, para que a palavra de Deus não seja difamada.

Tito 2.5

Difamar é "caluniar, injuriar, falar contra ou falar mal".[2] Quando a esposa não é submissa ao marido, ela traz vergonha à Palavra de Deus, porque não está vivendo no padrão que Deus estabeleceu claramente para

2 THOMAS, Robert. #987. p. 1638.

a mulher piedosa. Se exteriormente ela expressa sua fé em Cristo, mas interiormente não mudou seu coração quanto à submissão ao marido, ela não está se submetendo ao Senhor nesta área de sua vida. O apóstolo Paulo expressou isto do seguinte modo: "Esposas, sede submissas ao próprio marido, como <u>convém</u> no Senhor" (Colossenses 3.18, grifo meu). Qualquer outra coisa que não seja submissão piedosa não convém ou não é apropriada a uma esposa crente, uma vez que isto desonra a Deus e à sua Palavra.

A ESPOSA SUBMISSA HONRA A PALAVRA DO SENHOR QUANDO:

- Obedecer ao Senhor é mais importante para ela do que obter as coisas do seu jeito. Quando prefere obedecer a lutar para obter as coisas a seu modo, ela está sendo "um sacrifício vivo" (Romanos 12.1-2). Ela sacrifica os seus desejos em favor do que Deus quer dela.
- Possui um temor apropriado e reverente ao Senhor. Ela sabe que Deus é um Deus santo e todo-poderoso, a quem ela está aqui para servir. Deus não é o "gênio da lâmpada" que veio para servi-la. O salmista diz: "Servi ao SENHOR com temor e alegrai-vos nele com tremor" (Salmos 2.11). O rei Salomão notificou: "Não sejas sábio aos teus próprios olhos; teme ao SENHOR e aparta-te do mal" (Provérbios 3.7). De fato, quando a esposa se rebela contra a Palavra de Deus e contra seu marido, está procedendo mal. O temor apropriado ao Senhor coloca todas as coisas numa perspectiva adequada: "Não temais os que matam o corpo e não podem matar a alma; temei, antes, aquele que pode fazer perecer no inferno tanto a alma como o corpo" (Mateus 10.28).
- Permite que a Palavra de Cristo direcione sua vida. Colossenses 3.16 diz que devemos deixar que a palavra de Cristo habite ricamente em nós. A evidência de que a Palavra de Cristo (as Escrituras) estão habitando nela e direcionando a sua vida mostra-se pela reação da esposa em <u>grata</u> submissão a Deus, assim como em <u>grata</u> submissão ao marido. À medida que ela coloca este princípio em prática, a Palavra de Cristo estará habitando "ricamente" nela (Colossenses 3.16) e a Palavra de Deus não será "difamada" (Tito 2.5).

• Sua vida não é uma afronta ao padrão para o casamento, estabelecido em Efésios 5, à igreja e ao seu relacionamento submisso a Cristo. "Como, porém, a igreja está sujeita a Cristo, assim também as mulheres *sejam* em tudo submissas ao seu marido" (Efésios 5.24). O relacionamento da igreja com Cristo é uma linda figura do casamento! Quando a esposa se submete ao marido, vive o padrão que Deus designou para ela (veja o capítulo 6). Mesmo que seu marido não corresponda adequadamente, a esposa submissa estará verdadeiramente honrando a Palavra de Deus e ao Senhor Jesus Cristo.

• Ela é submissa, quer <u>sinta</u> vontade, quer não. O Senhor Jesus Cristo é o melhor exemplo bíblico de alguém que renunciou seus sentimentos para ser submisso. Em Hebreus 12.1-2, aprendemos que Ele "suportou a cruz, não fazendo caso da ignomínia". O sofrimento e a humilhação pelos quais Ele passou não foram fáceis e nem agradáveis, mas Ele fez isso, para realizar o plano de redenção do Pai. Ele o fez "em troca da alegria que lhe estava proposta". Do mesmo modo, a esposa nem <u>sempre</u> sentirá vontade de ser submissa, mas sempre <u>poderá</u> ser submissa, com a graça de Deus, tendo uma motivação piedosa e para a glória do Senhor Jesus.

Ao deparar-se com uma situação na qual a esposa deve ser submissa, mas não quer ser, ela pode vencer seus sentimentos, se tiver pensamentos bíblicos, tais como: "O amor 'não procura os seus interesses'. <u>Posso</u> demonstrar amor a ele, consentindo graciosamente os seus desejos"; ou: "O amor 'tudo suporta'. <u>Posso</u> demonstrar amor a ele suportando esta situação e sendo submissa". Uma esposa piedosa e submissa pode renunciar seus sentimentos e fazer o que é correto, pela graça de Deus, como um ato do querer. Se o marido está sendo egoísta e irracional, e a esposa fica pensando na mágoa que ele lhe causou, provavelmente será muito difícil que ela sinta vontade de ser submissa. Ela pode até fazer a coisa certa exteriormente, mas estará lutando com a amargura e não se sentirá inclinada a ser submissa. Arrepender-se da amargura inclui substituir seus pensamentos e ações amargurados por "benignos, compassivos" e perdoadores (Efésios 4.31,32). O modo como ela sintoniza seus pensamentos e reações verbais afetará grandemente sua habilidade de <u>sentir-se</u> disposta a ser submissa. Deus a ajudará com sua graça.

Deus pode fazer-vos abundar em toda graça, a fim de que, tendo sempre, em tudo, ampla suficiência, superabundeis em toda boa obra.

2 Coríntios 9.8

PRINCÍPIO 5
A ESPOSA SÁBIA BUSCARÁ, DE UMA MULHER PIEDOSA MAIS VELHA, ACONSELHAMENTO E INSTRUÇÃO A RESPEITO DA SUBMISSÃO.

Quanto às mulheres idosas, semelhantemente, que sejam sérias em seu proceder, não caluniadoras, não escravizadas a muito vinho; sejam mestras do bem, a fim de instruírem as jovens recém-casadas a amarem ao marido e a seus filhos, a serem sensatas, honestas, boas donas de casa, bondosas, sujeitas ao marido, para que a palavra de Deus não seja difamada.

Tito 2.3-5

Uma das melhores maneiras de encontrar uma mulher mais velha piedosa é a recomendação de um pastor ou líder fiel da igreja. O pastor e outros homens na liderança da igreja têm responsabilidade de velar pela alma dos membros, "como quem deve prestar contas" (Hebreus 13.17). É importante que a mulher idosa seja firme em questões doutrinárias, pois é muito fácil sermos "agitados de um lado para o outro e levados ao redor por todo vento de doutrina, pela artimanha dos homens" (Efésios 4.14). A maior parte das vezes, quando uma mulher mais velha ensina uma mulher mais jovem, terá uma tremenda influência sobre esta para o bem ou para o mal. Infelizmente, não é incomum que a mulher mais jovem seja levada ao misticismo, às filosofias mundanas, à falta de percepção correta do caráter de Deus, à uma visão errada da doutrina da santificação e até influenciada a se voltar contra o marido. Por causa desses perigos, seria mais sábio para as igrejas desenvolverem um ministério que ensine às mulheres idosas a como e o que instruir às mulheres mais jovens. Parte dessa instrução envolve a mulher idosa instruindo a mulher mais jovem naquilo que ela está fazendo que seja biblicamente incorreto. Se a mulher mais jovem for sábia, ouvirá a "repreensão salutar" e "adquirirá entendimento" em momento oportuno (Provérbios 15.31,32).

Pergunte a si mesma: "Estou sentindo prazer em obedecer? Como devo orar?" Ao refletir no quanto tem agradado a Deus na área da submissão a seu marido, leia a seguinte lista de maneiras pelas quais as esposas não são submissas e marque aquelas que se aplicam a você.

MANEIRAS ESPECÍFICAS PELAS QUAIS AS ESPOSAS NÃO SÃO SUBMISSAS

Estas são maneiras específicas como as esposas agem de modo insubmisso para com o marido. Você também deve desenvolver sua própria lista de maneiras pelas quais têm ou pode ter sido insubmissa a seu próprio marido.

Ela faz coisas que são irritantes ou vergonhosas para o marido.
Melhor é morar numa terra deserta do que com a mulher rixosa e iracunda.

Provérbios 21.19

Observação: a mulher iracunda é "irritante, importuna, embaraçosa, desconcertante, aborrecedora e debate longamente".[3]

Ela não disciplina os filhos como deveria (mesmo quando seu marido lhe pede que o faça).
A vara e a disciplina dão sabedoria, mas a criança entregue a si mesma vem a envergonhar a sua mãe.

Provérbios 29.15

Ela é mais leal aos outros do que ao marido.
O coração do seu marido confia nela, e não haverá falta de ganho.

Provérbios 31.11

Ela discute, ou fica magoada, ou age friamente com seu marido, quando não consegue as coisas a seu modo.
Melhor é morar no canto do eirado do que junto com a mulher rixosa na mesma casa.

Provérbios 21.9

Ela não vive dentro dos limites de seu orçamento.
A casa e os bens vêm como herança dos pais; mas do SENHOR, a esposa prudente.

Provérbios 19.14

---

3 Webster's Dictionary. p. 989.

Ela corrige, interrompe, fala por seu marido e conversa muito quando outros estão por perto.

O gotejar contínuo no dia de grande chuva e a mulher rixosa são semelhantes; contê-la seria conter o vento, seria pegar o óleo na mão.

Provérbios 27.15-16

Ela o manipula para ter as coisas do jeito que quer. Ela pode manipular por meio do engano, chorando, implorando, reclamando, resmungando, enraivecendo-se ou intimidando. Marta tentou manipular Jesus, quando disse:

Senhor, não te importas de que minha irmã tenha deixado que eu fique a servir sozinha? Ordena-lhe, pois, que venha ajudar-me.

Lucas 10.40

Ela toma decisões importantes sem consultá-lo.

Quero, entretanto, que saibais ser Cristo o cabeça de todo homem, e o homem, o cabeça da mulher, e Deus, o cabeça de Cristo.

1 Coríntios 11.3

Observação: ocasionalmente, o marido instruirá sua mulher para que tome decisões em certas áreas. Neste caso, quando a autoridade lhe é delegada, ela possui liberdade de escolha. De outro modo, ele deve ser consultado em todas as questões (que lhe são importantes), e ela deve submeter-se à sua liderança.

Ela opõe-se constantemente à vontade dele.

Porque a rebelião é como pecado de feitiçaria, e a obstinação é como a idolatria e culto a ídolos do lar.

1 Samuel 15.23

Ela se preocupa com as decisões que ele faz e toma providências por si mesma.

Não andeis ansiosos de coisa alguma; em tudo, porém, sejam conhecidas, diante de Deus, as vossas petições, pela oração e pela súplica, com ações de graças. E a paz de Deus, que excede todo o entendimento, guardará o vosso coração e a vossa mente em Cristo Jesus.

Filipenses 4.6-7

Ela não presta atenção ao que ele diz.

Todo homem, pois, seja pronto para ouvir, tardio para falar, tardio para se irar.

Tiago 1.19

Em suma, todos os crentes devem reagir de modo submisso a Deus, e a esposa deve ser submissa ao marido. Ela pode reagir com ternura, gentileza e graciosa obediência, ou com rispidez e irritação. Nas áreas em que você sabe que tem falhado, deve confessar seus pecados ao Senhor (1 João 1.9). Então, dirija-se a seu marido e peça-lhe perdão. Talvez o melhor seja você ser específica e dar exemplos. Sua atitude deve ser humilde, focalizada no que você fez errado. Você pode começar hoje mesmo a ser uma esposa gentil, piedosa e submissa a seu marido. Este é o objetivo de Deus para você.

CAPÍTULO 14

A provisão de Deus

Recursos para a proteção da esposa

O material deste capítulo foi adaptado de "Recursos Bíblicos para a Proteção da Esposa", escrito por Lou Priolo, diretor do Centro de Aconselhamento Bíblico de Atlanta.[1]

O capítulo 13 explicou cinco princípios bíblicos referentes à submissão da esposa piedosa ao marido. Este capítulo explica oito recursos bíblicos pelos quais Deus protege a esposa submissa, quando seu marido peca contra ela ou outros. Estes recursos requerem que a esposa tome as atitudes que a Palavra de Deus explica, e muitas destas ações podem ser realizadas quer seu marido professe ser crente, quer não.

Visto que o próprio Deus providenciou estes oito recursos em sua Palavra, a esposa seria insensata se não tirasse proveito deles. De fato, uma vez que a esposa crente se encontra numa situação em que seu marido está pecando contra ela ou outros, e uma vez que ela é sua "auxiliadora idônea" (Gênesis 2.18), ela tem a responsabilidade bíblica de usar estes recursos. Eles são a vontade de Deus para a esposa, designados não somente para a proteção dela, mas também para auxiliar seu marido crente a

1 PRIOLO, Lou. Cassete "Biblical Resources for a Wife's Protection".

viver de modo fiel diante de Deus. Se o marido não é crente, estes recursos podem ser usados por Deus para trazê-lo à fé em Cristo.

Os oito recursos estão listados na seqüência em que a esposa deve implementá-los. Eles não são necessariamente fáceis de praticar, especialmente no meio de um conflito com o marido. Contudo, se ela se comprometer a ser obediente à Palavra de Deus, a fim de glorificá-Lo, Deus lhe <u>dará</u> graça para colocar estes recursos em prática. Inicialmente, a esposa pode beneficiar-se aprendendo como praticar estas coisas com o auxilio de outra mulher espiritualmente madura. No entanto, é necessário cautela, porque muitas mulheres crentes, mesmo aquelas que têm estado na fé por um longo tempo, podem não estar muito certas de como aplicar biblicamente estas medidas. Algumas podem ter aprendido erroneamente que as esposas crentes devem suportar silenciosa e passivamente o pecado do marido. Estando ciente disso, aqui estão os oito recursos:

OITO RECURSOS PARA A PROTEÇÃO DA ESPOSA

Aprender a:
Comunicar-se biblicamente.
Vencer o mal com o bem.
Fazer apelos bíblicos.
Repreender biblicamente.
Reagir biblicamente a ordens insensatas.
Buscar conselho piedoso.
Seguir os passos da disciplina da igreja.
Envolver biblicamente as autoridades de governo.

RECURSO 1
COMUNICAR-SE BIBLICAMENTE

O coração do sábio é mestre de sua boca e aumenta a persuasão nos seus lábios.

Provérbios 16.23

Nenhuma habilidade ajudará mais uma esposa em conflito com seu marido do que a de comunicar-se biblicamente. A comunicação bíblica se baseia nos princípios da Palavra de Deus. O desejo de Deus para a esposa é que ela treine sua língua a responder apropriadamente em cada ocasião. Isso pode ser feito. Ter o controle da língua é um dos primeiros passos da esposa para submeter-se biblicamente a Deus e ao marido.

Isto requer muita prática e oração. Se a esposa está assustada, frustrada ou irritada, no início será difícil para ela pensar corretamente sobre o que deve dizer ou fazer. Mas, pela graça de Deus, ela pode aprender como responder biblicamente ao marido, de modo a honrar a Deus.

As respostas que honram a Deus são gentis, em tom amoroso, e edificantes para o ouvinte. Por exemplo, em vez de "agredir" o marido de modo ríspido, a esposa piedosa pensa no que vai dizer e como vai dizer e responde com grande cuidado. Esta é uma linguagem que honra a Deus (veja o capítulo 16 para mais informações sobre os princípios de comunicação bíblica).

A falha na comunicação bíblica é pecado – desobediência a Deus. O pecado da esposa sempre faz com que sua situação piore. Mas ela pode honrar a Deus com sua obediência, seguindo a admoestação de Efésios 4.29: "Não saia da vossa boca nenhuma palavra torpe, e sim unicamente a que for boa para edificação, conforme a necessidade, e, assim, transmita graça aos que ouvem". Sua língua tornar-se-á um instrumento da graça de Deus. Nisto há não somente proteção, mas também bênção.

RECURSO 2
VENCER O MAL COM O BEM

Não te deixes vencer do mal, mas vence o mal com o bem.
Romanos 12.21

Quando o marido peca contra sua esposa, ela deve não só responder com as palavras certas, mas também aprender a reagir com atitudes e ações corretas. Ela não deve retribuir mal com mal, mas retribuir o mal com bem. 1 Pedro 3.9 acrescenta: "Não pagando mal por mal ou injúria por injúria; antes, pelo contrário, bendizendo, pois para isto mesmo fostes chamados, a fim de receberdes bênção por herança".

Romanos 12.21, citado no começo desta seção, é um mandamento.

A esposa piedosa não tem uma opção. Ela deve retribuir o pecado de seu marido com o bem e lutar o máximo que isso dure – até que o Senhor remova a ela ou a seu marido do conflito, ou até que a batalha seja vencida. Alguns conflitos duram um dia inteiro; outros duram alguns anos. Algumas batalhas são extremamente difíceis, mas nunca esmagadoras, quando se combate ao modo de Deus e por meio de sua força e graça. A responsabilidade da esposa piedosa é pagar o mal com o bem – não importa o quão difícil seja ou quanto tempo leve! Deus é quem determina quando a batalha acaba. Naquele momento, enquanto ela está reagindo biblicamente, pode ter certeza de que sua luta provavelmente resultará em verdadeira paz com seu marido, pois "sendo o caminho dos homens agradável ao Senhor, este reconcilia com eles os seus inimigos" (Provérbios 16.7).

Como o mal é vencido com o bem? Quando o marido peca, a esposa piedosa não fica pensando no que ele fez e tramando um modo de vingar-se; antes, pondera devotamente uma ação específica e prática da qual resulte bênção para seu marido. Depois de pensar nisso – ela deve fazê-lo! Em 3 João 11, lemos: "Amado, não imites o que é mau, senão o que é bom. Aquele que pratica o bem procede de Deus; aquele que pratica o mal jamais viu a Deus". E Romanos 12.14 diz: "Abençoai os que vos perseguem, abençoai e não amaldiçoeis". Isso foi o que Jesus quis dizer em Lucas 6.31: "Como quereis que os homens vos façam, assim fazei-o vós também a eles" (veja os versículos 27-29, no contexto deste versículo). Aqui estão alguns exemplos práticos de pagar o mal com o bem. A esposa deve pedir a Deus criatividade e sabedoria para pensar em outros exemplos.

- Orar por ele diariamente.
- Falar-lhe palavras de bondade, suaves e gentis.
- Surpreendê-lo com um recadinho doce ou um cartão no almoço.
- Servir uma refeição especial para ele – sua comida favorita.
- Dar-lhe um presente surpresa.
- Encher o tanque do carro dele.
- Agradecer-lhe por alguma coisa boa que tenha feito.
- Elogiá-lo por uma de suas boas qualidades de caráter.
- Ser humilde o bastante para confessar-lhe suas próprias falhas.
- Reafirmar seu compromisso com ele.

- Iniciar um tempo especial de amor com ele.
- Gastar tempo com ele, fazendo algo que ele goste de fazer.
- Pedir-lhe que faça uma caminhada (com você, é claro).
- Obedecer a Deus e deixar que seu marido veja Cristo em você.

Dar o bem ao marido, ao invés do mal, não é fácil. Isso é especificamente difícil, se a esposa estiver lutando com sentimentos de amargura, tais como mágoa e ressentimento. Ela pode até tropeçar na idéia, pensando amargamente: "Mas ele não merece isso!" Isto pode parecer verdadeiro da perspectiva humana, mas abençoá-lo com bondade é um dos meios mais graciosos e poderosos de Deus amontoar "brasas vivas sobre a sua cabeça" (Romanos 12.20). A idéia é que a esposa vença com o bem o mal praticado por seu marido (Romanos 12.21).

Deus nunca tenciona que a esposa piedosa seja um "capacho", na maneira como nossa sociedade usa tal palavra, nem que ela pratique o que é comumente conhecido como "amar assim mesmo". O Senhor quer que ela permaneça firme na graça do Senhor (1 Pedro 5.12) e na força de seu poder. A esposa deve aprender a ver o conflito em seu casamento com a mesma perspectiva de Josafá, quando os moabitas e os amonitas vieram contra Judá. Leia a oração de Josafá, em 2 Crônicas 20, observando especialmente (e quem sabe até memorizando) o versículo 15: "Dai ouvidos... ao que vos diz o SENHOR: Não temais, nem vos assusteis por causa desta grande multidão, pois a peleja não é vossa, mas de Deus".

As esposas piedosas não resolvem questões com as próprias mãos (Provérbios 14.1). Elas nunca buscam vingança contra o marido. Quando a esposa procura vingar-se, ela transgride o mandamento de Deus de não pagar mal com mal. Deus não honrará uma prática tão pecaminosa. Romanos 12.19 diz: "Não vos vingueis a vós mesmos, amados, mas dai lugar à ira; porque está escrito: A mim me pertence a vingança; eu é que retribuirei, diz o Senhor". Deus quer que ela seja controlada e paciente, quando seu marido pecar contra ela. É responsabilidade da esposa obedecer a Deus e confiar que Ele executará sua justiça pelo pecado de seu marido.

Dar o bem ao marido, ao invés do mal, é como andar a segunda milha. Mateus 5.41 diz: "Se alguém te obrigar a andar uma milha, vai com ele duas". Ter a atitude de "andar a segunda milha" ajudará a esposa a prevenir a amargura. Hebreus 12.14-15 diz: "Segui a paz com todos e a santificação, sem a qual ninguém verá o Senhor, atentando, diligentemente, por que ninguém seja faltoso, separando-se da graça de Deus; nem haja alguma raiz de amargura que, brotando, vos perturbe, e, por meio dela, muitos sejam contaminados".

Freqüentemente, a perseverança é a única coisa que permanece entre a obediência ao Senhor e o não ser vencido pelo mal. A esposa deve perseverar e continuar vencendo o mal com o bem; contudo, muitas esposas desistem bem rapidamente. "Com efeito, tendes <u>necessidade</u> de <u>perseverança</u>, para que, HAVENDO feito a vontade de Deus, alcanceis a promessa" (Hebreus 10.36, grifo meu). Se a esposa retribuir o mal com o bem, receberá a bênção se perseverar.

RECURSO 3
FAZER APELOS BÍBLICOS

A doçura no falar aumenta o saber.　　　　　　　　　*Provérbios 16.21*

Um apelo bíblico é um pedido ou clamor a uma pessoa de autoridade, com o propósito de pedir-lhe que reconsidere ou reavalie uma ordem, diretriz ou instrução. Daniel fez isso quando "resolveu... firmemente", "pediu" (Daniel 1.8). Ele sabia que uma autoridade bíblica deve ser obedecida, a não ser que aquele que está sob autoridade seja ordenado a pecar. O fundamento final é que a esposa piedosa deve sempre fazer o que seu marido quer que ela faça, desde que isto não envolva pecado.

Entretanto, quando a esposa acredita que tem uma idéia melhor ou mais sábia, como auxiliadora de seu marido, ela deve estar pronta a dar ao marido o benefício de seu conselho sábio. O marido sábio deve sempre estar pronto a recebê-lo. "Ouça o sábio e cresça em prudência; e o instruído adquira habilidade" (Provérbios 1.5). Quem conhece o marido melhor do que sua esposa? E quem o Senhor colocou ao lado do marido e que está mais capacitada a dar-lhe conselho sábio, senão a sua "auxiliadora idônea"?

Um apelo bíblico possui muitas condições. Primeira, o apelo deve ser feito com o propósito de executar o objetivo ou o desejo do marido (desde que a finalidade que o marido tem em mente não seja uma transgressão à

Palavra de Deus). A segunda condição está ligada à primeira. O motivo da esposa não deve ser manipular. Ela não deve usar o apelo simplesmente para ter as coisas a seu modo. Terceira, o apelo deve ser feito de modo respeitoso e em espírito de submissão, não num tom condescendente, ríspido ou estridente, mas com voz boa e gentil. Quarta, o apelo deve ser feito em tempo apropriado. Uma esposa sábia planejará o momento em que seu marido não esteja apressado, cansado ou nervoso. Isso nem sempre é possível. Alguns apelos devem ser feitos imediatamente, por causa de sérias conseqüências. Quinta, o apelo deve ser feito apenas uma vez. Circunstâncias sérias podem requerer a reafirmação do apelo, para assegurar-se de que foi entendido. Contudo, apelos freqüentes ou repetidos podem dar a aparência de que a esposa é impertinente, contenciosa e manipuladora. Isto anula o efeito do apelo bíblico. (Um apelo adicional pode ou deve ser feito quando nova informação estiver disponível, a qual o marido não considerou anteriormente.) Sexta, o apelo *sempre* deve ser prefaciado ou concluído com uma afirmação, por parte da esposa, de que ela está disposta a fazer o que quer que seu marido decida (desde que não seja um pedido pecaminoso). Ela pode dizer: "Querido, me comprometo a fazer o que quer que você decida". Sétima, se o marido lhe pede algo pecaminoso, ela deve propor uma alternativa viável que busque realizar a intenção do marido. Ela deve dizer algo como: "Querido, eu realmente gostaria de ser capaz de fazer o que você me pediu, mas isso me faria violar a Palavra de Deus. Posso sugerir que façamos...? Está bom assim?"

Quando o apelo é dirigido ao marido crente, deve ser baseado nos princípios bíblicos, para que a esposa tenha certeza de que está agindo com sabedoria. A esposa sábia pode até usar a Escritura para reforçar seu apelo. Contudo, se este for dirigido a um marido incrédulo, o uso da Escritura ou do referir-se a Deus pode apenas provocá-lo. "O pendor da carne é inimizade contra Deus, pois não está sujeito à lei de Deus, nem mesmo pode estar" (Romanos 8.7). Pelo contrário, apele à consciência do marido incrédulo, para fazer o que é certo. Por exemplo: "Querido, gostaria de pedir que você reconsiderasse sua decisão de não fazer o curso de finanças. Sei que você está tentando suprir nossa família, mas suas lutas nessa área realmente estão ferindo a todos nós. Estaria disposta a fazer o curso junto com você, para que eu seja uma auxiliadora melhor. Significaria muito para mim, se você fizesse o curso. Ficaria grata, se você considerasse isso. Obrigada por me ouvir".

Quando o marido não ouve nem consente ao apelo da esposa, ela deve aceitar a decisão dele como a vontade de Deus para ela naquele momento. (Pode acontecer uma exceção, caso o marido esteja pecando. Neste caso, é provável que ela tenha de usar imediatamente os próximos recursos de proteção.) Talvez Deus esteja preparando um castigo para seu marido por causa de uma decisão insensata ou de um coração orgulhoso. A menos que o marido esteja pecando ou pedindo à sua esposa ou a outros que pequem, após ter-lhe sido dirigido um apelo, a esposa deve admitir que a decisão final dele é a vontade de Deus para ela, no momento – mesmo que tenha de sofrer por amor à justiça. Do mesmo modo, quando se recusa a seguir as ordens pecaminosas e ímpias de seu marido, ela provavelmente terá de sofrer as conseqüências de sua obediência a Deus. No entanto, ela deve lembrar 1 Pedro 3.17, que diz: "Porque, se for da vontade de Deus, é melhor que sofrais por praticardes o que é bom do que praticando o mal".

RECURSO 4
REPREENDER BIBLICAMENTE

Acautelai-vos. Se teu irmão pecar contra ti, repreende-o; se ele se arrepender, perdoa-lhe.

Lucas 17.3

Repreender biblicamente é dizer a alguém (não necessariamente alguém em autoridade) que ele está fazendo o contrário à Palavra de Deus. O propósito da repreensão é restabelecer a pessoa ao relacionamento correto com Deus. O casal cristão é responsável pelo auxílio mútuo na busca por assemelhar-se ao Senhor Jesus Cristo. Portanto, um cônjuge pode repreender o outro por pecar. Eles devem sujeitar-se um ao outro "no temor de Cristo" (Efésios 5.21). (No capítulo 4, este processo de santificação mútua é explicado com mais detalhes).

Alguns ensinam equivocadamente que a esposa crente nunca deve repreender o seu marido crente por seu pecado, porque 1 Pedro 3.1 diz: "Mulheres, sede vós, igualmente, submissas a vosso próprio marido, para que, se ele ainda NÃO OBEDECE À PALAVRA, seja ganho, sem palavra alguma, por meio do procedimento de sua esposa" (grifo meu). Contudo, tal visão interpreta mal este versículo, tirando-o de seu contexto. Os maridos que são desobedientes à Palavra são pessoas incrédulas. Isto é esclarecido em 1 Pedro 2.7-8, onde aqueles que são desobedientes à palavra são os que rejeitam a Cristo. Eles são "descrentes". Têm rejeitado a "pedra angular" (Cristo) que é para eles "pedra de tropeço e rocha de ofensa". A admoestação de 1 Pedro 3.1-2 é, portanto, que as esposas crentes ganhem o marido incrédulo para Cristo por meio de seu "honesto comportamento cheio de temor", sem importuná-los e sem usar palavras contenciosas para levá-los a crer.

Outro ensino errado, mas muito difundido, é o de que a esposa crente nunca deve reprovar seu marido porque tem de amá-lo incondicionalmente – tem de aceitá-lo como ele é. À medida que aceita este ensino, ela deve sofrer em silêncio, enquanto seu marido peca contra ela. Apesar de existirem momentos em que a "sua glória é perdoar as injúrias" (Provérbios 19.11), esta visão é defeituosa, visto que falha em entender a natureza do amor bíblico. Provérbios 27.5 diz: "Melhor é a repreensão franca do que o amor encoberto". Certamente, a esposa deve amar o marido de modo humilde e gentil, quer ele mude, quer não. No entanto, ela também é dada a ele como auxiliadora, para que ele cresça em maturidade em Cristo Jesus. A esposa demonstra grande amor ao marido, quando o encoraja corretamente a uma vida cristã fiel. "O amor edifica" (1 Coríntios 8.1). O amor constrói, ao invés de destruir. A repreensão feita pela esposa, de maneira bíblica e com motivos bíblicos, tem a intenção de edificar o marido. Este é o propósito exato da Palavra de Deus. "Toda a Escritura é inspirada por Deus e útil para o ENSINO, para a REPREENSÃO, para a CORREÇÃO, para a EDUCAÇÃO na justiça, a fim de que o homem de Deus seja perfeito e perfeitamente habilitado para toda boa obra" (2 Timóteo 3.16-17, grifo meu).

Se a esposa crente refrear-se de falar "a verdade em amor" (Ef. 4.15), seu marido crente será privado de uma das maiores provisões de Deus para seu crescimento espiritual – as palavras de encorajamento e exortação de sua própria esposa. O verdadeiro amor bíblico "regozija-se com a verdade" (1 Coríntios 13.6). A repreensão bíblica da esposa piedosa não é somente um ato de amor, mas (se for feita de modo apropriado, e ele a receber humildemente) fortalecerá o amor do marido para com sua esposa: "Repreende o sábio, e ele te amará" (Provérbios 9.8). Certamente, a esposa piedosa fará isso pelo marido que ela ama. 1 Pedro 4.8 acrescenta: "Acima de tudo, porém, tende amor intenso uns para com os outros, porque o amor cobre multidão de pecados". A idéia aqui é que o amor não divulga o pecado de uma pessoa aos outros, mas o "cobre", lidando com ele de modo amoroso e bíblico.

A esposa crente não tem a opção de reprovar ou não ao marido crente que continua em pecado. Ela é ordenada a repreendê-lo, pois seu marido também é um crente professo e irmão no Senhor. Gálatas 6.1 explica o que a esposa piedosa deve fazer quando seu marido crente pecar contra ela: "Irmãos, se alguém for surpreendido nalguma falta, vós, que sois espirituais, corrigi-o". Ela deve dirigir-se a ele em particular e falar-lhe, de modo claro e direto, como crê que ele tenha pecado contra ela. Este versículo também adverte a pessoa que está fazendo a repreensão (neste caso a esposa) a fazê-lo "com espírito de brandura" e guardar-se para que não seja também tentada. A esposa deve examinar sua própria motivação para primeiramente certificar-se de que se dirige ao marido com a consciência limpa, livre de pecado; além disso, ela não deve pecar no modo de falar com o marido (por exemplo, de modo desrespeitoso ou que provoque discussão). Sua motivação deve ser corrigir, e não expor o marido, ou tornar as coisas mais fáceis para si, nem dar a si mesma outro mérito pessoal. Ela também deve estar certa de que segue as instruções de Jesus, em Mateus 7.5: "Tira primeiro a trave do teu olho e, então, verás claramente para tirar o argueiro do olho de teu irmão".

A esposa sábia escolherá o momento em que seu marido esteja descansado e possa dar-lhe atenção. Ela também planejará cuidadosamente as suas palavras. Provérbios 15.28 declara: "O coração do justo medita o que há de responder". Pode ser que ela queira anotar as palavras e praticá-las em voz alta muitas vezes. Sua repreensão deve ser feita em amor (Efésios 4.15) e suavizada com algum encorajamento e elogio verdadeiros. É importante que seu tom de voz seja gentil e que ela esteja preparada para sugerir uma solução bíblica.

A esposa poderá fazer sua repreensão como, por exemplo: "Querido, há algo que quero dizer-lhe e que me tem perturbado. Você sabe que o amo e sei que você me ama, mas tenho observado um padrão pecaminoso de comportamento em sua vida que está prejudicando sua reputação e testemunho cristão. Parece que você fica tão facilmente frustrado e irritado comigo e com os outros, quando as coisas não acontecem como você quer. Por exemplo, você gritou comigo e deu um soco no sofá, quando eu lhe interrompi, enquanto você assistia o jogo na tv". O marido deve conscientizar-se de seu pecado e arrepender-se, nesse momento, se ele for um crente maduro. Se reconhecer que possui tal padrão de comportamento e expressar preocupação a respeito disso, a esposa deve encorajá-lo, dando-lhe esperança de que ele pode mudar e vencer seu problema de nervosismo por meio da graça de Deus.

Se ele discordar sobre a extensão de seu pecado ou mesmo negar que tenha um problema, pode ser necessário que a esposa dê vários exemplos mais específicos de seu comportamento. Em qualquer caso, a esposa deve continuar: "Querido, Tiago 1.20 diz que 'a ira do homem não produz a justiça de Deus'. Você vai pensar no que eu disse? Se houver alguma coisa que possa fazer para ajudar, por favor, me fale. Podemos resolver isso juntos".

Depois de razoável quantidade de tempo (possivelmente uma semana ou menos), se ele ainda não concordar com a análise dela, ela deve sugerir que seu marido converse com mais alguém a respeito deste problema. Uma boa escolha seria seu pastor ou um amigo próximo e pessoal, que seja crente maduro. A esposa pode dizer: "Vemos isso de modo diferente, por isso seria útil que outra pessoa ouvisse os dois lados. Eu sugiro nosso pastor". Se ele se recusar a falar com o pastor, junto com ela ou sozinho, ela deve ir sozinha, tendo dito a seu marido com antecedência que está indo, e convidá-lo a ir com ela. Ela pode dizer ao marido: "Eu ainda creio que o que você está fazendo é pecado. Um de nós precisa aconselhar-se com outro crente maduro, como o pastor, por exemplo. Estou disposta a ir com você até o pastor, se quiser. Você gostaria de perguntar ao pastor se isso é pecado ou prefere que eu vá?" Em qualquer caso, é importante que outra pessoa seja envolvida, porque quando dois crentes não concordam no que seja um padrão de comportamento pecaminoso, o conselho de outros crentes é necessário para ajudar a trazer a luz da Escritura para a difícil questão. O apóstolo Paulo escreveu à igreja de Filipos, instando-a a ajudar duas senhoras crentes que não podiam se relacionar bem. Ele incentivou a Evódia e Síntique a pensarem "concordemente, no Senhor" (Filipenses 4.2). Tal como o exemplo de Evódia e Síntique, é importante ter uma outra pessoa envolvida, porque a responsabilidade de mudar padrões pecaminosos de comportamento é essencial. Em muitos casos, se o marido buscar a ajuda que precisa, isso providenciará proteção adicional para a esposa contra o padrão de pecado do marido. Se o marido recusar arrepender-se, negar o problema ou negar-se a buscar conselho de um crente maduro, a esposa não está sem auxílio. Ela possui um recurso a mais. Este recurso é discutido mais adiante, em disciplina da igreja.

Primeiro consideremos se a esposa piedosa pode ou não repreender o marido incrédulo. A resposta é "sim, a não ser que ele seja um escarnecedor!" A base para sua repreensão é que ele faça o que é certo como marido, pai, amigo, homem de negócios, etc. Antes da Queda do homem, Adão e Eva sempre faziam o que era certo e bom. Somente depois da Queda, o homem começou a pecar. Ainda que seu marido seja um incrédulo, a esposa pode apelar a ele, baseando-se no que é correto (desde que o padrão para o correto seja a Escritura).

Ao fazer uma repreensão, a esposa crente será sábia se não citar a Escritura ou envolver o nome de Deus diante do marido incrédulo, porque a mente dele não está sujeita à lei de Cristo (Romanos 8.7). No entanto, ela pode utilizar os princípios contidos na Escritura para repreender o marido em pecado, desde que ela faça isso de modo respeitoso que honre a ele e ao Senhor. Se ele escarnecer (ridicularizar, zombar, debochar) dela, quando tentar repreendê-lo, ela não deve continuar a tentar repreendê-lo, uma vez que a Escritura declara: "Não repreendas o escarnecedor, para que não te aborreça; repreende o sábio, e ele te amará" (Provérbios 9.8). Ao contrário, a esposa deve aprender a reagir biblicamente à manipulação e ordens insensatas do marido (veja recurso 5).

O marido, sendo ou não crente, tem a responsabilidade de receber a repreensão de sua esposa de modo gracioso. Contudo, isso nem sempre acontece. Às vezes, o marido recusa-se a receber repreensão de sua esposa ou até lhe responde de modo ríspido, irado, transferindo a culpa ou ameaçando. Nesse caso, a esposa deve permanecer firme e centralizar-se em cumprir sua responsabilidade bíblica. Deus lhe dará a graça no momento de reagir à ira ou à intimidação de seu marido. Seu amor pelo Senhor ("O perfeito amor lança fora o medo" 1 João 4.18), à medida que ela obedece à Palavra, vencerá o medo da resposta errada de seu marido.

A repreensão amorosa, bíblica e apropriada é praticamente uma arte perdida, mas precisa ser recuperada tanto na igreja quanto no lar. É um dos recursos que Deus providenciou para a proteção da esposa.

RECURSO 5
REAGIR BIBLICAMENTE A ORDENS INSENSATAS

Não respondas ao insensato segundo a sua estultícia, para que não te faças semelhante a ele. Ao insensato responde segundo a sua estultícia, para que não seja ele sábio aos seus próprios olhos.

Provérbios 26.4-5

Biblicamente, um insensato é aquele que rejeita a Palavra de Deus e faz o que é sábio aos seus próprios olhos (Provérbios 1.7; 12.15). Maridos crentes imaturos podem agir insensatamente, de vez em quando, dando ordens ríspidas ou irracionais ou fazendo acusações contra sua esposa. De semelhante modo, a esposa pode ser imprudente na maneira como reage às ordens insensatas do marido. Maridos podem agir rispidamente ao apontar a falha da esposa em cumprir responsabilidades. Isto pode de fato ocorrer, se o marido ainda não aprendeu a liderar a esposa biblicamente. Ao invés de liderá-la de modo amoroso, ele pode fazer uso pecaminoso de intimidação, manipulação, criticismo ríspido ou deboche hostil, para realizar seus propósitos. Este abuso da autoridade dada por Deus sempre lança a esposa crente em total confusão. Tal comportamento não somente fere, mas também pode ser extremamente provocativo – mesmo para uma esposa comprometida com a submissão bíblica. Como a esposa piedosa se protege das ordens insensatas e irracionais de seu marido e ainda continua submissa a ele?

Em primeiro lugar, ela precisa entender o que a Bíblia diz a respeito de como reagir sabiamente ao homem insensato. Provérbios 26.4 diz: "Não respondas ao insensato segundo a sua estultícia, para que não te faças semelhante a ele". A tendência de muitas esposas é reagir com ira e medo ao destrato do marido, ficando aborrecida, gritando, indo para a casa da mãe, chorando, formulando ataques verbais brutos ou outro tipo de comportamento defensivo. Tudo isto, resumindo, é pagar mal com mal – responder ao insensato como um insensato. A esposa piedosa deve aprender a reagir ao comportamento insensato de um modo honroso a Deus. Provérbios

26.5 diz: "Ao insensato responde segundo a sua estultícia, para que não seja ele sábio aos seus próprios olhos".

Em outras palavras, a esposa deve responder ao comportamento insensato com a sabedoria da Escritura. Por exemplo, suponha que a esposa passe o dia todo limpando a casa e preparando um jantar especial para o marido, e ele chega do trabalho com um mau-humor crítico. Em vez de demonstrar apreciação pelos esforços de sua esposa, ele explode de maneira irada com ela, porque esqueceu de sacudir a toalha ou queimou o feijão. Em resposta a um comportamento tão insensível, mau e egoísta, ela pode cogitar rapidamente idéias vingativas. Mais provavelmente, ela até se manterá na ofensiva ou irá para o quarto esbravejando. Mais tarde, ela falará às amigas que foi maltratada por marido. Então, ela planejará como se vingar. Mas, nenhuma dessas respostas insensatas e vingativas são agradáveis a Deus, e nenhuma delas é adequada a uma esposa piedosa.

Quando um marido crente, irracional ou erroneamente, ataca sua esposa por falhar no cumprimento de suas responsabilidades, ela deve receber a repreensão, ainda que seja feita de modo pecaminoso. Se ela fez algo errado, deve conscientizar-se do erro. Ao demonstrar tal humildade, ela dá um bom exemplo a seu marido, para que ele responda de modo semelhante, quando ela apontar-lhe sua própria responsabilidade de agir de modo bíblico.

Jesus usou esse método para reagir aos atos daqueles que tinham autoridade sobre Ele. Em Lucas 2.42-49, lemos que, aos doze anos, Jesus foi deixado em Jerusalém por seus pais. Quando estes finalmente O encontraram, perguntaram-Lhe: "Filho, porque fizeste assim conosco?" Em vez de defender-se insensatamente ou ficar irado, Jesus apontou a responsabilidade deles, perguntando: "Por que me procuráveis? Não sabíeis que me cumpria estar na casa de meu Pai?" O versículo 51 esclarece que este não fora um comentário rebelde. Jesus nunca pecou, mas era submisso a seus pais. Bem mais tarde, no fim de sua vida terrena, quando Caifás, o Sumo Sacerdote, questionou-Lhe sobre seu ensino, Jesus respondeu, dizendo: "Por que me interrogas? Pergunte aos que ouviram o que lhes falei; bem sabem eles o que eu disse" (João 18.19-21). Jesus era sempre rápido em discernir quando outros tentavam usar, de modo errôneo, a autoridade de sua posição para manipulá-Lo e respondia mostrando-lhes a própria responsabilidade deles.

A esposa deve fazer isso com cuidado. Ela deve reconhecer que não é sempre sem pecado como Jesus foi. É melhor que ela se conscientize de sua responsabilidade e possível falha, antes de apontar a falha de seu marido. Por exemplo, considere os modos como a esposa poderia ter respondido ao marido na situação anterior. Primeiro, ela poderia ter dito: "Querido, se falhei na limpeza da casa e você não está satisfeito, poderia me dizer isso de modo amoroso? Sei que é sua responsabilidade corrigir-me, quando faço algo errado, mas você poderia, por favor, fazer isso de modo bondoso, compassivo?" Também, se o marido foi abusivo, a esposa poderia dizer gentilmente: "Você está pecando na forma como fala comigo. Ficarei feliz em ouvir o que você tem a dizer, mas deve fazê-lo de modo amoroso".

Não responder como um insensato é fácil de ser entendido, mas difícil de ser praticado no ardor do conflito. Quando estiver confusa, a esposa não deve dar uma resposta imediata e direta ao marido, pois Provérbios 15.28 diz: "O coração do justo medita o que há de responder". Semelhantemente, a esposa que se depara com as ordens ríspidas e irracionais de seu marido pode pedir tempo para considerar sua resposta. Ela pode dizer: "Preciso pensar sobre como lhe responder e lhe darei uma resposta o mais breve possível". Se o marido não considerou totalmente os fatos ou não reuniu as informações necessárias para tomar uma decisão sábia, ele pode estar fazendo um julgamento incorreto. A esposa piedosa pode responder aos julgamentos severos do marido a respeito dela, dizendo: "Antes que você fale, poderia me ouvir, para que eu lhe dê mais informações" (Provérbios 18.13).

Finalmente, considere o caso de um homem que esteja culpando a esposa por suas próprias falhas. O marido acusa equivocadamente sua esposa de provocá-lo à ira. Quando o marido faz esta acusação falsa, ela pode relembrá-lo gentilmente 1 Coríntios 13.5, que diz: O amor "não se exaspera"; e pode dizer que ele é responsável por obedecer Efésios 4.26: "Irai-vos e não pequeis". Especialmente, quando o marido está fazendo julgamentos irracionais presunçosos, deve ser relembrado de Provérbios 13.10, que diz: "Da soberba só resulta a contenda". Muitas esposas relutam em usar a Escritura para responder às acusações insensatas do marido crente, mas elas devem lembrar que "a palavra de Deus é viva, e eficaz, e mais cortante do que qualquer espada de dois gumes, e penetra até ao ponto de dividir alma e espírito, juntas e medulas, e é apta para discernir os pensamentos e propósitos do coração" (Hebreus 4.12). A Palavra de Deus é a arma mais eficaz que o crente possui. A esposa deve usar de modo gentil e discreto a Palavra de Deus, com sabedoria, para não responder ao marido como um insensato e "segundo a sua estultícia".

RECURSO 6
Buscar conselho piedoso

Com medidas de prudência farás a guerra; na multidão de conselheiros está a vitória.

Provérbios 24.6

Buscar conselho piedoso significa buscar opinião baseada na Palavra de Deus, a Bíblia. A única coisa pior do que não buscar ou seguir conselho piedoso, quando necessário, é buscar, receber e seguir o conselho errado. Infelizmente, mesmo na igreja, nem sempre recebemos conselho bíblico baseado nas Escrituras. Há pessoas na igreja que não sabem o que a Palavra de Deus diz. Outras anseiam receber instrução especial diretamente de Deus, fora de sua Palavra. E outros descansam na sabedoria de homens para lhes dar conselho. O conselho de Deus é aquele que tem o suporte da Escritura tanto nos maiores quanto nos menores pontos. Sendo assim, é importante que você tenha certeza de estar buscando auxílio de uma pessoa piedosa e fiel, que conheça o ensino da Escritura e seja comprometida com uma vida baseada na Escritura. Tal pessoa acredita na veracidade da Escritura e em sua inerrância; acredita que a Escritura não pode levar as pessoas a errarem o caminho, se for adequadamente entendida e obedecida. Um crente fiel também crê que a Bíblia é dada ao homem para que ele saiba como viver uma vida que agrada a Deus, pois ela é um guia prático para todas as circunstâncias da vida. Em outras palavras, a Escritura é suficiente para prover às pessoas o conselho que precisam. Como explica Salmos 19.7, a Palavra de Deus "dá sabedoria aos símplices".

Aqui estão diretrizes adicionais para buscar conselho:

O CONSELHO DEVE SER OBJETIVO

Os dois lados devem ser ouvidos, porque "o que começa o pleito parece justo, até que vem o outro e o examina" (Provérbios 18.17). Uma pessoa biblicamente objetiva é aquela que é mais leal à Escritura do que às pessoas. Às vezes, a mãe da esposa, outros membros da família e amigos chegados estarão dispostos a tomar partido contra o marido, impedindo ajuda objetiva. Com efeito, receber conselho tendencioso e antibíblico provavelmente tornará pior a situação, em vez de melhorá-la.

O CONSELHO DEVE SER DIRECIONADO À SOLUÇÃO DO PROBLEMA, MEDIANTE O USO DA PALAVRA DE DEUS

2 Timóteo 3.16 diz: "Toda Escritura é inspirada por Deus e útil para o ensino, para a repreensão, para a correção, para a educação na justiça". A Palavra de Deus manuseada com precisão (usada apropriadamente em seu contexto) é útil para auxiliar as pessoas em cada faceta da vida cristã. Para começar, o problema deve ser definido biblicamente. Por exemplo: o que o marido está fazendo que transgride a Palavra de Deus? Está pecando por mostrar um comportamento irado, ou mentindo, ou praguejando? Somente depois que o problema é definido com base na Escritura, uma solução bíblica pode ser determinada. O problema e a solução devem ser descritos em linguagem da Escritura, usando referências apropriadas. "Ora, nós não temos recebido espírito do mundo, e sim o Espírito que vem de Deus, para que conheçamos o que por Deus nos foi dado gratuitamente. Disto também falamos, não em palavras ensinadas pela sabedoria humana, mas ensinadas pelo Espírito, conferindo coisas espirituais com espirituais" (1 Coríntios 2.12-13, grifo meu).

O CONSELHO DEVE SER DIRECIONADO À RESTAURAÇÃO

Restaurar o relacionamento da esposa com o marido e o relacionamento de ambos com Deus é fundamental; deve ser uma prioridade. Significa que o conselheiro deve ajudar cada um a identificar o seu pecado, buscar e conceder perdão um ao outro, bem como o perdão de Deus. Se o marido recusar-se a participar do aconselhamento bíblico, a esposa pode tratar sua parte na falha do casamento. Mais tarde, depois que a esposa tiver feito progresso, pode encorajar o seu marido a buscar conselho juntamente com ela.

A ESPOSA NÃO DEVE CALUNIAR OU FALAR MAL DE SEU
MARIDO, QUANDO BUSCAR CONSELHO DE OUTRA PESSOA

Provérbios 10.18 diz: "O que retém o ódio é de lábios falsos, e o que difama é insensato". Uma coisa é a esposa buscar conselho a respeito de como reagir biblicamente ao pecado do marido. Outra coisa é arruiná-lo diante dos outros. Se ela souber encobrir apropriadamente um assunto, este será conhecido somente por aquelas pessoas que forem parte da solução.

A ESPOSA DEVE LIMITAR O NÚMERO DE PESSOAS
A QUEM ELA CONTA O PROBLEMA DE SEU MARIDO

Apesar da Bíblia dizer: "Na multidão de conselheiros há segurança" (Provérbios 11.14), a esposa que fala aos outros sobre os problemas de seu marido, sem fazer um esforço sério para receber aconselhamento bíblico, está apenas engajando-se na fofoca.

A ESPOSA DEVE SEGUIR A ADMOESTAÇÃO BÍBLICA DE QUE AS
MULHERES IDOSAS E MADURAS DEVEM ENSINAR AS MAIS JOVENS.

Uma mulher mais velha, que tenha maturidade espiritual e as qualificações descritas em Tito 2.2-3 é uma boa candidata a aconselhar uma esposa. Esta mulher é recomendada a "instruir as jovens recém-casadas a amarem ao marido e a seus filhos, a serem sensatas, honestas, boas donas de casa, bondosas, sujeitas ao marido, para que a palavra de Deus não seja difamada" (Tito 2.4). Uma vez que a Escritura não permite "que a mulher ensine, nem exerça autoridade de homem" (1 Timóteo 2.12), a "mulher idosa" deve trabalhar apenas com a esposa, e não com o marido.

COM FREQÜÊNCIA, OS LÍDERES DA IGREJA
PODEM SER A MELHOR FONTE DE CONSELHO BÍBLICO.

Eles possuem a responsabilidade bíblica de prover conselho. Eles devem, quer seja oportuno, quer não, corrigir, repreender, exortar com toda a longanimidade e doutrina (2 Timóteo 4.2).

RECURSO 7
SEGUIR OS PASSOS DA DISCIPLINA DA IGREJA

E, se ele não os atender, dize-o à igreja.   Mateus 18.17

A disciplina na igreja é o processo de disciplina e restauração de um crente em pecado. Se o marido crente continua a pecar contra a esposa, e ela tem praticado fielmente as outras medidas explicadas neste capítulo, ela não deve hesitar em envolver outras pessoas, desde que o faça biblicamente. Um processo de quatro passos para a disciplina na igreja é providenciado em Mateus 18.15-17.

PASSO 1:

"Se teu irmão pecar [contra ti], vai argüi-lo entre ti e ele só. Se ele te ouvir, ganhaste a teu irmão" (Mateus 18.15). Este passo foi discutido no Recurso 4 – *Repreender biblicamente*. A não ser que a segurança física da esposa ou de outra pessoa seja ameaçada (se há ameaça à segurança física, veja a próxima seção), ela deve assegurar-se de que seu marido teve tempo para pensar no que ela lhe disse em sua exortação, antes de passar ao passo dois da disciplina na igreja. Às vezes, o marido pode adiar a decisão como um truque para manipular sua esposa a deixá-lo em paz. No entanto, é uma boa idéia dizer-lhe algo como: "Quero dar-lhe algum tempo para pensar sobre o que eu disse. E na sexta-feira à noite perguntarei o que você decidiu". Se ele continuar tentando protelar, então, ela deve dizer: "Não tenho outra escolha, senão entender a sua falta de decisão como um 'não'. Conseqüentemente, vou dar o próximo passo no processo de disciplina na igreja".

PASSO 2:

"Se, porém, não te ouvir, toma ainda contigo uma ou duas pessoas, para que, pelo depoimento de duas ou três testemunhas, toda palavra se estabeleça" (Mateus 18.16). A esposa deve ser cuidadosa ao procurar outros na igreja para testemunharem contra o comportamento pecaminoso de seu marido. Primeiro, o motivo primário da esposa deve ser restaurar o relacionamento do marido com Deus e com a família. Segundo, ela deve aproximar-se daqueles que sejam mais capacitados a ajudar – freqüentemente, são homens maduros espiritualmente, em posição de autoridade bíblica. Terceiro, a esposa deve tomar cuidado para não difamar ou falar mal dele. Quarto, a esposa deve informar ao marido que está buscando ajuda de outros. Isso mostrará ao marido que a intenção da esposa é séria e pode fazê-lo reconsiderar seu pecado e sua indisposição para buscar ajuda por si mesmo. Contudo, sob nenhuma circunstância o marido pode proibir a esposa de buscar a disciplina da igreja contra ele. Isto seria pedir-lhe que peque, pois a Escritura instrui sobre a continuidade do processo, se ele não se arrepender. Nestes casos, a esposa teria de obedecer a Deus, antes de obedecer ao seu marido.

Quando a esposa decide dar o passo 2, ela pode envolver o pastor, um dos presbíteros, diáconos ou outro membro da liderança que seja confiável. Antes de entrar em contato com a liderança da igreja, ela deve procurar saber se a igreja pratica ou não a disciplina. Infelizmente, muitas não a praticam. Contudo, mesmo quando a igreja não o faz, a liderança da igreja sempre estará disponível a intervir, ainda que de forma limitada.

A esposa deve pedir que um ou dois líderes da igreja (de preferência homens que conheçam seu marido) ou outras testemunhas qualificadas (tais como a família ou amigos) para que se encontrem com ela e seu marido, a fim de que ele seja confrontado aberta e diretamente com relação ao seu pecado. Na reunião, ela deve reportar precisamente os fatos do pecado de seu marido. Ela não deve exagerar os fatos nem minimizá-los, pois correrá o risco de decepcionar-se. A esposa deve perceber que as testemunhas sabiamente darão ao marido uma oportunidade de contar o seu lado da história, em concordância com Provérbios 18.17: "O que começa o pleito parece justo, até que vem o outro e o examina". Eles devem ouvir todo o relato, tanto da esposa quanto do esposo, antes de tomarem alguma atitude. Provérbios 18.13 diz: "Responder antes de ouvir é estultícia e vergonha".

Não obstante, a esposa e as testemunhas devem discutir quando devem fazer contato com o marido e o que deve ser dito. Aqueles que fazem parte do grupo devem estar preparados para falar com o marido de modo claro, direto e amoroso, esclarecendo que ele está pecando contra Deus, se descobriram ser este o caso. Eles devem, é claro, usar a Escritura para repreender o marido por seu pecado. Freqüentemente, numa reunião como esta, o marido se arrependerá. Se ele não o fizer, a esposa tem a responsabilidade de dar o passo 3.

PASSO 3:

"E, se ele não os atender, dize-o à igreja" (Mateus 18.17). Infelizmente, muitas igrejas não praticam a disciplina restauradora na igreja. Ainda assim, a esposa deveria dirigir-se ao pastor, notificando que seu marido continua sem arrependimento e pedir que ele seja exortado pela igreja. Se a liderança não o fizer, ela estará certa de que fez o possível para a restauração de seu marido.

PASSO 4:

"Se recusar ouvir também a igreja, considera-o como gentio e publicano" (Mateus 18.17). Esses passos exigem que o nome do marido e o seu pecado sejam trazidos perante a congregação. Então, a congregação deve pressioná-lo amorosamente a se arrepender. Estes passos são difíceis e não devem ser feitos com pressa. Muitas igrejas podem não se sujeitar aos passos 3 e 4, a não ser que tenham isto escrito no estatuto ou na confissão doutrinária da igreja. Contudo, estes últimos dois passos são uma das medidas mais efetivas que a igreja possui para advertir as pessoas contra o endurecerem o coração em contínuo e impenitente pecado voluntário. Assim como no passo 2, estas medidas são tomadas com o propósito de manter a igreja pura e restaurar um irmão que está em pecado ao correto relacionamento com Deus, com sua igreja e sua esposa. Se ainda assim ele se recusa a arrepender-se, a igreja deve considerá-lo como incrédulo ("como gentio e publicano" - Mateus 18.17). O livro escrito por Jay Adams, _The Handbook of Church Discipline_ (O Manual de Disciplina na Igreja), é um excelente recurso para se obter mais detalhes sobre disciplina da igreja.[2]

---

2 ADAMS, Jay. The Handbook of Church Discipline. Grand Rapids, Michigan: Zondervan,

RECURSO 8
ENVOLVER BIBLICAMENTE AS AUTORIDADES DE GOVERNO

Todo homem esteja sujeito às autoridades superiores. Romanos 13.1

As autoridades superiores incluem a polícia, os serviços à criança e à família, assim como os magistrados locais e os fóruns. O envolvimento dessas agências são medidas extremas e devem ser usadas somente quando há perigo para a esposa ou as crianças ou quando uma ofensa criminal séria tenha sido cometida. Contudo, a esposa que é verdadeiramente ameaçada com dano legítimo não deve hesitar em chamar a polícia.

Se o marido faz ameaças de abuso físico ou está pecando contra a esposa, atacando-a verbalmente, ela não deve hesitar em envolver a liderança da igreja para iniciar o processo de disciplina na igreja, ou contatar a autoridade superior (se apropriado). Deixar que seu marido sofra as conseqüências de seu comportamento pecaminoso sob os cuidados da igreja ou de autoridade superior é um ato de obediência amorosa a Deus, uma vez que o próprio Deus estabeleceu estas autoridades para a proteção da esposa.

É compreensível que a esposa tenha medo de que seu marido possa revidar contra ela. Contudo, a esposa deve obedecer a Deus e beneficiar-se totalmente destas medidas como uma provisão protetora para ela. Apesar de que ninguém pode garantir perfeitamente a segurança da esposa, tampouco qualquer medida de segurança pode ser garantida, se ela continuar submetendo-se passivamente ao abuso físico. Se a esposa beneficiar-se dos recursos de proteção providenciados por Deus e, apesar disso, seu marido a prejudicar, então, ela estará sofrendo por praticar o que é bom (1 Pedro 3.17). Nesse caso, a esposa deve seguir o exemplo de Cristo "o qual não cometeu pecado, nem dolo algum se achou em sua boca; pois ele, quando ultrajado, não revidava com ultraje; quando maltratado, não fazia ameaças, mas entregava-se àquele que julga retamente" (1 Pedro 2.21-23). Seu amor por Deus, ao obedecer a Palavra, e por seu marido, em desejar que ele seja restaurado a um correto relacionamento com Deus, podem (se suas motivações são corretas) vencer o medo, porque "o perfeito amor lança fora o medo" (1 João 4.18).

1986.

CONCLUSÃO

Em suma, a esposa crente deve tirar total proveito de todas as medidas bíblicas que Deus providenciou para ela em sua Palavra. Este é o curso espiritual maduro. Fazer o contrário é insensatez e mostra a indisposição da própria esposa em obedecer ou sua ignorância da Palavra de Deus. A esposa que deseja ser piedosa deve lembrar que, ao obedecer à Palavra de Deus, ela pode tirar proveito dos recursos que Deus providenciou para protegê-la. Quanto mais ela se submete, de maneira bíblica, a Deus e ao marido, tanto mais provavelmente seu marido se arrependerá e voltará a Deus. Ainda que seu marido não se arrependa, a esposa piedosa terá a absoluta certeza de que suas reações foram "de grande valor diante de Deus" (1 Pedro 3.4).

CAPÍTULO 15

Honrando a Cristo

A chave da motivação da esposa

As esposas reagem ao ensino bíblico da submissão numa grande variedade de formas, que se estendem da imediata aceitação à total rejeição. Algumas podem reagir de modo objetivo. A atitude delas é: "Certo, Senhor, agora entendo o que queres que eu faça e está resolvido!" Elas implementam os princípios de submissão bíblica em suas vidas e logo descobrem a alegria como resultado. Outras, talvez por causa de amargura ou da determinação de fazer as coisas a seu próprio modo, lutam terrivelmente. Ainda que obedeçam exteriormente, com freqüência são ressentidas ou rebeldes em seu coração. Em vez de experimentarem o regozijo da submissão bíblica, sentem-se péssimas e estendem seu sofrimento aos outros. Por ser tão difícil que algumas esposas aceitem a visão bíblica de submissão, este capítulo explica a motivação bíblica para a submissão da esposa.

Poucas esposas têm naturalmente, no coração, a atitude correta de serem submissas ao marido. Mesmo que uma mulher deseje agradar a Deus sendo submissa, ela nem sempre <u>sentirá</u> vontade de fazê-lo. Da mesma forma, em um conflito, quando os sentimentos são intensos, pode ser muito difícil que a esposa se submeta. A despeito de seus sentimentos, ela deve honrar a Cristo, desenvolvendo uma atitude mental ou a resolução de fazer o que é certo, da maneira certa e com a motivação correta, quer sinta-se disposta a isso, quer não. Durante o processo, seus sentimentos finalmente melhorarão.

Muitas esposas são motivadas somente, ou inicialmente, pelo modo como se sentem, e isso torna sua motivação egoísta e pecaminosa. Há muitos princípios bíblicos que facilitam à esposa o mudar sua motivação de "que proveito posso tirar disso?" para "como o Senhor Jesus Cristo pode ser honrado nisso?"

A MOTIVAÇÃO DA ESPOSA PARA SER SUBMISSA: PRINCÍPIOS BÍBLICOS

A ESPOSA DEVE SER GRATA PELO QUE DEUS FEZ POR ELA

É surpreendente pensar no que o Senhor Jesus Cristo fez pela humanidade pecadora por meio de sua obra expiatória na cruz. Ninguém merece seu perdão e graça. São concedidos gratuitamente por causa de seu amor e misericórdia. Muitas coisas assumem uma perspectiva apropriada, quando a esposa lembra o que o Senhor Jesus Cristo fez por ela. A redenção de cada pessoa foi comprada por um preço grandioso. O simples pensar em tudo que o Senhor sofreu – flagelação, zombaria, desprezo, rejeição, humilhação e crucificação – deveria evocar uma profunda atitude de gratidão em cada crente. E, conseqüentemente, além de um coração grato, os crentes desejam mostrar sua gratidão pelo que Deus fez, por meio de uma amorosa obediência a Ele. Este deveria ser um fator de grande motivação para que você se torne biblicamente submissa a seu marido.

> *Portai-vos com temor durante o tempo da vossa peregrinação, sabendo que não foi mediante coisas corruptíveis, como prata e ouro, que fostes resgatados do vosso fútil procedimento que vossos pais vos legaram, mas pelo precioso sangue, como de cordeiro sem defeito e sem mácula, o sangue de Cristo.*
> *1 Pedro 1.17-19*

A ESPOSA DEVE OLHAR PARA O EXEMPLO DE SUBMISSÃO DE CRISTO AO PAI

Mesmo sendo o Senhor Jesus Cristo igual ao Pai em cada aspecto, Ele escolheu subordinar-se ao Pai, a fim de realizar seu plano de redenção. Ele não exigiu direitos iguais! Pelo contrário, Ele se colocou de lado e obedeceu ao Pai "até à morte" (Filipenses 2.8). Seguir o exemplo de Cristo é uma motivação constrangedora para que você seja submissa a seu marido.

> *Tende em vós o mesmo sentimento que houve em Cristo Jesus, pois ele, subsistindo em forma de Deus, não julgou como usurpação o ser igual a Deus; antes, a si mesmo se esvaziou, assumindo a forma de servo, tornando-se em semelhança de homens; e, reconhecido em figura humana, a si mesmo se humilhou, tornando-se obediente até à morte e morte de cruz.*
>
> Filipenses 2.5-8

A ESPOSA DEVE ARREPENDER-SE DE QUALQUER PENSAMENTO ERRADO, RENOVANDO SUA MENTE COM A ESCRITURA

Muitas esposas tem sido cativadas pela filosofia mundana. Hoje as mulheres acreditam que devem lutar agressivamente pela igualdade com o marido ou pelo domínio sobre ele. Além disso, algumas acreditam que o marido deve sempre torná-las felizes ou fazê-las sentir-se "bem consigo mesmas". Para ela, a carreira dela e o "possuir tudo" tornam-se no mínimo tão importantes, ou possivelmente mais importantes, do que a carreira do marido. Se você pensa dessa maneira, seus valores e sua visão são antibíblicos. A solução é que você harmonize suas crenças e valores com a Escritura. Primeiro, estude as Escrituras e, se seus valores estão errados, renove (mude) sua mente (afinal, mudança na maneira de pensar é uma prerrogativa feminina!).

> *Cuidado que ninguém vos venha a enredar com sua filosofia e vãs sutilezas, conforme a tradição dos homens, conforme os rudimentos do mundo e não segundo Cristo.*
>
> Colossenses 2.8
>
> *E não vos conformeis com este século, mas transformai-vos pela renovação da vossa mente.*
>
> Romanos 12.2

A VERDADEIRA BELEZA DA ESPOSA VEM DA SUBMISSÃO AO MARIDO

Muitas esposas lutam por beleza física, mas a Escritura diz que a formosura é vã (Provérbios 31.30). Embora seja perfeitamente aceitável que a esposa se adorne com beleza exterior, o primeiro interesse de uma esposa piedosa é adornar-se com beleza interior. Você faz isso sendo submissa a seu marido, com a atitude de "um espírito manso e tranqüilo" (1 Pedro 3.4); e desenvolve "um espírito manso e tranqüilo" confiando humildemente em Deus, à medida que é submissa a seu marido. Sua motivação resulta de colocar sua esperança e confiança em Deus, assim como as "santas mulheres" de "outrora" (1 Pedro 3.5).

> *Não seja o adorno da esposa o que é exterior, como frisado de cabelos, adereços de ouro, aparato de vestuário; seja, porém, o homem interior do coração, unido ao incorruptível trajo de um espírito manso e tranqüilo, que é de grande valor diante de Deus. Pois foi assim também que a si mesmas se ataviaram, outrora, as santas mulheres que esperavam em Deus, estando submissas a seu próprio marido.*
>
> *1 Pedro 3.3-5*

A SUBMISSÃO BÍBLICA DEMONSTRA AMOR A DEUS

A submissão bíblica ao marido é um mandamento de Deus para as esposas. Cada vez que a esposa é exterior e interiormente submissa a seu marido, está demonstrando amor a Deus. Cantar "Oh! Como Eu Amo Jesus!" não faz sentido, se ela não é obediente aos mandamentos de Jesus. Saber que a obediência nesta área é o principal meio de demonstrar amor a Deus proporciona motivação extra para ser uma esposa excelente.

> *Se me amais, guardareis os meus mandamentos.*   *João 14.15*

> *Porque este é o amor de Deus: que guardemos os seus mandamentos; ora, os seus mandamentos não são penosos...*
>
> *1 João 5.3*

A SUBMISSÃO BÍBLICA É UM MEIO DE DEMONSTRAR AMOR A SEU MARIDO

A esposa que se importa mais em demonstrar amor ao marido do que em ver realizada a sua própria vontade, terá um correto senso de propósito. Quando você se deparar com determinada circunstância e relutar para não ser submissa, será útil ter pensamentos como: "O amor não procura os seus interesses (1 Coríntios 13.5). Posso demonstrar amor a meu marido sendo submissa a ele". Pensamentos desse tipo, em meio a uma luta, são tremendamente libertadores e poderosamente motivadores, pois...

O amor "não se conduz inconvenientemente"...
O amor "não procura os seus interesses"...
O amor "não se alegra com a injustiça, mas regozija-se com a verdade"...
O amor "tudo suporta".

1 Coríntios 13.5-7

A SUBMISSÃO BÍBLICA DEVE SER VISTA ATRAVÉS DA SOBERANIA E BONDADE DE DEUS

Ver a vida através da soberania e da bondade de Deus é ver cada detalhe da vida como algo planejado por Deus para você. Não existe destino, sorte ou chance. Deus tem um propósito para cada circunstância (inclusive as decisões de seu marido). Deus direciona o coração do rei e, certamente, pode direcionar o coração de seu marido. Deus está no controle, quer você goste, quer não!

É válido pensar: "Senhor, o que tens planejado para mim, hoje? Tu és bom e fazes bem todas as coisas. Obrigada pela reação de meu marido". À medida que você vê sua vida através da soberania e da bondade de Deus, estará continuamente ciente do propósito e da graça de Deus em sua vida e ficará mais motivada a querer agradá-Lo.

Que nos salvou e nos chamou com santa vocação; não segundo as nossas obras, mas conforme a sua própria determinação e graça que nos foi dada em Cristo Jesus, antes dos tempos eternos.

2 Timóteo 1.9

DEUS USA OUTRAS PESSOAS PARA PRESSIONAR A ESPOSA A SER SUBMISSA

Deus, às vezes, usa a confrontação amorosa de seu marido, de uma amiga ou de uma mulher mais velha para motivá-la a ser submissa de maneira bíblica. Se você receber a repreensão deles com humildade, Deus os usará para ajudar a moldar o caráter de Cristo em você. Sua responsabilidade é receber humildemente estas "feridas" como uma coisa boa e admitir quando estiver errada. Então, procure a orientação de uma pessoa a quem você possa prestar contas, até que pare de lutar contra a submissão.

Maridos, amai vossa mulher, como também Cristo amou a igreja e a si mesmo se entregou por ela, para que a santificasse, tendo-a purificado por meio da lavagem de água pela palavra, para a apresentar a si mesmo igreja gloriosa, sem mácula, nem ruga, nem coisa semelhante, porém santa e sem defeito.

Efésios 5.25-27

Leais são as feridas feitas pelo que ama.　　　　*Provérbios 27.6*

Melhor é a repreensão franca do que o amor encoberto. Provérbios 27.5

Quanto às mulheres idosas... sejam mestras do bem, a fim de instruírem as jovens recém-casadas a... serem... sujeitas ao marido.

Tito 2.3-5

A ESPOSA DEVE TREINAR-SE A SER BIBLICAMENTE SUBMISSA

A palavra grega "treinar", na Bíblia, é *gymnazō*, da qual temos as palavras ginástica e ginásio. *Gymnazō* implica fazer alguma coisa repetidas vezes, até que a pessoa a faça corretamente. Então, quando você não é submissa de modo piedoso, pode treinar-se biblicamente, meditando sobre o que <u>deveria</u> ter pensado e feito, ao contrário do que fez. A seguir, peça perdão a Deus e a seu marido. Você pode dizer alguma coisa mais ou menos assim: "Quando eu disse e fiz... não fui submissa a você. Se eu tivesse de fazer isso novamente, eu reagiria assim... (dê detalhes de como você teria feito). Você me perdoa?" Este processo exige esforço, mas beneficiará você não só nesta vida, como também na que há de vir. Afinal de contas, a prática leva à perfeição! Sua motivação se baseará em proveito para você agora, bem como na eternidade (veja 2 Coríntios 5.10).

Mas rejeita as fábulas profanas e de velhas caducas. Exercita-te, pessoalmente, na piedade. Pois o exercício físico para pouco é proveitoso, mas a piedade para tudo é proveitosa, porque tem a promessa da vida que agora é e da que há de ser.

1 Timóteo 4.7-8

A ESPOSA DEVE APRENDER A DINÂMICA BÍBLICA DA AUTORIDADE E DA REBELDIA

A Palavra de Deus é a autoridade final para a sua prática de vida. Você pode, de fato, ser muito ativa em sua igreja e, ainda assim, não estar fazendo o que o Senhor lhe ensinou por meio da Palavra. Você pode estar fazendo um sacrifício, mas <u>não</u> o sacrifício que Deus designou. Se é assim, você provavelmente está resolvendo as questões com suas próprias mãos, fazendo o que <u>pensa</u> que precisa ser feito, em vez do que Deus lhe diz para fazer. Isto é rebeldia contra Deus.

> *Porque a rebelião é como o pecado de feitiçaria, e a obstinação é como a idolatria... Eis que obedecer é melhor do que o sacrificar, e o atender, melhor do que a gordura de carneiros.*
>
> 1 Samuel 15.23, 22

A rebeldia é um pecado muito sério. Se você desobedece a seu marido, está levantando indiretamente seu dedo contra Deus. Está dizendo em seu coração: "Deus, eu não me importo com o que o Senhor diz. Vou fazer isso <u>do</u> <u>meu</u> <u>jeito</u>!". Quando você se rebela contra a autoridade de seu marido, está pecando gravemente. É uma coisa aterrorizante. Você pode arrepender-se de sua rebeldia a qualquer momento, confessando seu pecado a Deus, purificando sua consciência para com seu marido e submetendo-se à autoridade dele em tudo, a não ser quando isso envolve pecado. Quando se sentir tentada a rebelar-se, imagine-se levantando seu dedo contra Deus e declarando: "Não, não vou fazer isso!" Esta será uma motivação poderosa para que você seja submissa.

A ESPOSA DEVE BUSCAR O VERDADEIRO CONSELHO BÍBLICO DE ALGUÉM QUE A EXORTE E ADMOESTE A SER SUBMISSA

Todos os crentes devem exortar e admoestar uns aos outros. Contudo, Deus tem agraciado alguns crentes com o dom da exortação. Se alguém possui esse dom, sendo adequadamente instruído a respeito da questão da submissão, esta pessoa pode encorajá-la ativamente e, portanto, motivá-la a ser submissa a seu marido. A atitude dessa pessoa deve ser algo como a do apóstolo Paulo:

> *O qual nós anunciamos, advertindo a todo homem e ensinando a todo homem em toda a sabedoria, a fim de que apresentemos todo homem perfeito em Cristo; para isso é que eu também me afadigo, esforçando-me o mais possível, segundo a sua eficácia que opera eficientemente em mim.*
>
> Colossenses 1.28, 29

A ESPOSA DEVE RECEBER HUMILDEMENTE A REPREENSÃO E A CORREÇÃO BÍBLICA DE SEU MARIDO

Um ato biblicamente amoroso se realiza quando o marido, de modo gentil e firme, usa a Escritura para corrigir sua esposa, quando ela está pecando.

Maridos, amai vossa mulher, como também Cristo amou a igreja e a si mesmo se entregou por ela.

Efésios 5.25-27

Se você não for submissa, e seu marido a repreender utilizando a Palavra de Deus, é muito provável que ele esteja tentando ajudá-la a amadurecer como crente e a honrar o Senhor. Você deve ver a repreensão de seu marido como uma maravilhosa dádiva de Deus para motivá-la a ser submissa a ele.

ESTUDE O CARÁTER DE DEUS

Você pode ter um entendimento imperfeito do caráter de Deus. Como resultado, talvez você tenha um pensamento equivocado a respeito de Deus e de sua resposta adequada a Ele. Harmonizar sua percepção errada com o ensino bíblico sobre o Deus verdadeiro, provavelmente a ajudará a sentir-se mais motivada a ser obediente, mostrando-se submissa. Ainda que você não tenha falhas de percepção a respeito de como Deus é, estudar o caráter dEle a ajudará a tirar o foco de si mesma e a colocá-lo no Senhor.

Assim diz o SENHOR: Não se glorie o sábio na sua sabedoria, nem o forte, na sua força, nem o rico, nas suas riquezas; mas o que se gloriar, glorie-se nisto: em me conhecer e saber que eu sou o SENHOR e faço misericórdia, juízo e justiça na terra; porque destas coisas me agrado, diz o SENHOR.

Jeremias 9.23-24

A ESPOSA HONRARÁ A PALAVRA DE DEUS SENDO SUBMISSA AO MARIDO

Quando você faz o que Deus a instruiu a fazer, está honrando-O e à sua Palavra. Você mostra reverência pela Palavra e humildade diante de Deus quanto a reconhecer este princípio: aquilo que Deus deseja que eu faça é mais importante do que aquilo que eu quero fazer. O desejo de honrar a Deus e à sua Palavra, sendo submissa, é uma motivação muito verdadeira.

As mulheres idosas... a fim de instruírem as jovens recém-casadas a... serem... sujeitas ao marido, para que a palavra de Deus não seja difamada.

Tito 2.3-5

A ESPOSA PODE SER MOTIVADA A SUBMETER-SE NAS "GRANDES COISAS", SENDO FIEL NAS "PEQUENAS COISAS"

Cada pequena infração é importante para Deus, ainda que seja bem pequena. Geralmente, são as "raposinhas que devastam os vinhedos" (Cântico dos Cânticos 2.15). Seu verdadeiro coração e caráter são mostrados nas pequenas coisas, aparentemente insignificantes, que seu marido pede que você faça ou não faça. É nas pequenas coisas que seu marido provavelmente saberá se você está sendo verdadeiramente submissa ou não. Os outros talvez nunca saibam, mas seu marido saberá, e Deus também. A compreensão de que sua fidelidade nas áreas aparentemente pequenas importa muito para Deus deve motivá-la a ser ainda mais fiel nas grandes coisas.

Quem é fiel no pouco também é fiel no muito; e quem é injusto no pouco também é injusto no muito.

Lucas 16.10

A SUBMISSÃO BÍBLICA É UM MEIO PARA QUE A MULHER SEJA UM "SACRIFÍCIO VIVO" AO SENHOR JESUS

Em qualquer ato de submissão a seu marido, para fazer aquilo que você não gostaria, é um sacrifício do seu "eu" em obediência a Deus. Se você fizer o que é certo "como para o Senhor", será um deleite em saber que Ele se agrada de seu sacrifício. Saber que você agradou a Deus é uma forte motivação para ser submissa.

Rogo-vos, pois, irmãos, pelas misericórdias de Deus, que apresenteis o vosso corpo por sacrifício vivo, santo e agradável a Deus, que é o vosso culto racional.

Romanos 12.1

A ESPOSA DEVE ENTENDER QUE A SUBMISSÃO É UM FRUTO DE SUA SALVAÇÃO

O fruto piedoso é a evidência de que alguém se tornou crente. O crente possui o desejo e o anseio de agradar e obedecer a Deus; portanto, cada ato subseqüente de obediência à Palavra de Deus é parte do fruto que Jesus disse que os crentes dariam (João 15.8). Compreender que submissão a seu marido é um dos frutos de sua salvação deve ser um elemento motivador para você.

> *Nisto é glorificado meu Pai, em que deis muito fruto; e assim vos tornareis meus discípulos.*
>
> João 15.8

A ESPOSA DEVE SENTIR-SE MOTIVADA PELO TESTEMUNHO PESSOAL DE MULHERES QUE JÁ SÃO SUBMISSAS AO MARIDO

Testemunhos do que Deus tem ensinado a mulheres fiéis, na área da submissão, podem ser motivadores e encorajadores, se você está lutando na área da submissão. Ao buscar esses testemunhos, procure discernir o que a outra pessoa está lhe contando. Pergunte-se: "Isto é biblicamente correto?" Se for, então, sinta-se encorajada. A Escritura está repleta de exemplos de esposas que foram submissas. Biografias de homens e mulheres crentes, selecionadas com discernimento, também podem ser um bom recurso.

> *Pois foi assim também que a si mesmas se ataviaram, outrora, as santas mulheres que esperavam em Deus, estando submissas a seu próprio marido, como fazia Sara, que obedeceu a Abraão, chamando-lhe senhor, da qual vós vos tornastes filhas, praticando o bem e não temendo perturbação alguma.*
>
> 1 Pedro 3.5-6

COMPREENDA QUE, ÀS VEZES, A ESPOSA PODE SOFRER POR PRATICAR O BEM.

Na maioria das vezes, quando uma esposa sofre, ela não está sofrendo por causa do Senhor, e sim por causa de seu próprio coração rebelde e obstinado. Contudo, é possível sofrer por causa de reações corretas. Por exemplo, se seus pensamentos e ações são agradáveis a Deus, e seu marido continua a ser egoísta, etc., seu sofrimento terá um propósito – o amor a Deus. Se você está sofrendo, assegure-se de que isso acontece porque você está praticando verdadeiramente o que é bom, e não o mal (1 Pedro 3.17). Seja motivada a perseverar em seu sofrimento, por fazer o que é bom, lembrando-se:

> *Ora, quem é que vos há de maltratar, se fordes zelosos do que é bom? Mas, ainda que venhais a sofrer por causa da justiça, bem-aventurados sois.*
>
> 1 Pedro 3.13-14

A ESPOSA DEVE LEMBRAR-SE DO POTENCIAL DE CONSEQÜÊNCIAS DOLOROSAS DA INSUBMISSÃO.

Algumas destas conseqüências são vergonha pessoal, perda do galardão no Julgamento de Cristo, disciplina divina, disciplina da igreja e/ou desqualificação de seu marido para o cargo de presbítero ou diácono.

> *Porque o Senhor corrige a quem ama e acoita a todo filho a quem recebe... Deus, porém, nos disciplina para aproveitamento, a fim de sermos participantes da sua santidade. Toda disciplina, com efeito, no momento não parece ser motivo de alegria, mas de tristeza; ao depois, entretanto, produz fruto pacífico aos que têm sido por ela exercitados, fruto de justiça.*
>
> *Hebreus 12.6-11*

Deus fará o que for preciso para levar você da rebeldia à humilde submissão a seu marido. Muitas vezes, as conseqüências são dolorosas, vergonhosas e difíceis de suportar. Se você se arrepender, será capaz de dizer como o salmista: "Antes de ser afligido, andava errado, mas agora guardo a tua palavra. Tu és bom e fazes o bem; ensina-me os teus decretos" (Salmos 119.67-68). O temor de conseqüências é uma forte motivação.

CONCLUSÃO

Submissão bíblica nem sempre é o que a esposa escolheria fazer naturalmente, mas sua motivação deve ser maior do que seus próprios desejos egocêntricos. Há diferentes motivações com as quais Deus se agrada, mas o seu principal motivo tem de ser sempre a glória de Deus. Motivação é importante! A esposa nunca será o que Deus quer que ela seja, se não se colocar graciosa e alegremente sob a autoridade de seu marido.

CAPÍTULO 16

Comunicação

O controle da língua da esposa

───◦❦◦───

Você já disse alguma coisa da qual se arrependeu imediatamente? Todos entendemos o que Tiago estava falando, quando escreveu: "A língua, porém, nenhum dos homens é capaz de domar... De uma só boca procede bênção e maldição. Meus irmãos, não é conveniente que estas coisas sejam assim" (Tiago 3.8-10). Aquilo que dizemos e o modo como o dizemos pode ferir os outros. As palavras podem esmagar e apunhalar as pessoas. Alguns ferimentos talvez nunca sarem. No casamento, maridos e esposas têm o potencial de ferir um ao outro, profundamente, pelas palavras que dizem. Freqüentemente, os casais se comunicam de modo antibíblico e ímpio. Em lugar de amor e bondade, há contenda, ira e malícia. Em lugar de sabedoria, há insensatez. Em vez de palavras atenciosas, há palavras irrefletidas. Novamente, deixe-me expressar o que está em meu coração a respeito do que Tiago disse: "Meus irmãos, não é conveniente que estas coisas sejam assim" (Tiago 3.10).

Este capítulo aborda comunicação – o controle da língua da esposa. É um capítulo necessário, porque, se a esposa excelente tem de amar, respeitar e submeter-se ao marido, como Deus deseja, ela precisa se comunicar corretamente com ele. A fim de realizar este propósito, decidi apontar nove princípios bíblicos concernentes à comunicação da esposa com o marido.

COMUNICANDO-SE COM O MARIDO: PRINCÍPIOS BÍBLICOS

AS PALAVRAS ERRADAS DA ESPOSA COMEÇAM COM MOTIVAÇÕES E PENSAMENTOS ERRADOS

> *Porque do coração procedem <u>maus</u> <u>desígnios</u>, homicídios, adultérios, prostituição, furtos, falsos testemunhos, blasfêmias. São estas as coisas que contaminam o homem; mas o comer sem lavar as mãos não o contamina.*
>
> *Mateus 15.19-20 (grifo meu)*

A palavra "coração" na Escritura inclui pensamentos, escolhas e motivações de uma pessoa. Seu "coração" não é apenas uma parte emocional em você, da qual não possui controle. O que você pensa é uma escolha que faz. O Senhor Jesus fez uma conexão clara entre o que você pensa e fala. "Porque a boca fala do que está cheio o coração" (Mateus 12.34). Palavras erradas começam com pensamentos errados. Se você está dizendo palavras erradas, perceba o que está pensando. O padrão do Senhor Jesus para santidade não é apenas a conformidade exterior, mas uma transformação interior do pensamento. Renove sua mente com a Escritura e mude seu coração.

Você renova sua mente com a Escritura, meditando nas áreas apropriadas de comunicação que precisam ser melhoradas. A meditação bíblica inclui ler determinada passagem repetidamente e pensar em formas pessoais de aplicá-la. Por exemplo, se você tem a tendência de ser impaciente com seu marido e de atacá-lo com palavras ríspidas, medite em 1 Coríntios 13.4. "O amor é paciente". Pense em maneiras de reagir com paciência em circunstâncias iguais ou similares. Por exemplo, seu marido leva muito tempo para contar-lhe um incidente no trabalho, e você deseja que ele o conte mais depressa. Pense: "O amor é paciente. <u>Posso</u> demonstrar-lhe amor ouvindo pacientemente até que ele termine." Então, expresse em palavras seu interesse pela história dele. Assim, suas palavras <u>corretas</u> terão começado com pensamentos <u>corretos</u>.

A ESPOSA É RESPONSÁVEL DIANTE DE DEUS POR TODA A PALAVRA QUE PROFERE

Digo-vos que de toda palavra frívola que proferirem os homens, dela darão conta no Dia do Juízo.

Mateus 12.36

Deus é onisciente. Ele conhece todas as coisas e não esquece de nada. Ele deseja que sejamos santos em todo o tempo e não somente nos domingos pela manhã. Devemos considerar com seriedade quantas palavras "frívolas" provavelmente falamos. Palavras frívolas são "fúteis, vãs e ociosas".[1] Elas me recordam a expressão: "Algumas pessoas falam somente para ouvirem-se falando". Como crente no Senhor, você deve ter cuidado com suas palavras. Como esposa, você deve ter cuidado especial, se deseja demonstrar amor, respeito e submissão a seu marido, como Deus o deseja. Compreenda que Deus está ciente do que você diz. Portanto, você é responsável diante dEle por toda palavra que pronuncia.

A ESPOSA DEVE FALAR A VERDADE COM O MARIDO, MAS FALAR COM AMOR

Mas, seguindo a verdade em amor, cresçamos em tudo naquele que é a cabeça, Cristo.

Efésios 4.15

Falar a verdade nem sempre é fácil e talvez traga grande sofrimento. Às vezes, você terá de dizer verdades desagradáveis a seu marido. Talvez seja mais fácil ser enganosa ou mesmo evitar o assunto. Contudo, de maneira paciente, bondosa e amorosa, você pode dizer a seu marido o que ele precisa ouvir, com base nas Escrituras. Por exemplo, imagine que você percebe que seu marido tem sido excessivamente crítico em relação a outra pessoa. Pode ser mais agradável apenas mudar de assunto, mas Jesus disse: "Se teu irmão pecar [contra ti], vai argüi-lo entre ti e ele só. Se ele te ouvir, ganhaste a teu irmão" (Mateus 18.15). Se você tem relutado em dizer a verdade a seu marido– fale a verdade, mas faça-o com amor.

---

1 THOMAS, Robert. #692, p. 1635.

A ESPOSA DEVE "DESPOJAR-SE" DA LINGUAGEM ERRADA

> *Agora, porém, despojai-vos, igualmente, de tudo isto: ira, indignação, maldade, maledicência, linguagem obscena do vosso falar.*
>
> *Colossenses 3.8*

A linguagem errada é definida claramente em Colossenses 3. Irritação e indignação são variações da ira. A ira pode expressar-se em extremos, desde a desconsideração em sua voz até o gritar, praguejar e encolerizar-se. Maldade é mesquinhez, é desejar o mal para o outro. Proferir maledicência é retratar a outra pessoa com traços distorcidos. Linguagem obscena refere-se à "linguagem imoral e depreciativa que tem a intenção de ferir e magoar alguém".[2]

Às vezes, a esposa sente-se tentada a usar palavras iradas, maldosas ou até obscenas, durante os dias em que está emocionalmente sensível, logo antes do seu período menstrual. Mesmo que seja mais difícil controlar-se nesse período, com Deus todas as coisas são possíveis (1 Coríntios 10.13). Faça um esforço mais do que extra para pensar no que dirá e diga o que é certo, a despeito de como se sente. Qualquer tipo de linguagem errônea é pecado. Comece confessando a Deus cada vez que você falar de modo errado. E finalmente substitua as palavras erradas pela verdade falada em amor. Deste modo, você deixa a linguagem errada de lado.

A ESPOSA DEVE DAR AO MARIDO O BENEFÍCIO DA DÚVIDA, QUANDO SE TRATA DE JULGAR SEUS MOTIVOS.

> *Portanto, nada julgueis antes do tempo, até que <u>venha o Senhor</u>, <u>o qual não somente trará à plena luz as coisas ocultas das trevas, mas também manifestará os desígnios dos corações</u>; e, então, cada um receberá o seu louvor da parte de Deus.*
>
> *1 Coríntios 4.5 (grifo meu)*

Não devemos julgar os "desígnios dos corações" (1 Coríntios 4.5). Não importa o quanto você pense conhecer alguém, somente Deus pode julgar os motivos dos outros. É presunção uma pessoa acreditar que sabe

---

2 MACARTHUR, John. *Colossians and Philemon*. Chicago, Illinois: Moody Press, 1992. p. 144.

o que o outro está pensando ou o por que o outro fez o que fez. Às vezes, as pessoas que se gabam de seu "discernimento" estão na realidade sendo presunçosas, ao julgarem os motivos do outro. Freqüentemente, as esposas julgam com presunção o marido e reagem baseadas no que acham que o marido está pensando.

Talvez você possa lembrar de alguma vez em que reagiu exageradamente a alguma coisa que seu marido disse ou fez, alguma coisa que, conseqüentemente, o deixou desconcertado, por sua reação. Você julgou os motivos dele, se disse algo como: "Você fez aquilo de propósito para me irritar!" ou: "Você fez aquilo para descontar em mim o que seu pai fez com você, quando era criança!" Não julgue o motivo dele, dê-lhe o benefício da dúvida e veja a ação dele da melhor forma possível. Por exemplo: "Ele não percebeu como aquilo era importante para mim" ou: "Talvez ele saiba alguma coisa que eu não sei sobre estas circunstâncias." Você terá de esperar até que o Senhor volte e, então, julgue corretamente os motivos de seu marido.

A ESPOSA ESTÁ MAIS EXPOSTA A PECAR, SE SUAS PALAVRAS SÃO IMPETUOSAS.

Alguém há cuja tagarelice é como pontas de espada, mas a língua dos sábios é medicina.
Provérbios 12.18

Salomão comparou a linguagem impetuosa à "pontas de espada" (Provérbios 12.18), ou seja, palavras impetuosas ferem profundamente aquele que as recebe. Elas infligem dor e ferem a outra pessoa.

Se você fala de modo que fere o outro, deve ser alguém que tem o desejo de estar no controle. Uma pessoa controladora tende a comunicar-se de modo vingativo. Com freqüência, suas ameaças e ataques verbais contêm mais maldade do que a ofensa original. Siga o exemplo que Pedro nos oferece a respeito do Senhor Jesus Cristo: "Quando ultrajado, não revidava com ultraje; quando maltratado, não fazia ameaças, mas entregava-se àquele que julga retamente" (1 Pedro 2.23). Nosso Senhor confiou-Se a

Deus. Ele não revidou com o mal. A intenção de Pedro é que, mesmo ao sofrer uma ofensa emocional da parte de seu marido, você olhe para o Senhor Jesus Cristo como seu exemplo. Não magoe seu marido; use sua língua para trazer cura (Provérbios 12.18).

É MAIS PROVÁVEL QUE A ESPOSA SEJA OUVIDA, SE A SUA LINGUAGEM FOR DOCE E CONTROLADA.

A longanimidade persuade o príncipe, e a língua branda esmaga ossos.
Provérbios 25.15

O sábio de coração é chamado prudente, e a doçura no falar aumenta o saber.
Provérbios 16.21

Os maridos ficam muito mais dispostos a considerar os pedidos da esposa e suas admoestações, se estes forem feitos com doçura. Não é fingir "docilidade", mas usar verdadeira longanimidade, ao exercer paciência e delicadeza. É realmente difícil para a maioria dos maridos não concederem o pedido da esposa que é doce no falar. Entretanto, segue aqui uma palavra de advertência: a "doçura no falar" não é um meio de manipular e obter as coisas a seu modo; é um meio correto de persuadir seu marido a dar o que você quer. O teste de sua motivação será como você reage, se não obtém o que deseja. Com efeito, Deus é glorificado por meio de sua linguagem correta, quer você consiga as coisas a seu modo, quer não!

A ESPOSA EXCELENTE É SÁBIA E GENTIL QUANDO FALA COM O MARIDO.

Fala com sabedoria, e a instrução da bondade está na sua língua.
Provérbios 31.26

A esposa piedosa é sábia e gentil. Quando ela fala, sabedoria e bondade fluem de seus lábios. Sua sabedoria vem da Palavra de Deus, e sua bondade, vem do Espírito Santo. Suas palavras não são rudes, cortantes, ásperas ou ofensivas; são edificantes e úteis. Para ser sábia e bondosa, ao falar com seu marido, diga suas palavras num tom sereno. Provérbios 15.4 diz: "A língua serena é árvore de vida".

Pense em como você gostaria de ser tratada. E, se você estiver errada? E, se estiver pecando? Você quer ser tratada com bondade ou rispidez? Com sabedoria ou insensatez? É claro que você quer que ele seja bondoso e sábio. Então, trate seu marido como você gostaria de ser tratada (Mateus 7.12).

Suponha que seu marido queira comprar uma coisa que você acha superficial. Primeiro, pense no que irá dizer. A seguir, diga-o num tom sereno. Por exemplo, fale gentilmente: "Querido, eu sei que você quer ter uma moto. Gostaria que a comprasse, mas acho que seria mais sábio economizar o dinheiro para adquiri-la, em vez de pegar um empréstimo no banco". Não importa qual seja a questão, quando você falar com seu marido, seja sábia em suas palavras e gentil no tom de voz. É assim que a esposa excelente pronuncia suas palavras.

A ESPOSA DEVE PURIFICAR SUA LINGUAGEM PARA QUE SEJA CADA VEZ MAIS PERFEITA.

> *Prata escolhida é a língua do justo, mas o coração dos perversos vale mui pouco.*
>
> Provérbios 10.20

A prata é uma mercadoria rara, preciosa e muito apreciada. Assim é a língua do justo. Do mesmo modo como o refinador purifica a prata repetidas vezes, para fazê-la escolhida, a esposa deve purificar sua linguagem, para que seja mais e mais impecável. Você pode purificar sua linguagem, praticando-a repetidas vezes, até que ela fique correta (1 Timóteo 4.7). Pense no que deveria dizer e pratique-o em voz alta (sozinha). Concentre--se em dizer as palavras num tom de voz "sereno". Pode ser que você se ache boba no começo, mas, se deseja ser piedosa, deve ser treinada! Uma língua piedosa é, verdadeiramente, como "prata escolhida", uma mercadoria muito apreciada.

CONCLUSÃO

A maneira como você se comunica reflete seu compromisso com Cristo. Certamente, estas são habilidades que precisam ser bem treinadas. Peça a seu marido que a ajude em sua maneira de falar e de usar seu tom de voz. Quando ele apontar suas falhas, reconsidere imediatamente como você deveria ter se comunicado. Diga-lhe o que deveria ter feito e peça-lhe perdão. Quão importante é isto para você?

> *Mulher virtuosa, quem a achará? O seu valor excede o de finas jóias...*
> *Fala com sabedoria, e a instrução da bondade está na sua língua.*
> Provérbios 31.10,26

Conflito

A quietude de espírito da esposa

Comunicar-se de modo piedoso é fundamental para resolver um conflito, de modo que glorifique a Deus. A esposa excelente é aquela que "fala com sabedoria" (Provérbios 31.26). Ela não foge, nem se esconde do conflito, mas também não atropela o marido como um trator empurrando um monte de areia. O casal cristão deve viver junto, em unidade. Na maioria das vezes é difícil ter unidade, porque todos nós pecamos e somos muito diferentes.

Por isso, é importante que você aprenda a resolver biblicamente os conflitos com seu marido. Neste capítulo, veremos pensamentos que impedem e pensamentos que estimulam a resolução de conflitos. Também explicaremos as três causas de conflitos (egoísmo, diferenças e justiça) e suas soluções. Além das causas e soluções, este capítulo abrange quatro qualidades de caráter que você precisa ter e que a capacitam a resolver conflitos biblicamente, tornando-a uma esposa excelente.

Em sua carta à igreja de Éfeso, o apóstolo Paulo instou os membros a terem unidade. Ele os exortou: "Esforçando-vos diligentemente por preservar a unidade do Espírito no vínculo da paz" (Efésios 4.3). Não pode haver unidade na igreja, da maneira como Deus a planejou, enquanto existir discórdia matrimonial. Outras pessoas podem tomar o partido de um ou outro lado do casal discordante e acabar juntando-se ao conflito. O pecado que não for refreado certamente se espalhará!

Quando um casamento está em apuros, existem muitas justificativas que cada cônjuge usa para convencer a si mesmo e os outros. Muitas vezes, estas justificativas incluem vingança por ter sido magoado. É importante reconhecer o raciocínio antibíblico, porque somente com o pensamento correto é que os casais podem superar o conflito de maneira piedosa. A seguinte lista constitui-se de alguns pensamentos antibíblicos que as esposas abrigam em seu coração e, com isso, tornam realmente impossível a resolução de um conflito.

PENSAMENTOS ANTIBÍBLICOS QUE IMPEDEM A RESOLUÇÃO DE UM CONFLITO

- Vou fazer do meu jeito. Não posso acreditar que ele quer pintar a casa de verde!
- Por que tentar? Ele nem mesmo vai ouvir.
- Ele me deixa tão furiosa. Só pensa em si mesmo.
- Ele nunca vai mudar.
- Ele é impossível.
- Não tem jeito, os problemas são grandes demais para serem resolvidos.
- As coisas nunca vão melhorar. O divórcio é inevitável.
- Não posso suportar a pressão.
- Não há esperança.

Pensamentos como estes são egocêntricos e oferecem uma justificativa antibíblica para desistir e não mais esforçar-se por superar os problemas. Quando a esposa pensa assim, ela está, ao mesmo tempo, lutando com intensa dor emocional. Isto pode levá-la a concluir que não consegue mais suportar o conflito.

Em lugar de procurar justificativas para fugir dos conflitos, a esposa deve ser transformada pela renovação de sua mente (Romanos 12.2). Neste processo, suas emoções estarão mais toleráveis, e ela estará numa posição muito melhor para continuar superando os problemas. Em lugar de pensamentos pecaminosos, o que ela deve pensar? Que pensamentos tornariam mais fácil superar biblicamente um conflito?

PENSAMENTOS BÍBLICOS QUE INTENSIFICAM A RESOLUÇÃO DO CONFLITO

O que Deus está tentando me ensinar em meio a este conflito?

Meus irmãos, tende por motivo de toda alegria o passardes por várias provações, sabendo que a provação da vossa fé, uma vez confirmada, produz perseverança. Ora, a perseverança deve ter ação completa, para que sejais perfeitos e íntegros, em nada deficientes. Se, porém, algum de vós necessita de sabedoria, peça-a a Deus, que a todos dá liberalmente e nada lhes impropera; e ser-lhe-á concedida.

Tiago 1.2-5

Sou crente. Tomar a iniciativa de divorciar-me, somente porque estamos tendo conflitos, não é a minha opção.

Ora, aos casados, ordeno, não eu, mas o Senhor, que a mulher não se separe do marido... e a mulher que tem marido incrédulo, e este consente em viver com ela, não deixe o marido.

1 Coríntios 7.10,13

De modo que já não são mais dois, porém uma só carne. Portanto, o que Deus ajuntou não o separe o homem.

Mateus 19.6

Deus me ajudará a suportar estes conflitos.

Não vos sobreveio tentação que não fosse humana; mas Deus é fiel e não permitirá que sejais tentados além das vossas forças; pelo contrário, juntamente com a tentação, vos proverá livramento, de sorte que a possais suportar.

1 Coríntios 10.13

Se tenho de sofrer neste conflito, quero que seja por praticar o que é bom, e não porque tenho pecado.

Porque, se for da vontade de Deus, é melhor que sofrais por praticardes o que é bom do que praticando o mal.

1 Pedro 3.17

> *Por isso, também os que sofrem segundo a vontade de Deus enco-*
> *mendem a sua alma ao fiel Criador, na prática do bem.*
>
> 1 Pedro 4.19

Deus tem um propósito neste conflito.

> *Sabemos que todas as coisas cooperam para o bem daqueles que*
> *amam a Deus, daqueles que são chamados segundo o <u>seu propósito.</u>*
>
> Romanos 8.28 (grifo meu)

(Eis o exemplo de José, ao falar com seus irmãos, que o tinham vendido como escravo, anos antes.) *Vós, na verdade, intentastes o mal contra mim; porém Deus o tornou em bem, para fazer, como vedes agora.*

> Gênesis 50.20

O que <u>eu</u> posso fazer de modo diferente para tornar mais fácil a resolução deste conflito?

> *Nada façais por partidarismo ou vanglória, mas por humildade, con-*
> *siderando cada um os outros superiores a si mesmo.*
>
> Filipenses 2.3

É importante compreender como pensamentos errados influenciam poderosamente suas emoções, tornando bastante difícil a resolução de um conflito, de modo racional e coerente. Por outro lado, pensamentos corretos tornam muito mais fácil a resolução bíblica de um conflito. Existem, basicamente, três tipos de conflito. Conflitos concernentes às diferenças, conflitos resultantes de egoísmo (pecaminosidade) e conflitos referentes ao que é certo ou errado.[1]

A primeira causa de conflito são as diferenças. Alguns exemplos de diferenças são: o horário que você vai para cama e que se levanta pela manhã, o que fazer nos feriados, com que freqüência você deve limpar a casa, comidas que você gosta, onde apertar o tubo de creme dental e se você pinta a sala de azul ou de verde. Ter diferenças não é certo nem errado. Não é pecado. É normal que seu marido tenha uma opinião diferente da

---

1 MACK, Wayne. Cassetes "Conflict resolution in marriage – part I and II".

sua. Contudo, se as diferenças não são tratadas adequadamente, podem culminar em pecado.

A orientação bíblica para superar diferenças é a "tolerância" (Efésios 4.3), ou seja, tolerar os costumes e peculiaridades do outro. Nenhum dos cônjuges deve bravatear, nem insistir em ter tudo do seu jeito, mas se alguma coisa é realmente importante para o seu marido (e ele não está lhe pedindo algo que seja pecaminoso), então você deve ceder de bom grado, por amor à unidade e por amor de estar sob a autoridade de seu marido.

Outra orientação para superar diferenças é que o casal deixe pai e mãe e se una um ao outro (Gênesis 2.24). Como casal, o marido e a esposa precisam desenvolver seus novos hábitos e sua própria maneira de fazer as coisas. Os pais nem sempre aceitam isso facilmente; mas o casal deve fazer seus planos juntos e, então, contá-los aos pais quando possível.

Lembro-me do primeiro dia de Ação de Graças que nossa filha Anna passou longe de nós. Era seu primeiro ano de casada, e eles decidiram visitar os pais de Tom. Amavelmente desejei-lhe: "Boa visita!" Então, desliguei o telefone e chorei. Contudo, minha dor teve pouca duração, quando Sanford, meu marido, lembrou-me que deveríamos aceitar que ela nos deixasse e se unisse ao seu marido (Gênesis 2.24). Ele estava certo. Então, resolvemos convidar pessoas da igreja para um jantar de Ação de Graças e, no final, tivemos em nossa casa cerca de trinta pessoas. Tivemos um maravilhoso momento de celebração. É difícil para os pais deixarem seus filhos, mas os pais ficarão bem, se reagirem corretamente.

Se os pais não reagirem de maneira correta, o casal terá de confrontá-los amorosamente. Por exemplo: "Papai e mamãe, amamos vocês e gostaríamos de passar este feriado com vocês, mas decidimos passar o dia com amigos, fora da cidade. Sei que vocês estão desapontados. Por favor, fiquem felizes por podermos estar com nossos amigos". Se os pais não reagirem favoravelmente, uma repreensão mais direta é o próximo passo. Responda, gentilmente, com algo do tipo: "Vocês têm liberdade no Senhor de convidar-nos, e agradecemos. Contudo, também temos liberdade de fazer outros planos. O dever de vocês é nos deixarem seguir nossos planos e alegrarem-se por nós". A maioria dos pais agirá graciosamente. Se não, implemente o princípio de não responder "ao insensato segundo a sua estultícia", conforme o capítulo 14.

Ainda que os conflitos por causa de "diferenças" se refiram ao que fazer no feriado ou como apertar o tubo de creme dental, a chave para superá-los é a tolerância. As diferenças não são pecados, porém, às vezes, maridos e esposas reagem de modo pecaminoso. Isto nos leva à segunda causa de conflitos, o egoísmo.

O coração natural quer fazer a sua própria vontade. Não gostamos de que nos digam o que fazer. Somos naturalmente rebeldes e egoístas. Conseqüentemente, quando há um conflito, isso pode ocorrer por que somos egoístas. O conflito, então, resulta em acessos de raiva, enfado, manipulação, importunação ou ressentimento.

Quando a esposa é egoísta, o marido provavelmente reagirá mais à sua atitude errada do que àquilo que ela deseja. Ele sentirá que ela está fora do seu controle, e isso pode fazê-lo envolver-se num conflito com ela. Se você percebe que tem sido egoísta ou rebelde e que tem causado conflito, peça perdão a Deus e também a seu marido. Aprenda com a conseqüência do seu pecado e pare de procurar os seus próprios interesses.

Se o seu marido tem sido egoísta, confronte o pecado dele, de modo gentil e amoroso, dando-lhe exemplos claros. Quando o conflito ocorre por causa de egoísmo, a solução está em arrepender-se e "revestir-se" de amor, pois o amor "não procura os seus interesses" (1 Coríntios 13.5). O pecado de egoísmo é a principal razão por que as pessoas não perseveram em viver unidas.

A terceira razão por que as pessoas têm conflitos é a opinião a respeito daquilo que é certo ou errado. Esse tipo de conflito ocorre quando um dos cônjuges acredita que o outro está transgredindo a vontade de Deus revelada na Escritura. Ele se manifesta em inúmeras circunstâncias, tais como: criação dos filhos, filmes, livros, televisão e áreas mais óbvias como falar a verdade, pureza moral e não profanar o nome de Deus. A esposa precisa ter o cuidado de separar sua interpretação pessoal da Palavra de Deus e a Lei absoluta de Deus. Por exemplo, seu marido pode querer que você vá a algum lugar onde você não se sente totalmente à vontade para ir; contudo, ir àquele lugar não é uma questão evidente de pecado. Em áreas como essas, a esposa deve ser submissa ao marido, a não ser que aquilo que ele lhe pede envolva pecado pessoal. Em outras palavras, ela deve chegar o mais próximo possível daquilo que seu marido quer, mas não passar do limite naquilo que for pecado pessoal. Ela pode, no decorrer da situação, ter de sofrer por fazer o que é certo, mas não deve, jamais sofrer em virtude de seu próprio pecado.

A solução para conflitos por causa de opiniões a respeito do que é certo ou errado é que os cônjuges se submetam àquilo que a Palavra de Deus diz sobre o assunto. Se o seu marido não o fizer, você deve colocar em prática alguns ou mesmo todos os princípios bíblicos que Deus tem providenciado para sua proteção (capítulo 14).

Às vezes, ocorrem conflitos por causa de opiniões a respeito do que é certo ou errado. Porém, com muito mais freqüência eles ocorrem por causa de egoísmo e/ou diferenças pessoais. Você deve determinar o que realmente é pecado, de acordo com a Bíblia e manter-se firme. Nas outras áreas, o Senhor quer que você seja flexível.

A maneira como você reage ao conflito é importante. A despeito do que tenha originado o conflito, o desacordo não é um pretexto para pecar. Em sua carta aos Efésios, Paulo lembrou aos crentes a sua obrigação de viver em unidade. Enquanto você lê a seguinte passagem, observe as atitudes que eles deviam ter:

> *Rogo-vos, pois, eu, o prisioneiro no Senhor, que andeis de modo digno da vocação a que fostes chamados, com toda humildade e mansidão, com longanimidade, suportando-vos uns aos outros em amor, esforçando-vos diligentemente por preservar a unidade do Espírito no vínculo da paz.*
>
> *Efésios 4.1-3 (grifo meu)*

Assim como todos os crentes, os casais precisam ter estas atitudes em sua vida pessoal, para que solucionem os conflitos sem pecar.

ATITUDES NECESSÁRIAS PARA A RESOLUÇÃO DE UM CONFLITO

HUMILDADE

Humildade significa ser "modesto no pensar".[2] Em outras palavras, uma pessoa humilde vê a si mesma numa perspectiva própria para com

---

2 VINE, W. E. p. 579.

Deus e com os outros e não pensa de si mesma "além do que convém" (Romanos 12.3). Naturalmente, pensamos em nós mesmos em primeiro lugar. No entanto, Deus nos ordena a pensar primeiramente nos outros (Filipenses 2.3).

A humildade necessária para resolver um conflito de modo bíblico pode ser melhor descrita como a humildade em que cada um considera "os outros superiores a si mesmo" (Filipenses 2.3). Humilhe-se a si mesma, dando prioridade a seu marido. Considere o desejo dele mais importante do que o seu (a não ser que ele esteja lhe pedindo que peque). Resolva continuar solucionando o conflito de modo bíblico, enquanto ele durar (a não ser que o Senhor tire você da batalha). À medida que você se humilha e não procura seus próprios interesses, Deus será glorificado, e qualquer conflito que você e seu marido tiverem será resolvido adequadamente.

MANSIDÃO

Mansidão (brandura) é força sob controle,[3] e deve ser parte da beleza da mulher. É também uma das características que a faz possuir "grande valor diante de Deus" (1 Pedro 3.4). Isto sugere que ela deve ter suas emoções sob controle e não reagir exageradamente a um conflito. Emoções expressas com vigor não são, em si mesmas, pecaminosas, mas podem ser usadas de modo pecaminoso para manipular e fazer a sua vontade num conflito. A mansidão é um dos frutos do Espírito Santo (Gálatas 5.23). Também é algo que devemos buscar (1 Timóteo 6.11). A mansidão está associada à ternura e à compaixão. Ela não é rude, ríspida ou sarcástica. Não é histérica ou temerosa. Se você for mansa, ficará contente nas circunstâncias em que Deus a colocou. Você não deve tentar manipular as circunstâncias para favorecer a si mesma. Você pode permanecer calma, ainda que esteja sob pressão. Você também será cuidadosa e atenciosa em suas reações, mesmo que discorde de seu marido. Seu tom de voz suave será pacificador em meio ao conflito.

---

3 KENT JR, Homer A. The freedom of God's sons. Winona Lake, Indiana: BMH Books, 1976. p. 162.

PACIÊNCIA

Paciência é manifestação de tolerância sob provocação ou tensão.[4] Paulo orou pelos crentes de Colossos para que eles fossem "fortalecidos com todo o poder, segundo a força da sua glória, em toda a perseverança e longanimidade" (Colossenses 1.11). Como Deus nos ensina a paciência? Um dos meios que Deus usa é a tribulação (Romanos 5.3). Outro meio é a provação (Tiago 1.3). Tribulações e provações são catalisadores comuns para o conflito. A paciência, assim como a mansidão, é um fruto do Espírito Santo (Gálatas 5.22,23). Você deve ouvir e responder pacientemente a seu marido, especialmente quando houver um conflito.

TOLERÂNCIA

Tolerância é ter autocontrole e dar apoio um ao outro.[5] Deus, em sua tolerância, deixou "impunes os pecados anteriormente cometidos" (Romanos 3.25). Paulo escreveu-nos: "Suportai-vos uns aos outros... caso alguém tenha motivo de queixa contra outrem" (Colossenses 3.13). Não é por meio de nossa carne pecaminosa que toleramos, mas pela capacitação de Deus, em obediência à sua Palavra. Ser tolerante significa dar apoio a seu marido. A tolerância é muito importante para solucionar os conflitos e manter a unidade.

Se há conflito, olhe primeiramente para si mesma e veja se está manifestando estas quatro qualidades em sua vida. Se não está, identifique pecados específicos, confesse-os a Deus e peça perdão a seu marido. Pense em como você deveria ter reagido. Da próxima vez, reaja de modo bíblico.

CONCLUSÃO

Se há conflito por causa de diferenças, dê prioridade a seu marido, considerando o desejo dele mais importante do que o seu. Seja amável, paciente com ele e, se necessário, tolerante. Se o conflito é por causa de

4 PRIOLO, Lou. Cassete "How to improve your IQ – impatient quotient".
5 VINE, W. E. p. 57.

egoísmo, arrependa-se de seu pecado. Se o seu marido é culpado de egoísmo, repreenda-o de modo gentil e paciente. Finalmente, se o conflito refere-se a opiniões quanto ao certo ou errado, não peque, e sim examine, com seu marido, a Escritura e determine a vontade de Deus.

Se você está pensando que "não há esperança. Ele nunca vai mudar", não está dando a Deus o crédito que Ele merece, quando lhe diz que, por meio do seu Espírito capacitador e da obediência à sua Palavra, você pode alcançar e manter "a unidade do Espírito no vínculo da paz". Não importando qual seja a causa ou o resultado do conflito, você pode continuar sendo uma esposa excelente, enquanto se esforça para resolver os conflitos biblicamente.

PARTE QUATRO

*Preocupações específicas
da esposa*

SITUAÇÕES PECAMINOSAS DA ESPOSA EXCELENTE

....

CAPÍTULO 18

A ira da esposa

Vencendo a impaciência

❧━━━━⟡━━━━❧

Muitas mulheres me contam como se sentem culpadas por causa de sua ira. Elas ficam frustradas. A ira tem sido o principal fator para a ruína de seu casamento ou de outros relacionamentos. Uma jovem mulher se irritava pelo incidente mais insignificante que não ocorresse do modo como desejava. Logo depois, ficava arrasada por causa de seu pecado; no entanto, aquilo continuava a se repetir. Outras dizem: "Sou melhor do que costumava ser", justificando sua ira, para que não pareça tão má. Estão cegas quanto ao terrível efeito que sua ira continua a exercer sobre os outros. Uma mulher me disse que acha que sua irritação e frustração são estresse. Ira e ressentimento são duas emoções fortes que você geralmente sente quando está irritada ou frustrada. Dar vazão à ira não traz alívio à frustração, apenas piora o pecado e a culpa. Muitas esposas usam a ira para manipular e conseguir as coisas do seu modo. E muitos maridos cedem, por amor à paz. A ira pecaminosa tem arruinado inúmeros casamentos. Sendo este um fator comum em muitas separações e divórcios, este capítulo explica o que a ira pecaminosa é, dando ilustrações e princípios bíblicos para vencê-la. A Escritura contém muita informação sobre a ira. De fato, há várias palavras diferentes no texto grego que expressam a idéia de "ira".

PALAVRAS GREGAS QUE SIGNIFICAM IRA

Ira é a tradução da palavra grega *orgē*,[1] uma raiz primária que significa "paixão violenta, raiva, indignação ou vingança". É uma das obras da carne, mencionadas em Colossenses 3.8, das quais devemos nos despojar. Obras da carne são atos pecaminosos, tais como imoralidade, bebedices ou ira impetuosa.

Thumos significa uma "explosão de ira"; é uma das obras da carne descritas em Gálatas 5. Na versão Revista e Atualizada é traduzida também por "indignação" em Colossenses 3.8. Significa "temperamento irado, fúria, paixão, raiva ou cólera".[2]

Parorgismos é outra forma de ira. Efésios 4.26 diz: "Não se ponha o sol sobre a vossa ira [*parorgismos*]". Esta palavra transmite a idéia de "provocar à ira".[3] Essas três palavras proporcionam diferentes variações do pecado de ira. Agora considere os seguintes exemplos bíblicos.

EXEMPLOS BÍBLICOS DE IRA

O rei Saul teve ciúmes e suspeitou do triunfo de Davi na guerra. Ele ficou muito <u>irado</u>, quando ouviu as mulheres cantando: "Saul feriu os seus milhares, porém Davi, os seus dez milhares" (1 Samuel 18.7-8). Daí em diante, Saul endureceu seu coração e procurava matar Davi. Além de pecar contra Deus, a resposta medíocre de Saul a Davi foi muito infeliz, porque Davi via Saul como ungido de Deus. Por isso, Davi era leal a Saul; de fato, tão leal que nunca fez qualquer coisa para feri-lo. Por outro lado (em vez de irar-se), Saul devia ter ficado alegre por todo o triunfo que o Senhor deu a Davi.

Caim ficou irado com seu irmão Abel, porque Deus aceitou a oferta de Abel e não a de Caim. A ira de Caim começou em seu coração. Deus até advertiu a Caim sobre seu pecado, dizendo: "A ti cumpre dominá-lo" (Gênesis 4.7). Caim continuou fervilhando por dentro. Mais tarde, matou seu irmão.

Os fariseus eram homens de coração endurecido, irados. Em seus

---

1 THOMAS, Robert. #3709, p. 1656.
2 Idem, #2372, p. 1673.
3 Idem, #3950, p. 1673.

corações, eram orgulhosos e determinados a controlar os outros. Assim como Deus advertiu a Caim, Jesus advertiu aos fariseus:

> *Ai de vós, escribas e fariseus, hipócritas, porque rodeais o mar e a terra para fazer um prosélito; e, uma vez feito, o tornais filho do inferno duas vezes mais do que vós!*
>
> Mateus 23.15 (grifo meu)

Pronunciar um "ai" era o mesmo que amaldiçoar. Em Lucas, após ouvir uma advertência semelhante a esta, os escribas e fariseus "passaram... a argüi-lo com veemência, procurando confundi-lo a respeito de muitos assuntos, com o intuito de tirar das suas próprias palavras motivos para o acusar" (Lucas 11.53,54).

Todos estes exemplos de ira têm algo em comum – a ira começou no coração deles, pelo que desejaram e, subseqüentemente, pensaram. A intensidade da ira aumentou, até que culminou num pecado abominável. O rei Saul tentou assassinar Davi. Caim assassinou Abel. Os fariseus incitaram as autoridades civis a assassinarem Jesus. A ira é um pecado grave. Para vencer a ira pecaminosa, o melhor é começar com um estudo dos princípios bíblicos a respeito da ira.

PRINCÍPIOS BÍBLICOS A RESPEITO DA IRA

DEUS POSSUI IRA JUSTA.

> *Deus é justo juiz, Deus que sente indignação todos os dias.*
>
> Salmo 7.11

Deus "muitas vezes desvia a sua ira" (Salmos 78.38), mas um dia ela será derramada por completo. Deus é santo, portanto, tem de punir o pecado. Os profetas falaram sobre a ira de Deus sendo derramada: o dia da ira de Deus e o furor da ira de Deus. O incrédulo está sob a ira de Deus, ainda que ele mesmo não perceba isso. Contudo, o homem não tem de continuar debaixo da ira iminente de Deus. Cristo recebeu a ira de Deus no lugar do homem, e, se alguém está em Cristo, não está debaixo da ira de Deus. Para aqueles que conhecem a Cristo, "não passa de um momento a sua ira; o seu favor dura a vida inteira" (Salmos 30.5).

O HOMEM TAMBÉM PODE TER IRA JUSTA.

Irai-vos e não pequeis; não se ponha o sol sobre a vossa ira.
Efésios 4.26 (grifo meu)

A ira justa é uma ocorrência rara. É justo que os crimes abomináveis de outrem nos deixem irados. Certamente, matar bebês ainda no ventre materno nos deixa irados. Contudo, na maior parte das vezes nossa ira não é justa, e sim pecaminosa. Mesmo a ira biblicamente justificável, quando vem de nós é, com freqüência, pecaminosa. Você pode saber que sua ira é correta se, em lugar de sentir-se provocada, continua a ter pensamentos verdadeiros, respeitáveis, justos, puros, amáveis, de boa fama, virtuosos e louváveis a Deus (Filipenses 4.8). Além disso, você também deve não se ressentir do mal e não se exasperar (1 Coríntios 13.5). De outro modo, sua ira não será agradável a Deus. Será pecaminosa.

A IRA DO HOMEM NÃO PRODUZ A JUSTIÇA DE DEUS.

Porque a ira do homem não produz a justiça de Deus.   *Tiago 1.20*

Muitas esposas já me contaram que, se não ficam iradas com o marido, ele nunca faz nada para ajudá-las em casa. Ainda que isso seja verdadeiro, melhor seria viver numa casa em mau estado do que numa casa em pecado contra Deus. Aparentemente, a ira é o único meio de incitar alguns maridos a ajudarem em casa, mas isso não é verdade. Deus deseja que o marido que está errado seja confrontado com brandura. A ira da esposa nunca produzirá a justiça de Deus. É melhor ser prejudicada pela falta de preocupação de seu marido do que ofender a Deus com o seu pecado.

O HOMEM DEVE SER TARDIO PARA IRAR-SE.

Sabeis estas coisas, meus amados irmãos. Todo homem, pois, seja
pronto para ouvir, tardio para falar, tardio para se irar.
Tiago 1.19

Quantas vezes você se consumiu em ira, quando não teve as coisas a seu jeito? Provavelmente tantas vezes que somente Deus o sabe. Tiago nos advertiu: primeiro ouça. Cultive a arte de ouvir. Seja tardia para falar – pense no que irá dizer. Escolha palavras que sejam edificantes e não iradas.

Por exemplo, seu marido promete lavar as janelas no sábado. Você tem um compromisso e estará fora o dia todo. Você fica feliz só de pensar nas janelas brilhando! Quando você chega em casa, percebe que ele não lavou nenhuma janela. Imediatamente você começa a se sentir frustrada. Na hora em que o encontra, você está fervendo por dentro. Se for sábia, lembrará de que tem de ouvir o lado dele ("pronto para ouvir"). Muito provavelmente ele terá uma explicação razoável. Se não, diga: "Preciso pensar o que dizer e voltarei" ("tardio para falar"). A seguir, ore e pense no que quer dizer e como o dirá. Finalmente, volte até seu marido e converse com ele, falando num tom de voz suave. Se você tiver feito tudo o que acabamos de descrever, será tardia para se irar.

A IRA NÃO VEM SOZINHA, ELA TRAZ A SUA "TROPA".

> *Agora, porém, despojai-vos, igualmente, de tudo isto: ira, indignação, maldade, maledicência, linguagem obscena do vosso falar.*
> *Colossenses 3.8*

Muitas vezes, ira e indignação são acompanhadas por linguagem maledicente (grosseira), caluniadora (difamatória) e obscena (imoral e depreciativa). Com freqüência, esse grupo de pecados vem junto, embrulhado num pacote feio e vil! Você tem de se livrar desse "pacote", deixando esses pecados de lado, ou seja, tendo pensamentos corretos. Pensamentos corretos são compassivos, benignos, humildes, gentis, pacientes, indulgentes e amorosos (Colossenses 3.12-14). Pensamentos como: "Ele me deixa tão irada. Ele é tão estúpido, e a sua família também!" têm o verdadeiro potencial de traduzirem-se numa linguagem abusiva e maliciosa. Portanto, substitua tais pensamentos por: "O amor é paciente e benigno. Posso demonstrar-lhe amor respondendo de modo bondoso"; ou: "Talvez ele tenha me entendido mal, porque não expliquei isso muito bem."

O pecado da ira raramente vem à tona sozinho. Muitas vezes ele é como uma bola de neve rolando colina abaixo, pegando velocidade e força. Você pode parar facilmente a bola de neve no topo da colina, ou correr o risco de que ela role, arrastando você colina abaixo! A escolha é sua.

EXPLOSÕES DE IRA SÃO OBRAS DA CARNE.

Ora, as obras da carne são conhecidas... idolatria, feitiçarias, inimizades, porfias, ciúmes, iras, discórdias, dissensões, facções.
Gálatas 5.19,20 (grifo meu)

Muitos psicólogos instruem seus clientes a darem vazão à ira. O conselho deles é errado, porque dar vazão à ira é pecado. É uma das obras da carne. Você deve confessar suas explosões de ira a Deus, admitindo que você pecou (1 João 1.9). Conscientize-se profundamente de que cada vez que você tem uma explosão de ira injusta, sua carne pecaminosa coloca-se em oposição direta ao Espírito Santo (Gálatas 5.17). Não dê vazão à sua ira. Você só agravará seu pecado.

HÁ UM CONTRASTE BÍBLICO ENTRE O HOMEM QUE ESTIMULA A IRA E O QUE A SUBJUGA.

ESTIMULA A IRA	SUBJUGA A IRA
A palavra dura suscita a ira. *Provérbios 15.1*	*A resposta branda desvia o furor.* *Provérbios 15.1*
O homem iracundo suscita contendas. *Provérbios 15.18*	*O longânimo apazigua a luta.* *Provérbios 15.18*
Não te associes com o iracundo, nem andes com o homem colérico, para que não aprendas as suas veredas e, assim, enlaces a tua alma. *Provérbios 22.24,25*	*O presente que se dá em segredo abate a ira.* *Provérbios 21.14*
Se o homem sábio discute com o insensato, quer este se encolerize, quer se ria, não haverá fim. *Provérbios 29.9*	*Os homens escarnecedores alvoroçam a cidade, mas os sábios desviam a ira.* *Provérbios 29.8*

ESTIMULA A IRA	SUBJUGA A IRA
Cruel é o furor, e impetuosa, a ira. *Provérbios 27.4*	*O que modera os lábios é prudente* *Provérbios 10.19*
Porque o bater do leite produz manteiga, e o torcer do nariz produz sangue, e o açular a ira produz contendas. *Provérbios 30.33*	*Bem-aventurados os pacificadores, porque serão chamados filhos de Deus.* *Mateus 5.9*
A ira se abriga no íntimo dos insensatos. *Eclesiastes 7.9*	*O longânimo é grande em entendimento.* *Provérbios 14.29*
A boca dos insensatos derrama a estultícia. *Provérbios 15.2* *A ira do insensato num instante se conhece.* *Provérbios 12.16*	*O coração do justo medita o que há de responder.* *Provérbios 15.28*

O contraste entre aquele que estimula a ira e o que a subjuga é abundantemente claro. Um é insensato. O outro é sábio. Um é irado. O outro é gentil. Um produz contenda. O outro pacifica a contenda. Um derrama insensatez. O outro pondera cuidadosamente antes de responder.

O ORGULHO RESULTA FREQÜENTEMENTE EM IRA.

> *Da soberba só resulta a contenda, mas com os que se aconselham se acha a sabedoria.*
> *Provérbios 13.10*

No hebraico, orgulho significa presunção ou insolência. Podemos ver como o orgulho produz contendas, quando nos apegamos ao direito de ter nossa vida se desenrolando do modo como queremos. Ao contrário, devemos submeter-nos graciosamente ao controle soberano de Deus sobre cada detalhe de nossa vida. Você tem de definir quem será o Senhor. Se

Deus é o Senhor, você tem de decidir se permitirá que Ele dirija favoravelmente sua vida. Obviamente, a atitude mais sábia é que você se submeta a Deus (Tiago 4.7). Se você o fizer graciosamente, estará respondendo em humildade, e Deus lhe concederá graça.

Podemos ver como o orgulho produz contendas, quando presumimos saber o que outra pessoa está pensando. Quando temos pensamentos negativos, críticos e julgadores, estes são, com freqüência, presunçosos. Por exemplo, seu marido faz algo bom e você pensa: "Ele só fez isso para aparentar-se bem". Ao contrário, Deus quer que você admita o melhor a respeito de seu marido, percebendo que só Deus pode ler a mente e julgar a motivação do coração. Se você não presumir o melhor, sua presunção provavelmente resultará em contenda. Além de entender princípios bíblicos sobre a ira, você é responsável por cooperar para que Deus a treine, a fim de que não seja uma pessoa irada. A Bíblia nos diz que "toda a Escritura é inspirada por Deus e útil para o <u>ensino</u>, para a <u>repreensão</u>, para a <u>correção</u>, para a <u>educação</u> <u>na</u> <u>justiça</u>" (2 Timóteo 3.16, grifo meu). O propósito deste ensino, repreensão, correção e educação é que nos tornemos justos como Cristo. Deus usa sua Palavra para nos ensinar e, assim, nos equipar. Por isso, já estudamos os princípios bíblicos da ira. A seguir, Deus nos convence do que estamos fazendo errado (repreensão). Depois da repreensão, Deus nos corrige. Este processo tem de acontecer repetidas vezes. À medida que ele se repete, Deus nos educa para que sejamos justos. Uma vez que estes quatro passos (ensino, repreensão, correção e educação) são o padrão bíblico, vamos mencionar cada passo e ver sua responsabilidade pessoal.

PASSOS BÍBLICOS PARA MUDANÇA DE CARÁTER, DA IRA PARA A MANSIDÃO

ENSINO

Ensino é o mesmo que doutrina. Doutrina é simplesmente o que a Bíblia ensina sobre um assunto em particular. Neste caso, o assunto é a ira. Este pecado particular é tão predominante, que lhe sugeriria tomar bastante tempo e cuidado para estudar novamente os princípios bíblicos da ira. Escolha muitos versículos que lhe sejam especialmente relevantes, medite neles e memorize-os. Gostaria de sugerir Tiago 1.19-20, 1 Coríntios 13.4-7, Provérbios 16.32 e 15.28. Estude esses princípios a ponto de ser capaz de explicá-los a outra pessoa. Repasse os versículos repetidas vezes, até que possa citá-los automaticamente, sem ter de pensar muito. Depois que você tiver estudado e retido a doutrina, dê o próximo passo.

REPREENSÃO

Repreender biblicamente é dizer a alguém que está agindo de modo errado, baseando-se na Escritura. Peça a outros que a ajudem a cumprir sua responsabilidade, mostrando-lhe quando estiver irada ou levemente hostil. Uma sugestão seria que você tivesse seu próprio diário de ira.[4] Cada vez que se <u>sentir</u> irritada ou frustrada, <u>anote</u> exatamente o que está <u>pensando</u> e <u>o que</u> <u>disse</u> ou <u>fez</u>. Anote seus pensamentos e ações o mais rápido possível. Anotar seus pensamentos e ações irados ajudará lhe fará ver mais claramente onde está errada. Não pare aqui, passe ao estágio da "correção".

CORREÇÃO

Agora que você sabe o que está fazendo errado, é o momento de corrigi-lo. Analise biblicamente cada pensamento que você anotou. Então, escreva um pensamento novo e biblicamente correto. Faça o mesmo com as palavras e ações iradas. Lembre-se de corrigir não apenas as palavras, mas também seu tom de voz e sua expressão. Pratique em voz alta o que você deveria ter dito. Pergunte a si mesma: "Se tivesse de fazer isso novamente, o que eu pensaria e faria?"

A seguir, confesse cada incidente de ira a Deus e aos outros, se você ofendeu alguém. Faça isso cada vez, ainda que se trate de um pequeno incidente. Se você buscar a Deus em seu pecado, Ele a auxiliará. "Espera em Deus, pois ainda o louvarei." (Salmos 42.11).

Suas palavras devem ser mansas e suaves em lugar de ríspidas e iradas. A seguir, considere os exemplos de pensamentos que produzem ira e pensamentos que produzem respostas mansas.

---

4 PRIOLO, Lou. *Client homework handout at The Atlanta Biblical Counseling Center.*

Pensamentos que produzem ira	Pensamentos que produzem reação mansa
Isso me deixa louca. Queria que ele andasse depressa. Tenho coisas a fazer!	Obrigada, Senhor, pelo atraso. Gostaria de terminar meu trabalho a tempo, mas quero que o Senhor seja glorificado, quer eu termine a tempo, quer não.
Como ele ousa falar asperamente comigo, quando chega do trabalho? Ele não é o único que teve um dia difícil. (observe: pessoas iradas tendem a ser especifi ca- mente intolerantes com o pecado dos outros).	Normalmente, ele não fala comigo com aspereza. Imagino que ele tenha tido um dia difícil no trabalho ou que esteja com dor de cabeça. O que posso fazer para ajudá-lo?
Ele está errado a respeito deste ensino bíblico. Isso me enche de indignação, e ele não quer nem mesmo ouvir-me.	Ele está errado, eu sei e Deus o sabe. Contudo, Deus quer que eu responda em mansidão, pois é necessário que o servo do Senhor seja brando *(2 Timóteo 2.24-26).*
Se eu tiver de lidar com seu..._____ mais uma vez, vou gritar. Não posso mais agüentar isso!	*"Tudo posso naquele que me fortalece" (Filipenses 4.13).* Se enquanto lido com ele neste problema, tenho de me sentir desconfortável, então, apenas me sentirei desconfortável. Vou demonstrar-lhe amor.
Ele não se importa comigo; ele só pensa em si mesmo.	Não devo julgar os motivos e pensamentos dele. Minha respon- sabilidade é considerá-lo mais importante do que eu. Então, como posso responder-lhe da melhor maneira possível?

PENSAMENTOS QUE PRODUZEM IRA	PENSAMENTOS QUE PRODUZEM REAÇÃO MANSA
Isso realmente me irrita.	*"O amor é paciente."*. Posso demonstrar-lhe amor, quer sinta vontade, quer não.
Ele está pecando e isso me deixa irada!	*"A ira do homem não produz a justiça de Deus" (Tiago 1.20)*. Como Deus quer que eu reaja?

EDUCAÇÃO NA JUSTIÇA

A fase da educação envolve prática total. Pense e aja, repetidas vezes, de acordo com a Palavra de Deus, até que as respostas mansas e amorosas sejam seus primeiros pensamentos, e não reflexões tardias. Os resultados trarão mudança de vida, se você se esforçar bastante e perseverar nesta fase de educação.

Enquanto você se esforça para mudar, continue orando e pedindo a Deus que mude seu coração e seu caráter. Talvez você tenha sido uma esposa irada durante anos e ainda continue nesta situação. Em Cristo, você pode mudar, não somente melhorar um pouquinho, mas arrepender-se verdadeiramente. Se o seu caráter mudar, você será capaz de enfrentar tempos de prova, sem pecar contra Deus, nem ofender os outros. Eduque--se a pensar o que vai responder (Provérbios 15.28). Deus a ajudará. Você pode estar pensando: "Não é tão simples". É sim! Humilhe-se, clame a Deus por auxílio, em oração, arregace as mangas e comece a exercitar!

....

CAPÍTULO 19

O medo da esposa

Vencendo a ansiedade

O medo é um problema comum. Alguns medos são legítimos e outros infundados. Entretanto, não importando qual seja o fundamento, o resultado pode ser angustiante para a pessoa que tem medo. Não ter medo é uma questão de crer em Deus, de ser uma pessoa piedosa e uma esposa piedosa. De fato, ser destemida é parte da descrição da esposa excelente de Provérbios 31. "No tocante à sua casa, não teme a neve... e, quanto ao dia de amanhã, não tem preocupações" (Provérbios 31.21,25).

Pedro também exorta as esposas a não temerem, admoestando-as a praticar o bem, e não temer perturbação alguma (1 Pedro 3.5,6). Então, em sua Palavra, Deus nos conscientiza de que o medo pode ser um problema para algumas mulheres. O medo é uma emoção infeliz, mas as esposas devem reagir de maneira bíblica a seus temores.

O medo pode resultar numa pequena sensação de inquietude ou num completo ataque de pânico. Quando acontece um ataque de pânico, o corpo libera adrenalina, o coração palpita, a respiração é curta e acontece uma sensação de pânico. Freqüentemente, a intensidade de seu medo não corresponde às circunstâncias reais. Em outras palavras, há uma reação exagerada. Mas, quer seu medo seja ínfimo ou intenso, o que pode causar medo em uma esposa crente?

É comum que uma esposa se preocupe que seu marido morra prematuramente ou fique doente e impossibilitado de sustentar a família. Outras se preocupam com a possibilidade de que o marido encontre outra mulher e as rejeitem. Algumas se consomem pelo temor de falharem como esposa e mãe. Muitas têm medo da ira do marido ou de seu comportamento controlador. Outras são ansiosas em vista da falta de liderança espiritual do marido. Para algumas, dinheiro é sua maior preocupação. Há aquelas cujo medo é infundado, mas, ainda assim, estão convencidas de que "alguma coisa terrível está para acontecer!" A despeito da razão específica de seu medo, Deus tem instruções bem definidas na Escritura a respeito de como enfrentar o medo. Considere cuidadosamente os seguintes princípios bíblicos sobre o medo.

PRINCÍPIOS BÍBLICOS SOBRE O MEDO

O MEDO PODE NOS IMPEDIR DE REALIZAR NOSSAS RESPONSABILIDADES DADAS POR DEUS

Chegando, por fim, o que recebera um talento, disse: Senhor, sabendo que és homem severo, que ceifas onde não semeaste e ajuntas onde não espalhaste, receoso, escondi na terra o teu talento; aqui tens o que é teu. Respondeu-lhe, porém, o senhor: Servo mau e negligente, sabias que ceifo onde não semeei e ajunto onde não espalhei?
Mateus 25.24-26 (grifo meu)

Independentemente das razões do seu medo, ele pode impedi-la de realizar suas responsabilidades. Por exemplo, uma esposa pode passar o dia em seu quarto, com as cortinas fechadas, encerrada no pânico, por medo de que, se pegar o carro para ir ao supermercado, possa morrer num desastre. Como conseqüência, nenhuma responsabilidade que Deus lhe deu será realizada naquele dia.

Outra esposa pode passar a noite sem dormir por estar preocupada com o que aconteceria a ela e aos filhos, se o marido perdesse o emprego ou morresse. De algum modo, tudo que é ruim parece pior durante a noite.

Pela manhã, ela está tão vencida pelo medo, que chora amargamente e pede ao marido que não vá trabalhar e fique em casa com ela, naquele dia. Ela fica tão perturbada, que não consegue fazer nada o dia todo. Além de ficar ansiosa o dia todo, sente culpa, e seu medo aumenta, por não haver cumprido suas responsabilidades.

O MEDO PODE MOTIVAR A PESSOA
A COMETER OUTROS PECADOS

Perguntando-lhe os homens daquele lugar a respeito de sua mulher, disse: É minha irmã; pois temia dizer: É minha mulher; para que, dizia ele consigo, os homens do lugar não me matem por amor de Rebeca, porque era formosa de aparência.

Gênesis 26.7 (grifo meu)

Inúmeras mentiras têm sido justificadas por causa do medo. Esposas têm encoberto o pecado do marido por medo da ira dele. Quando uma esposa fica ansiosa, ela está muito mais propensa a ser impaciente ou ríspida com as crianças ou com o marido. O medo age como a comporta de uma represa que se abre, dando vazão a uma enxurrada de outros pecados. É muito fácil que o pecado se agrave, enquanto se experimenta o medo.

O MEDO PODE MOTIVAR UMA PESSOA A
NEGAR O SENHOR JESUS E SUA PALAVRA

Ora, estava Pedro assentado fora no pátio; e, aproximando-se uma criada, lhe disse: Também tu estavas com Jesus, o galileu. Ele, porém, o negou diante de todos, dizendo: Não sei o que dizes.

Mateus 26.69-70 (grifo meu)

Então, disse Saul a Samuel: Pequei, pois transgredi o mandamento do SENHOR e as tuas palavras; porque temi o povo e dei ouvidos à sua voz.

1 Samuel 15.24

Quão infeliz foi para Pedro o dia em que ele negou o Senhor Jesus

Cristo! Podemos todos entender seu temor e seríamos provavelmente tentados a mentir, se colocados na mesma posição. Pedro negou abertamente o Senhor, mas também é possível negar o Senhor e a sua Palavra, apenas não dizendo nada. Contudo, você não tem de pecar para enfrentar uma situação amedrontadora. Em vez de negar a Deus ou a sua Palavra, lembre-se de que Deus era e ainda é soberano em toda circunstância. Ele escolhe como você pode melhor servi-Lo e glorificá-Lo. Deus lhe concederá graça para enfrentar qualquer provação. Há inúmeros mártires crentes que atestariam alegremente o que estou dizendo.

O TEMOR PODE SER DE HOMENS

Quem teme ao homem arma ciladas, mas o que confia no Senhor está seguro.

Provérbios 29.25

Assim, afirmemos confiantemente: O Senhor é o meu auxílio, não temerei; que me poderá fazer o homem?

Hebreus 13.6 (grifo meu)

Como fazia Sara, que obedeceu a Abraão, chamando-lhe senhor, da qual vós vos tornastes filhas, praticando o bem e não temendo perturbação alguma.

1 Pedro 3.6 (grifo meu)

Quando eu era criança, pensava na possível morte de meus pais ou de mim mesma e ficava quase aterrorizada. Aquele era um pensamento tão assustador, que decidi não pensar mais em morte. Então, não pensei. Senti-me melhor, mas não pensar sobre a morte não mudou o fato de que a morte surgirá para mim em algum tempo no futuro. Quer seja da morte, do clima, da guerra ou do homem, pessoas freqüentemente estão com medo. Algumas vezes, até mesmo "fazer o que é certo" é causa para alarme. De fato, dependendo das circunstâncias, "fazer o que é certo" pode ser quase tão amedrontador quanto enfrentar a morte ou a guerra. Infelizmente, o medo é um fato da vida neste mundo caído. Como reagimos aos nossos temores depende de nosso relacionamento com o Senhor Jesus Cristo. Em Cristo, há soluções tangíveis para o medo.

NOVE SOLUÇÕES PARA O MEDO

NÃO VIVA PARA AGRADAR A HOMENS

> *Com efeito, antes de chegarem alguns da parte de Tiago, comia com os gentios; quando, porém, chegaram, afastou-se e, por fim, veio a apartar-se, temendo os da circuncisão.*
>
> Gálatas 2.12

Pedro dizia uma coisa, mas quando os crentes judeus apareceram, ele fez outra. Ele estava vivendo para agradar a homens, e isto o colocou numa posição de temer que fosse descoberto. Uma pessoa que quer agradar a homens é alguém que busca aprovação das pessoas, e não de Deus. Em vez de buscar a aprovação dos homens, busque a aprovação de Deus, tendo convicções bíblicas, claras e firmes, e vivendo de acordo com elas. Assim, você não precisará ter medo de reagir de modo bíblico, pois o que Deus pensa a seu respeito será mais importante para você do que aquilo que os outros pensam.

LEMBRE-SE DA PALAVRA DE DEUS

> *Lembro-me dos teus juízos de outrora, e me conforto, ó SENHOR.*
> *Tu és o meu refúgio e o meu escudo; na tua palavra, eu espero.*
> *Sobre mim vieram tribulação e angústia; todavia, os teus mandamentos são o meu prazer.*
> *Grande paz têm os que amam a tua lei; para eles não há tropeço.*
>
> Salmos 119.52, 114, 143, 165

As promessas da Palavra de Deus são provadas e verdadeiras. Promessas que se aplicam a você lhe fortalecerão de modo especial. Não há substituto para a memorização e a meditação das Escrituras. Por exemplo, Deus usou sua Palavra para ajudar Jacó a superar o terror de encontrar-se com Esaú e seus 400 homens. Jacó lembrou-se do que Deus havia prometido, quando orou: "Deus... que me disseste: Torna à tua terra e à tua parentela, e te farei bem" (Gênesis 32.9). Não acredito que o temor de Jacó desapareceu completamente, mas ele se tranqüilizou o suficiente para continuar seguindo para casa. Assim como Jacó, se você lembrar continuamente a Palavra de Deus, seu temor diminuirá ou talvez até desaparecerá surpreendentemente!

TOME DECISÕES SÁBIAS

Filho meu, não se apartem estas coisas dos teus olhos; guarda a verdadeira sabedoria e o bom siso; porque serão vida para a tua alma e adorno ao teu pescoço. Então, andarás seguro no teu caminho, e não tropeçará o teu pé. Quando te deitares, não temerás; deitar-te-ás, e o teu sono será suave. Não temas o pavor repentino, nem a arremetida dos perversos, quando vier. Porque o SENHOR será a tua segurança e guardará os teus pés de serem presos.

Provérbios 3.21-26

Sabedoria é a habilidade de aplicar a verdade (a Palavra de Deus) às situações da vida. Por exemplo: se você é sábia, terá discernimento para responder a um insensato e a um zombador. Também tomará decisões bíblicas. Como resultado, sua vida será muito mais fácil. Você dormirá melhor e não terá medo. O Senhor será sua confiança. Mesmo em circunstâncias extremas, como na "arremetida dos perversos", você não será vencida pelo medo. Por outro lado, se você não é sábia, provavelmente armará muitas ciladas para si mesma.

PERCEBA O PODER DE DEUS OPERANDO EM VOCÊ

Porque Deus não nos tem dado espírito de covardia, mas de poder, de amor e de moderação.

2 Timóteo 1.7

O poder de Deus é ilimitado. Com seu poder, Deus pode criar um mundo e sustentá-lo. Ele pode levantar alguém da morte. Pode até capacitar os crentes a não sucumbirem ao medo. Você pode pensar: "Se Deus me capacitou com seu poder, para que eu não tema, então, por que tenho medo?". Deus estava encorajando Timóteo em razão da perseguição iminente. Paulo exortou Timóteo, lembrando-lhe que o Espírito Santo não estava produzindo medo nele, e sim poder. Você, talvez como Timóteo, fica temerosa por causa do que pensa a respeito de circunstâncias particulares, não por causa das próprias circunstâncias. Como resultado, seu foco torna-se mais e mais interno. Você fica mais e mais apavorada. Naturalmente, você pensa: "O que vai acontecer comigo?" Um foco interior é um foco egoísta, e o temor que resulta do pensamento egoísta não vem de Deus. É uma conseqüência de seu próprio pecado. Então, perceba o poder capacitador de Deus que está operando em você (se é crente). Tais pensamentos a confortarão, e você não será derrotada pelo medo.

TEMA AO SENHOR E DELEITE-SE EM SEUS MANDAMENTOS

Aleluia! Bem-aventurado o homem que teme ao Senhor e se compraz nos seus mandamentos.

Salmos 112.1

Que tolice temermos a doença e a morte, e não temermos a Deus ou os seus mandamentos. Jesus nos advertiu diretamente: "Não temais os que matam o corpo e não podem matar a alma; temei, antes, aquele que pode fazer perecer no inferno tanto a alma quanto o corpo" (Mateus 10.28). Há muitas coisas que não tenho feito ou que não continuei a fazer, por temer a reação de Deus e as conseqüências posteriores. Este tipo de temor é sábio. É o "princípio do saber" (Provérbios 1.7). Os mandamentos de Deus devem ser o seu deleite. Leia-os, pense sobre eles e deleite-se em segui-los. Tenha grande deleite em agradar o Senhor. Se você o fizer, terá um temor apropriado do Senhor.

COMPREENDA QUE DEUS ESTÁ SEMPRE PRESENTE COM VOCÊ

Ainda que eu ande pelo vale da sombra da morte, não temerei mal nenhum, porque tu estás comigo; o teu bordão e o teu cajado me consolam.

Salmos 23.4

Lembre e creia que o Senhor sempre está com você. Se você é crente, um dia estará no céu com o Senhor Jesus; isto é tão certo quanto o fato de que você está lendo esta frase — tão certo como se já tivesse sido realizado. É uma realidade, quer você queira, quer não. Recentemente, estive no funeral de uma jovem esposa e mãe, que era crente e morrera num acidente trágico e repentino. A igreja estava superlotada. Quase todos choravam, mas a dor não era esmagadora. A família daquela mulher e seus irmãos em

Cristo tinham uma esperança verdadeira. Sabemos onde Carol está. Ela está com nosso Senhor. Ainda que soubesse que sua morte era iminente, ela não tinha nada a temer. Se você é uma crente no Senhor, lembre-se da promessa de que Ele andará com você "pelo vale da sombra da morte". Você não estará sozinha, não precisa temer.

CONFIE EM DEUS PARA GUARDAR SUA PALAVRA

Em Deus, cuja palavra eu exalto, neste Deus ponho a minha confiança e nada temerei. Que me pode fazer um mortal?

Salmos 56.4

Você precisa definir em quem ou em que confiará para manter-se segura e protegida. Na sua própria força? Na habilidade de cuidar de si mesma? Na arma que você guarda na gaveta? No seu carro "blindado", com "airbag" duplo e travas antifurto? Talvez não seja difícil que você veja o insensato colocar toda a sua confiança em qualquer coisa ou em qualquer pessoa, exceto em Deus. Você pode confiar em Deus, porque Ele possui controle soberano sobre todos os homens. Não importa o que aconteça, você pode confiar que Deus segura você em sua mão infinitamente forte. Como você sabe? Porque Deus promete isso em sua Palavra. Ele está unido à sua Palavra e não pode quebrar suas promessas. Como podemos ter certeza de que Deus cumprirá sua Palavra? O Senhor Jesus Cristo respondeu da seguinte maneira: "Passará o céu e a terra, porém as minhas palavras não passarão" (Mateus 24.35). Portanto, você pode confiar que Deus manterá a Palavra dEle.

BUSQUE AO SENHOR QUANDO ESTIVER COM MEDO

Busquei ao SENHOR, e ele me acolheu; livrou-me de todos os meus temores.

Salmos 34.4

Deus está disposto a livrá-la de todo medo pecaminoso, seja grande ou pequeno. Este é o versículo que cito para mim mesma, quando estou no consultório do dentista. Quando estou com medo, reafirmo minha segurança com este versículo. Busque o Senhor, e não as pílulas, o álcool ou alguma outra forma de escape. Você pode falar com Deus a qualquer momento. Ele lhe responderá através de sua Palavra, que é "viva e eficaz" (Hebreus 4.12) e lhe concederá graça para perseverar em qualquer provação ou tentação, como também lhe proverá "livramento" (1 Coríntios 10.13).

VENÇA SEU TEMOR COM AMOR

> *No amor não existe medo; antes, o perfeito amor lança fora o medo. Ora, o medo produz tormento; logo, aquele que teme não é aperfeiçoado no amor.*
>
> *1 João 4.18*

O perfeito amor é completo. Isto envolve amar a Deus e os outros. Concentre-se em demonstrar amor a Deus e aos outros, e seu medo desaparecerá. Você demonstra amor a Deus obedecendo a sua Palavra, quer sinta vontade, quer não. Você demonstra amor aos outros sendo paciente, benigna, não procurando seus próprios interesses, etc. (1 Coríntios 13.4,5). O medo é egoísta. Quando você pensa em si mesma, seu medo aumenta. Isto é tão verdadeiro, que o motivo exato da preocupação nem mesmo tem de ser real! Pode entrar em pânico uma esposa que, por absolutamente nada, fica pensando continuamente: "Eu sei que alguma coisa horrível está para acontecer!" A chave para que ela vença o medo é que se revista de amor.

O amor procura oportunidades de doar-se. O medo mantém um olho nas conseqüências para o "eu". O amor "não se ressente do mal" (1 Coríntios 13.5). O medo fica remoendo. O amor "tudo crê" (1 Coríntios 13.7), enquanto o medo levanta dúvidas.

> *"O amor está tão ocupado com suas tarefas diárias, que não tem tempo para preocupar-se com o amanhã. O medo falha nas responsabilidades do hoje, por focalizar-se no amanhã. O amor leva a um amor maior, pois cumprir obrigações traz paz, alegria, satisfação. Um amor e devoção maiores pelo trabalho. O medo, por sua vez, ocasiona maior medo, uma vez que a falha em assumir as responsabilidades acrescenta o medo das conseqüências de agir irresponsavelmente. Aqueles que temem ao Senhor o suficiente para levar sua Palavra a sério, descobrem que este temor se desenvolve num amor mútuo. O caminho, então, para despojar-se do medo é revestir-se de amor."[1]*

---

1 ADAMS, Jay. O Manual do Conselheiro Cristão, Editora Fiel, 1982.

O que dizer a respeito das preocupações legítimas, tais como um marido doente? Há duas maneiras de reagir a uma preocupação genuína. Uma é focalizar-se no presente e no nível de preocupação que Deus considera sua responsabilidade. A outra é focalizar-se no futuro, chegando a uma conclusão apressada (freqüentemente, a mais errada das conclusões) e ao pânico.

Quando você se focaliza no futuro, Deus pode não lhe dar a graça de reagir biblicamente (veja Mateus 6.34). De fato, Deus nunca dá graça para reagirmos a situações precipitadas, que não estejam realmente ocorrendo. Se não está acontecendo, não é real, e Deus sempre quer que vivamos à luz da realidade, e não presas a imaginações pecaminosas. Por exemplo, uma esposa está preocupada com seu marido, que está com gripe. Aparentemente, ele não está se recuperando tão rápido como deveria. Ela começa a pensar no que mais pode estar errado com ele. Em pouco tempo, ela já o imagina com uma doença terminal, morto; imagina o seu funeral sendo planejado, e ele, sendo enterrado. Em vez de pensar "no que é verdadeiro" (Filipenses 4.8), ela tira uma conclusão precipitada, baseada em informações resumidas. Deus não a confortará, nem lhe dará graça de enfrentar algo que não está acontecendo. Contudo, Ele lhe dará graça para corrigir seus pensamentos e recuperar-se de seu medo e pânico.

Por outro lado, suponha que essa mesma esposa tenha uma preocupação legítima com o marido, que não se recupera rapidamente de uma gripe. Em vez de tirar conclusões precipitadas, ela se concentra em fazer aquilo que Deus quer que ela faça hoje. Hoje, ela pode orar especificamente por seu marido. Pode ligar para o médico e marcar uma consulta. Pode servir ao marido e cuidar de suas necessidades físicas. Hoje, ela pode compartilhar o assunto com a igreja e pedir que orem por ele. Pode confortar-se com o fato de que, se ele morrer amanhã, Deus cuidará dela. Deus lhe dará graça para focalizar-se no hoje. Seu amor por Deus e pelo marido vencerão qualquer medo que ela possa experimentar.

Demonstrar amor a Deus, na prática, traduz-se pela obediência à sua Palavra. Na Palavra de Deus somos instruídos a pensar e agir de determinadas maneiras. Em Filipenses 4, há instruções específicas que devemos obedecer, quando estivermos ansiosas.

Não andeis ansiosos de coisa alguma; em tudo, porém, sejam conhecidas, diante de Deus, as vossas petições, pela oração e pela súplica,

> *com ações de graças. E a paz de Deus, que excede todo o entendi-
> mento, guardará o vosso coração e a vossa mente em Cristo Jesus.
> Finalmente, irmãos, tudo o que é verdadeiro, tudo o que é respeitá-
> vel, tudo o que é justo, tudo o que é puro, tudo o que é amável, tudo
> o que é de boa fama, se alguma virtude há e se algum louvor existe,
> seja isso o que ocupe o vosso pensamento. O que também aprendes-
> tes, e recebestes, e ouvistes, e vistes em mim, isso praticai; e o Deus
> da paz será convosco.*
>
> Filipenses 4.6-9 (grifo meu)

Observemos mais de perto algumas das instruções encontradas em
Filipenses 4.6-9:
Faça uma oração de súplica e ação de graças (v. 6 e 7).
Substitua os pensamentos antibíblicos por pensamentos bíblicos (v. 8).
Aja de forma prática e apropriada em situações específicas (v. 9).

FAÇA UMA ORAÇÃO DE SÚPLICA E AÇÃO DE GRAÇAS

A súplica é um pedido humilde. Se você começar a sentir-se levemente tensa ou ansiosa, ore e faça sua súplica a Deus. Esteja certa de incluir
sua gratidão a Deus. Considere o seguinte exemplo:

> *Senhor,*
> *Meu pedido é que meu marido não tenha mais febre e que logo
> fique curado. Obrigada pelo que o Senhor quer nos ensinar e por nos
> lembrar o quanto precisamos do Senhor. Agradeço-Lhe, pois o que o
> Senhor decidir é o que mais O glorificará.*
> *Em Nome de Jesus,*
> *Amém.*

SUBSTITUA PENSAMENTOS ANTIBÍBLICOS POR PENSAMENTOS BÍBLICOS

Filipenses 4.8 diz em que você deve pensar. Se você falhar em manter
sua mente direcionada a essas áreas, provavelmente cairá na ansiedade
mencionada no verso 6.

Pensamentos verdadeiros são válidos, confiáveis e honestos. São o oposto dos falsos. Pensamentos respeitáveis são nobres e dignos de admiração. Pensamentos justos são corretos e conformados aos padrões de Deus. Pensamentos puros são moralmente limpos. Pensamentos amáveis são agradáveis, convenientes e cordiais. Pensamentos de boa fama são atraentes e levam, de fato, aos padrões mais elevados.[2]

PENSAMENTOS BÍBLICOS QUE SUPERAM O MEDO

- Isto é assustador (pensamento verdadeiro), mas vou fazer o que é certo (pensamento respeitável e justo). Deus me dará graça para superar isso, não importa qual seja a reação de meu marido (pensamento verdadeiro, respeitável e amável).

- Se eu tiver de ficar ansiosa, lutarei contra esta ansiedade (negar o eu e honrar a Deus), e obedecerei a Deus (pensamento justo) e Lhe demonstrarei amor (pensamento justo e respeitável), submetendo-me ao meu marido.

- Minha responsabilidade é fazer o que é correto. Naquele momento, Deus me dará graça e sabedoria para reagir (pensamento de boa fama, respeitável e justo).

- Se eu ficar confusa ou não souber o que responder, poderei sempre dizer a meu esposo: "Deixe-me pensar como vou responder e voltarei a falar com você" (pensamento justo e respeitável a Deus).

- Tenho medo de que ele responda de modo desagradável, mas não tenho certeza de que isto acontecerá (pensamento verdadeiro). Minha responsabilidade é confrontá-lo (pensamento justo). Quando eu o fizer, Deus me auxiliará" (pensamento respeitável e de boa fama).

- Tenho medo de que ele fira meus sentimentos novamente, mas não posso saber o que ele está pensando (pensamento verdadeiro). O amor acredita no melhor (pensamento amável). Minha responsabilidade é concentrar-me em demonstrar-lhe amor (pensamento justo).

---

2 KENT JR, Homer A. *Expositor's Bible Commentary, vl 5.* Grand Rapids, Michigan: Zondervan, 1978. p. 152.

AJA DE FORMA PRÁTICA E APROPRIADA EM SITUAÇÕES ESPECÍFICAS

Paulo usou a si mesmo como exemplo a ser seguido, quando escreveu: "O que também aprendestes, e recebestes, e ouvistes, e vistes em mim, isso praticai" (Filipenses 4.9, grifo meu). O que os filipenses tinham visto em Paulo provavelmente incluía coisas como orar, buscar conselho sábio, abençoar, em lugar de reagir com maldade, expressar pensamentos bíblicos que possuía em seu coração, agradecer a Deus e centralizar sua vida em glorificá-Lo. Como uma esposa piedosa, você também deve praticar estas coisas. À medida que você ora, pensa e age de maneira correta...

> *A paz de Deus, incompreensível em sua grandeza, guardará a porta do coração e dos pensamentos do crente, prevenindo a entrada de medos e dúvidas.*[3]

Deixe-me resumir esta seção recomendando, com insistência, que você não fique ansiosa. Ao contrário, faça uma oração bíblica de súplica, com ações de graça. Ore logo, não espere. Julgue seus pensamentos e assegure-se de que são bíblicos e de que estão de acordo com a lista de Filipenses 4.8. Faça aquilo que é biblicamente apropriado ao momento. Se persistir em suas responsabilidades, você experimentará a "paz de Deus, que excede todo o entendimento" (Filipenses 4.7), e "o Deus da paz será convosco" (Filipenses 4.9).

Inerente nas três exortações anteriores, está o fato de que o perfeito amor (o amor bíblico a Deus e aos outros) vencerá seu medo. Quer você esteja ansiosa com uma preocupação mínima, quer esteja experimentando uma crise esmagadora, se reagir em amorosa obediência a Deus, Ele lhe dará a paz. A paz de Deus é sobrenatural e não depende das circunstâncias. Responda em amor, por obediência à Palavra de Deus, e seu medo se extinguirá. Se você é uma esposa que passa por circunstâncias especificamente assustadoras, por causa de seu marido, saiba que pode realmente viver "praticando o bem e não temendo perturbação alguma" (1 Pedro 3.6).

---

3 HENDRIKSEN, William. Philippians, Colossians, and Philemon. Grand Rapids, Michigan: Baker, 1962. p. 201.

CAPÍTULO 20

A solidão da esposa

Vencendo a falta de unidade

Neste momento em que escrevo, é tempo de Natal. Os rádios estão ecoando altissonantes: "Estarei em casa para o Natal... ainda que seja apenas em sonho". Todos anseiam estar em casa, com sua família. Até mesmo os comerciais de café na televisão mostram um jovem soldado que chega sorrateiramente na manhã de Natal e surpreende os pais e o irmão mais novo, ao acordá-los com o maravilhoso aroma do café que estava preparando na cozinha. É fácil imaginar o entusiasmo e a alegria dos pais, ao perceberem que ele está em casa. De fato, não estar com a família no Natal pode causar fortes sentimentos de solidão. Fico triste por aqueles que estão sozinhos no Natal.

Também fico triste por aqueles que não estão sozinhos, mas sentem uma profunda solidão. Há esposas que têm o marido consigo, mas, apesar disso, estão sozinhas. Talvez seu marido seja retraído, indiferente ou raramente esteja em casa. Talvez esteja absorto em si mesmo e focalizado em seu interior. A esposa pode estar amargurada e sentindo muita pena de si mesma. A sua autocomiseração talvez seja alimentada por um desejo idólatra de intimidade com o marido. Qualquer que seja a causa, a solidão é uma das mais dolorosas emoções que qualquer um de nós experimenta.

A Escritura está repleta de exemplos de pessoas que se sentiram profundamente solitárias. Elias teve uma emocionante experiência no topo da montanha, quando Deus fez cair fogo sobre o altar, desafiando diretamente os ímpios profetas de Baal. Depois disso, Elias e o povo mataram aqueles profetas. Ele acabara de testemunhar um milagre incrível da parte de Deus. No entanto, quando a perversa rainha Jezabel ameaçou matá-lo, Elias entrou em pânico e fugiu para salvar sua vida. Exausto e escondido numa caverna, começou a sentir-se isolado e sozinho. Ele deixou de focalizar-se no poder e na proteção de Deus e lamentou:

> *Tenho sido zeloso pelo Senhor, Deus dos Exércitos, porque os filhos de Israel deixaram a tua aliança, derribaram os teus altares e mataram os teus profetas à espada; e eu fiquei só, e procuram tirar-me a vida.*
> *1 Reis 19.10 (grifo meu)*

Jeremias não era um profeta popular. Suas advertências solenes da parte de Deus para os filhos de Israel foram realmente ignoradas. As pessoas o evitavam. Pensavam que ele era louco! Zombavam dele. Jeremias lutou com intensa dor emocional. Sentiu-se abandonado por Deus, rejeitado e isolado. Sentiu-se oprimido, desesperado e sem saída. Imagine como Jeremias estava, quando descreveu seus sentimentos:

> *Fez-me [Deus] habitar em lugares tenebrosos, como os que estão mortos para sempre. Cercou-me de um muro, e já não posso sair; agravou-me com grilhões de bronze. Ainda quando clamo e grito, ele não admite a minha oração.*
> *Lamentações 3.6-8*

Jeremias sentiu-se sozinho. Todos estavam contra ele. Ninguém lhe dava crédito. Sentiu-se abandonado até por Deus. Não posso imaginar nada mais desesperador do que alguém suplicar a Deus por ajuda e imaginar que foi rejeitado por Ele. Certamente não pode haver maior sentimento de solidão.

Sem dúvida, a figura de solidão mais comovente é a do Senhor Jesus Cristo no Jardim do Getsêmani e, logo depois, na cruz. Jesus pediu a Pedro, Tiago e João que vigiassem e orassem com Ele. Mas eles dormiram, enquanto Jesus, em oração, agonizava a respeito de seu sofrimento iminente. Seu tempo de maior necessidade chegara, e seus amigos mais íntimos dormiam. Ele fizera tanto por eles, e agora não podiam fazer isto por Jesus (Mateus 26.37-44).

Na cruz, o Senhor Jesus suportou a mais intensa experiência de solidão. Depois de haver desfrutado perfeita harmonia com Deus Pai durante toda a eternidade, Ele bradou em agonia, na cruz: "Deus, meu, Deus meu, por que me desamparaste?" (Marcos 15.34.) Não podemos compreender sua agonia e solidão, enquanto carregava os pecados do mundo.

Embora não tenha sofrido tanto como o Senhor Jesus, Paulo foi tentado a sentir-se solitário. Foi aprisionado em Roma. O cárcere era frio, úmido e escuro. Paulo escreveu a seu amado Timóteo, instando-o a que viesse visitá-lo o mais depressa possível (2 Timóteo 4.9). Também advertiu Timóteo a acautelar-se daqueles que o haviam abandonado e prejudicado — Demas o abandonara, Alexandre, o latoeiro, lhe causara "muitos males" (2 Timóteo 4.14). Na sua primeira audiência, ninguém o amparou. Diferentemente de Elias, que pôde sair da caverna na qual estava escondido, Paulo estava próximo do martírio e ficaria na prisão até a morte. Ele sabia que já estava sendo oferecido por libação e que o tempo de sua partida era chegado (2 Timóteo 4.6). O abandono por parte daqueles que você confia, ama e aos quais tem dedicado sua vida pode causar profunda solidão. Paulo estava abandonado e sentia frio. Podemos sentir compaixão de Paulo, ao vê-lo implorar a Timóteo que trouxesse sua capa antes do inverno. Ele estava prestes a morrer. Suas condições no cárcere eram miseráveis. Ele estava sozinho.

Assim como Elias, Jeremias, Jesus ou Paulo, talvez você esteja experimentando intensa solidão. Uma mulher não precisa ser solteira para sentir-se solitária. Ela pode ser casada e viver com seu marido. De fato, a solidão pode se agravar por sentir-se presa em um casamento com um homem que é retraído e indiferente. Elias e Jeremias foram dominados pelo sentimento de solidão. Jesus e Paulo não o foram. A diferença é que Elias e Jeremias sentiram pena de si mesmos, enquanto Jesus e Paulo buscaram refúgio em Deus. Se você está se sentindo solitária, com quem se parece mais – com Elias e Jeremias ou Jesus e Paulo?

Se você está reagindo como Elias e Jeremias, provavelmente está pecando. A solidão pode ser resultado de seu próprio pecado. Compare as seguintes causas da solidão com as curas bíblicas para a solidão:

CAUSAS PECAMINOSAS DA SOLIDÃO	CURA BÍBLICA PARA A SOLIDÃO
A esposa é retraída e indiferente para com seu marido. Talvez ela esteja esperando que ele lhe faça aquilo que somente Deus pode fazer. Ela pode estar retraída e sentir-se só por causa da culpa de algum pecado em sua vida ou talvez esteja amargurada com o marido ou com Deus.	Arrepender-se de pecados específicos. Buscar refúgio em Deus por meio da oração e da meditação em sua Palavra. Demonstrar amor ao marido. Mostrar-se sincera e honesta com ele, usando palavras edificantes. Purificar sua consciência e continuar a fazer o que é certo. "Chegai-vos a Deus, e ele se chegará a vós outros. Purificai as mãos, pecadores; e vós que sois de ânimo dobre, limpai o coração" (Tiago 4.8).
A esposa é egocêntrica, fútil, orgulhosa e só pensa em si mesma. Conseqüentemente, seu marido e outros a evitam.	Arrepender-se de seu amor-próprio. Revestir-se do amor a Deus e aos outros. "Nada façais por partidarismo ou vanglória, mas por humildade, considerando cada um os outros superiores a si mesmo. Não tenha cada um em vista o que é propriamente seu, senão também cada qual o que é dos outros" (Filipenses 2.3-4).
A esposa teme aquilo que o marido pode pensar sobre ela, se soubesse o que ela estava pensando ou como realmente é.	O antídoto bíblico para o medo é o amor. A esposa demonstrará amor a Deus e ao marido quando falar a verdade em amor. "Mas, seguindo a verdade em amor, cresçamos em tudo naquele que é a cabeça, Cristo" (Efésios 4.15).
O marido é egocêntrico, retraído e indiferente.	Abençoá-lo, tentando conversar com ele e contando-lhe seus pensamentos e desejos. "Não pagando mal por mal ou injúria por injúria; antes, pelo contrário, bendizendo" (1 Pedro 3.9).
A esposa usa a ira e a intimidação para manipular, a fim de obter as coisas a seu modo. Portanto, seu marido tem medo de se abrir com ela e de compartilhar seus pensamentos e sentimentos.	Ser bondosa e mansa, mesmo que ele não se exponha verbalmente nem fale com você. Fazer o que puder para facilitar a comunicação com ele. "Pois a ira do homem não produz a justiça de Deus" (Tiago 1.20).

O pecado sempre resulta em isolamento. Se você está pecando em qualquer dos modos que acabamos de descrever, isso pode explicar por que seu marido está retraído e você está experimentando solidão como resultado. Outra causa da solidão é o desejo idólatra por intimidade. Não é errado que a esposa deseje ter intimidade com o marido, a menos que ela queira isso com tanta intensidade, que peque, se não o obtiver. Isso faz com que o desejo dela se torne idólatra. Nesses casos, ainda que o marido tente ser mais espontâneo, é mais provável que ela fique desapontada, não importa o quanto ele se esforce. Ele pode desistir de tentar, e o desejo da esposa por intimidade com ele se torna ainda mais intenso.

DESEJOS IDÓLATRAS POR INTIMIDADE	DESEJOS BÍBLICOS POR INTIMIDADE
A esposa anseia e deseja primordialmente que seu marido supra a sua necessidade de companhia íntima.	A esposa anela por Deus e seu maior desejo é a intimidade com o Senhor Jesus. Fala e compartilha tudo com Deus, caso seu marido não converse com ela. "Como suspira a corça pelas torrentes das águas, assim, por ti, ó Deus, suspira a minha alma. A minha alma tem sede de Deus, do Deus vivo; quando irei e me verei perante a face de Deus?" (Salmo 42.1-2).
A esposa sonha em ter conversas íntimas com outros homens.	Pensa (por isso, deseja) coisas puras e justas, e não dá lugar a imaginações pecaminosas. "Finalmente, irmãos, tudo o que é <u>verdadeiro</u>, tudo o que é respeitável, tudo o que é <u>justo</u>, tudo o que é <u>puro</u>, tudo o que é amável, tudo o que é de boa fama, se alguma virtude há e se algum louvor existe, seja isso o que ocupe o vosso pensamento" (Filipenses 4.8, grifo meu).
A esposa desrespeita o marido porque ele não satisfaz suas expectativas.	A esposa é grata ao seu marido pela atenção que ele lhe dá. Por isso, deseja mais intimidade com seu marido do que desejaria se estivesse desapontada. "Em tudo, dai graças, porque esta é a vontade de Deus em Cristo Jesus para convosco" (1 Tessalonicenses 5.18).

DESEJOS IDÓLATRAS POR INTIMIDADE	DESEJOS BÍBLICOS POR INTIMIDADE
A esposa sofre excessivamente por causa da falta de intimidade com seu marido.	A esposa adora e serve ao Senhor Jesus Cristo, independentemente de ter um relacionamento íntimo com seu marido. "Servi ao SENHOR com alegria, apresentai-vos diante dele com cântico" (Salmos 100.2).
A esposa tem intenso ressentimento de seu marido.	Ela não vive nas mágoas, mas abençoa seu marido. Conseqüentemente, ela não se sentirá magoada. Será mais fácil não se ressentir do marido e desejar biblicamente uma intimidade apropriada com ele. "O amor... não se conduz inconvenientemente, não procura os seus interesses, não se exaspera, não se ressente do mal" (1 Coríntios 13.4,5, grifo meu).

A solidão é exacerbada pela autocompaixão. A despeito das circunstâncias, sentir pena de nós mesmas fará com que experimentemos intensa solidão. A autocomiseração lançará rapidamente a esposa na depressão. Nem sempre a intensidade da autocompaixão corresponde às circunstâncias. Por exemplo, a esposa pode ter um bom marido, que a ama e que se esforça muito para agradá-la. Por outro lado, ela pode ser muito egoísta, descontente e ingrata pelo que ele faz. Por isso, ela se entrega à autocompaixão.

Em meu ministério de aconselhamento, percebo freqüentemente que as mulheres que mais sentem pena de si mesmas são as mais instáveis. A vida delas não é como planejaram. Portanto, são visivelmente ingratas e descontentes com aquilo que o Senhor lhes deu. Muitas vezes as circunstâncias que enfrentam não correspondem à intensidade de suas emoções dolorosas. São inclinadas a culpar a Deus, ainda que indiretamente. Por exemplo, algumas esposas me dizem: "Tenho orado muito, mas Deus não tem mudado meu marido" (quer dizer indiretamente que, de alguma forma, Deus não é justo ou bom para com elas).

Para se opor à tendência egoísta da autocomiseração, a esposa deve cultivar gratidão a Deus e ao marido, e aprender a ficar contente nas suas circunstâncias particulares. Dizer a Deus "obrigada", mesmo quando você se sente sozinha e infeliz, é um modo excelente de começar a dar graças "em tudo" (1 Tessalonicenses 5.18). Pense em circunstâncias particulares. Perceba que hoje Deus pode lhe remover delas. Se Ele não o fizer, deve ter algum propósito para você.

Deus deseja moldar seu caráter, para que você se torne mais semelhante ao Senhor Jesus Cristo (Romanos 8.28-29). Talvez Deus queira lembrar-lhe quanto você precisa dEle e deseje que você tenha uma oportunidade de glorificá-Lo. Certamente Ele tem um propósito mais profundo do que somos capazes de compreender. Em qualquer circunstância, Deus é bom, mas você deve convencer-se da bondade dEle para consigo. Você pode ter a perspectiva adequada, se considerar o que realmente merece — a morte! (Romanos 3.23).

Deus quer que você se oponha a seus sentimentos. Não se entregue à autocomiseração, mas agradeça a Deus e lembre-se da bondade dEle consigo. Ainda que seu marido esteja pecando, e você sofra, reaja como Pedro exortou: "Se for da vontade de Deus, é melhor que sofrais por praticardes o que é bom do que praticando o mal" (1 Pedro 3.17). Cultive uma atitude de gratidão, confiando plenamente na bondade e na soberania de Deus.

Além de agradecer a Deus e louvar sua bondade, adote uma visão elevada de Deus. Você está aqui para servir a Deus e não para que Ele a sirva. Humilhe-se diante dEle, adotando a postura de criatura do Senhor cujo objetivo final é glorificar a Deus. Sirva por meio de seu ministério ao seu marido e a seus filhos. Reverencie a Deus. Pense em Deus e trate-o como o Altíssimo e Santo Deus. Quanto mais você O servir, menos sozinha se sentirá.

Veja seu tempo de solidão como um dom gracioso de Deus. Perceba que você nunca está realmente sozinha. Deus sempre está com você. Hebreus 13.5 diz: "De maneira alguma te deixarei, nunca jamais te abandonarei". Fale freqüentemente com Ele, em pensamento ou em voz alta. Quanto mais sozinha se sentir, tanto mais deve permitir que Deus fale com você. Ele o fará por meio das Escrituras, ou no momento de sua leitura bíblica, ou ao cantá-la, ou ao meditar nelas, ou ao recordar versículos memorizados anteriormente.

Anele por Deus como o rei Davi:

> *Lembro-me dos dias de outrora, penso em todos os teus feitos e considero nas obras das tuas mãos. A ti levanto as mãos; a minha alma anseia por ti, como terra sedenta.*
>
> *Salmos 143.5-6*

Nada que você possa desejar seria melhor do que a intimidade com Deus. Nem prata nem ouro. Nem fama nem fortuna. Nem mesmo um marido que sincera e espontaneamente compartilha a si mesmo com você. Quando experimentar a solidão, deixe que suas emoções sejam um sinal de que você precisa de Deus. Aproxime-se de Deus em grata submissão a Ele.

Busque conhecer a Deus de maneira íntima. Deixe seu entendimento ser direto. Tenha a atitude do salmista:

> *Quem mais tenho eu no céu? Não há outro em quem eu me compraza na terra. Ainda que a minha carne e o meu coração desfaleçam, Deus é a fortaleza do meu coração e a minha herança para sempre. Os que se afastam de ti, eis que perecem; tu destróis todos os que são infiéis para contigo. Quanto a mim, bom é estar junto a Deus; no SENHOR Deus ponho o meu refúgio, para proclamar todos os seus feitos.*
>
> *Salmos 73.25-28*

Você conhecerá a Cristo de modo mais íntimo meditando na Escritura e orando. "Bom é o SENHOR para os que esperam por ele, para a alma que o busca" (Lamentações 3.25).

Compreenda que você ainda pode ser a esposa excelente que Deus tenciona que você seja, quer seu marido se isole de você, quer não. Ele pode ser um fracasso total diante de Deus, mas você não tem de ser. Você pode reagir como o Senhor Jesus e o apóstolo Paulo ou pode reagir de modo egoísta, como Jeremias e Elias. O Senhor Jesus suportou a cruz "em troca da alegria que lhe estava proposta" (Hebreus 12.2). Elias não teve alegria, mesmo depois do esplêndido milagre que havia testemunhado. O apóstolo Paulo aprendeu a estar contente em toda circunstância (Filipenses 4.11). Jeremias não teve (ao menos naquele momento) nenhuma paz. Ele esquecera o que significava ser feliz.

Esforce-se para conhecer a Cristo de modo mais íntimo, revestindo-se de gratidão e contentamento. Sempre agradeça a Deus pelas circunstâncias em que você vive, por aquilo que Deus quer lhe ensinar e pela forma como Ele quer usá-la para a glória dEle. *A solidão é dolorosa, mas não é uma ocasião para pecar.* Aproxime-se de Deus e tenha a atitude que o Salmista teve:

Eu me alegrarei no Senhor. Salmos 104.34

CAPÍTULO 21

A dor da esposa

Superando um coração partido

Recentemente, tive a oportunidade de aconselhar Karen, uma nova convertida. Seu marido a estava deixando, por causa de outra mulher. E, para agravar a situação, sua filha adolescente era sexualmente ativa e rebelde. Esta esposa e mãe queria muito que o marido e a filha conhecessem o Senhor e se arrependessem. Ela faz tudo o que pode, mas todo o seu "mundo" está se esfacelando. Senti a sua dor, quando me contou a sua história. O coração dela estava despedaçado.

O pecado fere os outros. No caso de Karen, o pecado do marido e o da filha causaram-lhe tristeza profunda. Tão profunda que lhe parecia impossível continuar. Quando começou a enfrentar a realidade do que estava acontecendo, experimentou uma intensa dor emocional.

Sua única esperança estava em Deus. De outro modo, as circunstâncias em que vivia seriam muito difíceis de suportar. Infelizmente, tenho de aconselhar muitas esposas que permitiram sua vida ser destruída pelo pecado do marido. Felizmente, existem respostas e um Deus que deseja alcançar essas esposas, confortá-las, ajudá-las e usar esta provação para o bem delas. Elas não têm de suportar esta situação sozinhas. Deus caminhará com elas nesta situação, ainda que o pecado do marido seja excepcionalmente difícil.

Muitos maridos são capazes de cometer pecados extremamente grosseiros, tais como: molestar crianças, atos criminosos, violência, vício em drogas, apelo à prostituição, adultério, pornografia, crueldade, embriaguez e homossexualidade. Qualquer um desses pecados é suficiente para levar a esposa ao desespero e ao desânimo.

Os discípulos também experimentaram uma emoção forte. Quando Jesus lhes disse que seria morto, eles ficaram assolados. Ficaram dominados pela tristeza. Jesus lhes disse: "A tristeza encheu o vosso coração" (João 16.6). A passagem de João 16 não nos diz, mas talvez a razão porque os discípulos foram vencidos pela tristeza foi a sua reação pecaminosa às circunstâncias. Se tivessem enfrentado o sofrimento de modo piedoso, seu coração não se teria enchido com tristeza. Eles não seriam vencidos por esta emoção.

Se você é crente, Deus lhe deu muitas capacidades interiores. Por exemplo, agora você pode amar a Deus e aos outros como não o fazia antes de ser salva; e possui uma alegria que o mundo não conhece. Além disso, Deus lhe deu paz. Portanto, você possui a habilidade de enfrentar a dor ou o sofrimento de modo piedoso. Veja o seguinte diagrama de um coração que contém a capacidade de ter paz, alegria, amor e sofrimento.[1]

ALEGRIA   PAZ

CUMPRIR
RESPONSABILIDADES   MINISTÉRIO

AMOR A DEUS
E AOS OUTROS

SOFRIMENTO

---

1 PRIOLO, Lou. The Atlanta Biblical Counseling Center.

O sofrimento piedoso é controlável. Ele não a domina; coexiste em seu coração, junto com a paz de Deus, o gozo de Deus, o amor a Deus e aos outros. O Senhor Jesus experimentou o sofrimento de modo piedoso. Você recorda que Jesus chorou sobre Jerusalém e chorou quando Lázaro morreu? Porém, o maior sofrimento de Jesus aconteceu na cruz.

> *Certamente, ele tomou sobre si as nossas enfermidades e as nossas dores levou sobre si; e nós o reputávamos por aflito, ferido de Deus e oprimido.*
>
> Isaías 53.4

Apesar de sua aflição, sabemos que Jesus nunca reagiu de modo pecaminoso à tristeza.

Ser dominado pela tristeza é o resultado de uma maneira de pensar e de ações antibíblicas. A aflição não é uma justificativa para pecar. Por exemplo, considere Karen, cujo marido é culpado de um pecado que lhe causou mágoa. Se ela tiver as motivações certas, pensar e reagir de maneira piedosa, ela terá tristeza e sofrimento, mas não será vencida por isso. Se tiver motivações egoístas, pensar e reagir de maneira pecaminosa, ela provavelmente será vencida e ficará incapaz de cumprir seus deveres.

Compare as seguintes reações de pensamento pecaminoso com as respectivas reações de pensamento piedoso:

REAÇÕES DE PENSAMENTO PECAMINOSO	REAÇÕES DE PENSAMENTO PIEDOSO
Como ele pode fazer isso comigo, depois de tudo que tenho feito por ele?	Ele está pecando. Como Deus quer que eu reaja a este pecado? *(1 Pedro 3.8ss.)*
Isto é mais do que posso suportar.	Isto parece mais do que posso agüentar, mas Deus me ajudará a passar por isto *(1 Coríntios 10.13).*
Não posso mais agüentar a pressão!	Posso suportar esta pressão pelo tempo que Deus achar necessário *(1 Coríntios 10.13).*

REAÇÕES DE PENSAMENTO PECAMINOSO	REAÇÕES DE PENSAMENTO PIEDOSO
Vou mostrar a ele como é.	Vou desenvolver um plano bíblico para retribuir o mal com o bem *(Romanos 12.21).*
Eu o odeio.	Deus abomina o que ele está fazendo, e se vingará do pecado dele. Minha responsabilidade é perdoá-lo, quer sinta vontade, quer não *(Lucas 6.27).*
Não posso acreditar no que ele me fez. Primeiro, ele me _____ e, depois, ...	Toda pessoa é capaz de cometer qualquer tipo de pecado, não importa quão grave seja (Jeremias 17.9). O pecado dele é contra Deus. Minha responsabilidade é não agravar o pecado dele com o meu próprio pecado *(1 Coríntios 13.5).*
Ele nunca me magoará novamente.	Talvez ele me magoe novamente. Espero que não, mas, se acontecer, será apenas uma ofensa; ainda assim, eu glorificarei a Deus *(1 Coríntios 10.31).*
Estou tão humilhada. O que os outros vão pensar?	Os outros têm a responsabilidade pensar sobre isto de modo cristão, e não fofocar ou caluniar meu marido ou a mim *(Tiago 4.11).* Se eles fofocarem a respeito disto e eu descobrir, Deus me dará graça de lidar com isto naquele momento.
Como Deus pôde permitir que isso acontecesse comigo?	Deus é bom. Ele também quer que meu marido se arrependa. Agradeço-Lhe por me lembrar o quanto preciso dEle *(1 Tessalonicenses 5.18).*

Pensamentos pecaminosos geralmente resultam em atos pecaminosos. Compare as seguintes ações pecaminosas com as respectivas reações piedosas:

Ações pecaminosas	Reações piedosas
Fofoca detalhada do pecado do marido a outros.	Ter as motivações corretas, dando os detalhes necessários somente àqueles que estejam diretamente envolvidos em auxiliar a esposa a reagir biblicamente.
Julgar as motivações dele.	Pensar o melhor a respeito das motivações dele, a menos que ele lhe diga o contrário.
Exagerar as ofensas.	Encarar as ofensas de modo realista, não exagerando-as, nem minimizando-as.
Não lhe dar uma chance de arrepender-se e reconquistar a confiança da esposa.	Lutar contra os maus sentimentos e esforçar-se pela reconciliação, percebendo que deve perdoá-lo e que pode levar tempo até que ele reconquiste a confiança dela.
Deixar de ir à igreja por sentir-se constrangida.	Continuar indo à igreja e cumprindo suas responsabilidades.
Ter explosões de ira.	Compreender que a ira da esposa não produzirá a justiça de Deus. Pensar bastante sobre como reagir biblicamente.
Buscar consolo em outro homem.	Buscar consolo em Deus, e em sua Palavra e, talvez, em uma ou duas mulheres piedosas da igreja.
Compartilhar com os filhos a profunda dor emocional, falando de modo que somente adultos maduros podem suportar.	Compartilhar os fatos apropriadamente com os filhos e, nesse ínterim, dar-lhes a esperança de que, embora o pai deles não se arrependa, Deus cuidará deles e de que, de alguma maneira, ficarão bem.

AÇÕES PECAMINOSAS	REAÇÕES PIEDOSAS
Ter o desejo de possuir uma arma e matar o marido.	Compreender que a vingança pertence ao Senhor. Orar e ansiar pelo arrependimento do marido.
Desejar que ele morra.	Em vez de desejar vingança, colocar pressão piedosa sobre ele para que se arrependa, vencendo o mal com o bem e orando pelo arrependimento dele.
Cometer suicídio.	Continuar cumprindo as responsabilidades, quer sinta vontade, quer não.

Quando a esposa reage de maneira pecaminosa à mágoa, a tristeza que enche o coração dela suprime a paz, a alegria e o amor que lhe foram dados por Deus.[2]

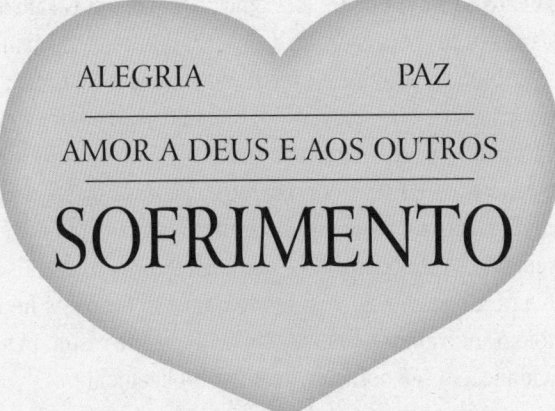

ALEGRIA   PAZ

AMOR A DEUS E AOS OUTROS

SOFRIMENTO

A chave para superar a mágoa pecaminosa excessiva e dominadora é arrepender-se de qualquer motivação, pensamentos ou ações especificamente pecaminosos e concentrar-se em demonstrar amor a Deus e aos outros. Neste processo, a capacidade de amar da pessoa cresce e a sua dor se retrai a um nível controlável.[3]

---

2 Idem.
3 Idem.

O amor correto se desenvolverá no coração da esposa, à medida que ela for obediente à Palavra de Deus. Como regra em um casamento difícil, quanto mais grave for o pecado do marido, tanto mais firmemente a esposa deve retribuir. Contudo, ele não deve retribuir com o mal; antes, ela deve ser bondosa para com seu marido. Romanos 12.17 é um mandamento claro: "Não torneis a ninguém mal por mal".

E, se a esposa reagir de modo correto, e, apesar disso, o marido não corresponder? Se ela fizer o que é certo e continuar fazendo-o até que Deus lhe dê "livramento", terá cumprido a admoestação de Romanos 12.18: "Se possível, quanto depender de vós, tende paz com todos os homens". Ela estará demonstrando amor a Deus e ao marido, o que resultará numa crescente capacidade, em seu coração, de amar biblicamente.

Paulo nos recorda que não devemos vingar-nos por nós mesmos. A vingança é uma prerrogativa de Deus.

> *Não vos vingueis a vós mesmos, amados, mas dai lugar à ira; porque está escrito: A mim me pertence a vingança; eu é que retribuirei, diz o Senhor.*
>
> *Romanos 12.19*

Deus usará meios bíblicos para vingar o pecado de seu marido e proteger você. Ele pode escolher usar as autoridades legais, tais como a polícia ou o tribunal (veja Romanos 13.1-3). Pode tirar soberanamente seu marido deste mundo ou libertá-la do laço do matrimônio. Pode esperar até à eternidade para vingar o pecado feito contra você e contra Ele. De qualquer forma, a vingança pessoal não é sua. Mas você pode beneficiar-se dos recursos que Deus lhe deu para sua proteção. Se você não revidar com o mal e permanecer na batalha durante o tempo que Deus quiser, Ele pressionará seu marido a arrepender-se.

> *Pelo contrário, se o teu inimigo tiver fome, dá-lhe de comer; se tiver sede, dá-lhe de beber; porque, fazendo isto, amontoarás brasas vivas sobre a sua cabeça.*
> *Romanos 12.20*

Paulo termina esta seção com uma vigorosa ordem para lutar:

> *Não te deixes vencer do mal, mas vence o mal com o bem.*
> *Romanos 12.21*

Em outras palavras, ao invés de se deixar vencer pelo mal do seu marido, você deve continuar lutando até que o mal dele seja vencido pelo bem que você faz por meio do poder do Senhor Jesus Cristo. Lute diligentemente até que seu marido se arrependa ou que Deus tire você da batalha. Boas maneiras de vencer o mal incluem oração, falar a verdade em amor, abençoá-lo, fazer coisas boas, esforçar-se para "tirar… a trave do seu olho" (Mateus 7.5) e ser biblicamente submissa, respeitosa e amorosa.

Por exemplo, se o seu marido comete adultério, confronte-o amorosamente com Lucas 17.3ss, na esperança de trazê-lo ao arrependimento. Se ele ainda não é salvo, pode ser apropriado pedir que ele considere as reivindicações de Jesus Cristo. Se ele explodir em ira e disser que conhece a Cristo, aponte a responsabilidade dele em falar palavras boas e edificantes. Sei que isso é difícil, mas continue lutando enquanto for preciso. Suas armas são mais poderosas do que qualquer arma que seu marido possa empregar. Você é ordenada a não se deixar vencer pelo mal de seu marido. Você tem de retribuir com o bem. Enquanto faz isso, sua mágoa diminuirá. Você ainda sofrerá dor por causa do pecado de seu marido, mas a mágoa não tem de encher o seu coração.

Se você está numa situação muito difícil, deve buscar conforto e esperança em Deus. Ele deve ser o seu refúgio e sua força. Deixe que Deus fale com você por meio de sua Palavra. Gaste bastante tempo com o livro de Salmos. Lá você encontrará os salmistas que experimentaram os mesmo sentimentos que você. Veja os pensamentos deles a respeito de Deus e experimente o mesmo conforto e esperança que eles experimentaram de Deus.

Aproxime-se de Deus com confiança, a fim de receber "misericórdia e achar graça para socorro em ocasião oportuna" (Hebreus 4.16). Se você buscar a Deus com humildade, desejando fazer a vontade dEle, e Lhe pedir ajuda, Ele a concederá livremente a você. Não importa quantas vezes em um dia ou em uma semana você se aproxime, Ele a receberá, terá compaixão de você e a ajudará.

Recordo-me de uma ocasião em minha vida que me causou profunda dor emocional. Esse incidente não teve qualquer ligação com meu marido, mas a dor foi bastante esmagadora. É tão fácil pecar quando estamos magoadas! Fiquei desesperada para buscar auxílio e força de Deus. Ansiei ser envolvida nos braços de Deus e, ali, sentir-me segura e em paz. Fui a Deus em oração e falei com Ele. Repetidas vezes, relembrava a mim mesma a bondade de Deus. Orei: "Senhor, Tu és tão bom. Tu fazes bem todas as coisas". A seguir, agradeci-Lhe pela circunstância que estava vivendo. Ao continuar sofrendo, aprendi a ser bem específica sobre aquilo pelo que Lhe agradecia. Por exemplo: "Senhor, Te agradeço por esta circunstância particular. Também, Te agradeço porque estás no controle e porque isto é bom para mim, senão, Tu não o permitirias. Obrigada por esta oportunidade especial de glorificar-Te e magnificar o teu nome. Obrigada pelo que estás tentando ensinar-me. Usa-me para tua glória, ainda que eu precise sofrer por meio desta experiência". Pela graça de Deus, nunca saí desse tipo de oração sem que minha esperança fosse renovada, e a minha dor, minimizada a um nível controlável.

Além de louvar a Deus por sua bondade e agradecer-Lhe pela difícil circunstância, pedi que me ajudasse a não ficar irada com Ele, nem acusá-Lo de estar sendo injusto comigo. Ter um coração grato e submisso a Deus é tão importante, que faço esse tipo de oração freqüentemente, mesmo quando as circunstâncias estão indo bem. Minha oração é mais ou menos assim: "Senhor, não importa o que aconteça comigo ou com meus amados, não ficarei irada contigo. Senhor, impede-me de ser insubmissa e ingrata a Ti pelo modo como conduzes minha vida para glorificar-Te".

Sei que o pecado dos outros (especialmente o pecado do marido) pode ferir profundamente. Sei também que sua dor poder ser correta, piedosa e branda. Deus é bom. Estamos aqui para servi-Lo e adorá-Lo nos termos dEle. Às vezes, Ele nos dá oportunidades de sermos "co-participantes dos sofrimentos de Cristo" (1 Pedro 4.13). Encontre seu conforto e refúgio em Deus, enquanto continua a servi-Lo da maneira como Ele deseja. Reaja de maneira humilde e submissa a Deus. Vença o mal de seu marido com o bem. Sua esperança deve estar no Senhor. Você pode perseverar, por amor a Jesus.

Você pode sofrer por causa do pecado de alguém. Contudo, lembre-se de que não está sozinha. Deus também é profundamente ofendido quando pecamos. Deus está pronto a auxiliá-la. Ele levará este fardo junto com você e aliviará a sua carga.

> *Vinde a mim, todos os que estais cansados e sobrecarregados, e eu vos aliviarei. Tomai sobre vós o meu jugo e aprendei de mim, porque sou manso e humilde de coração; E ACHAREIS DESCANSO PARA A VOSSA ALMA. Porque o meu jugo é suave, e o meu fardo é leve.*
> *Mateus 11.28-30 (ênfase acrescentada)*

Sua dor diminuirá à medida que você busca refúgio em Deus, luta contra seus sentimentos naturais e demonstra amor a Deus e a seu marido. Você não tem de ser vencida pelo pecado. Sara riu do Anjo do Senhor, quando Ele lhe anunciou que ela geraria um filho. A resposta dEle a Sara foi: "Acaso, para o Senhor há coisa demasiadamente difícil?" (Gênesis 18.14, grifo meu). Deixe-me perguntar-lhe a mesma coisa: "Acaso, para Deus há coisa (incluindo o seu casamento) demasiadamente difícil?" A resposta é óbvia: "Absolutamente, não! Nem naquele tempo, nem agora".

Palavra final

No início deste livro perguntei: "Quem é a esposa excelente?" e: "Com quem ela se parece?" Agora você sabe. Ela ama a Deus de todo o seu coração. Leva a Palavra de Deus a sério. Não é ignorante de suas responsabilidades bíblicas. Ela ama, respeita e se submete ao marido, tal como Deus deseja. Ela está crescendo e aprendendo pessoalmente e instruindo outras mulheres. Ama o papel que Deus lhe deu. É a glória de seu marido e realmente glorifica a Deus.

Também, no início deste livro, eu disse: "Este é meu trabalho de amor para você". E, de fato, foi isso que ele se tornou! Não me arrependo de havê-lo escrito, porque desejo muito que cada mulher que o leia se torne excelente. Penso em algumas das mulheres que tanto amo: minha filha Anna Maupin; Zondra, esposa de Stuart Scott; minha cunhada, Jaimee Peace; Kim, esposa de Lou Priolo; Lynn, esposa de John Crotts; e Ann Graff, uma senhora da Three Rivers Baptist Church. Já chorei com elas, compartilhei de suas alegrias e observei seu crescimento na graça. O potencial delas para glorificar a Deus é tão grande! Não há nada que lhes aconteça que Deus não use para o bem delas. Eu as amo muito, e Deus as ama muito mais.

E você? É crente? Está disposta a obedecer a Deus e tornar-se a esposa que Ele quer que você seja? Deixe-me encorajá-la a reler as seções deste livro que a impressionarem de modo pessoal. Estude as Escrituras e aplique-as à sua vida. Use este material para ensinar e auxiliar outras mulheres. Deixe-o transparecer em sua vida e ensine-o a seus filhos. Persevere e seja fiel. Pela graça de Deus, você pode tornar-se uma mulher virtuosa.

Mulher virtuosa, quem a achará?
O seu valor muito excede o de finas jóias.

Provérbios 31.10

A dinâmica do "despojar-se" — "revestir-se"[1]

Desenvolvida por Martha Peace

Este estudo bíblico tem o propósito de ensinar cristãos a lidar de modo prático com o seu pecado. Muitas vezes, estamos cientes de que precisamos fazer mudanças em nossa vida e confessamos nossos pecados a Deus. Contudo, podemos cometer esses mesmos pecados repetidas vezes. Um pecado habitual é difícil de ser desarraigado porque reagimos automaticamente de maneira errada, sem pensar. Entretanto, é importante aprender exatamente o que Deus tem a nos ensinar, por meio de sua Palavra, a respeito de estabelecer novos hábitos e padrões.

Antes de iniciar este estudo, ore e peça a Deus que lhe mostre a verdade de sua Palavra.

Comece observando os seguintes versículos e respondendo estas perguntas:

1 - Como nos tornamos cientes do pecado?

    a) Hebreus 4.12

    b) João 16.7,8

2 - Temos de pecar? Explique (veja Romanos 6.6,7,14).

3 - Descreva como é o "velho homem" (veja Efésios 4.22).

---

1 Este estudo bíblico pode ser reproduzido e utilizado em aconselhamento, estudo bíblico ou uso pessoal.

4 - Descreva como é o "novo homem" (veja Efésios 4.24).

5 - De que devemos nos "despojar" e de que devemos nos "revestir"? (veja Efésios 4.22,24.)

6 - De acordo com Colossenses 3.9, de que devemos nos "despojar"?

7 - De acordo com Colossenses 3.10 , de que devemos nos "revestir"?

8 - Este "novo eu" deve ser renovado. Como? (veja Colossenses 3.10.)

Com base nos versículos acima, somos exortados a "despojar-nos" de nossa antiga maneira de pensar e agir, e "revestir-nos" de novas maneiras, como as de Jesus Cristo. Quando as formas pecaminosas de pensar ou reagir se tornam habituais, confessar o pecado não é suficiente. O hábito pecaminoso deve ser substituído por um hábito correto. É como se aquilo com o que temos de nos "revestir" fosse o antídoto para aquilo que temos de nos "despojar". Por exemplo, não é suficiente apenas parar de falar mentiras. A pessoa deve começar (esforçar-se a) a falar a verdade, toda a verdade. Com o auxílio de Deus (graça), a pessoa se tornará verdadeira, ao invés de mentirosa.

Observe os seguintes versículos e complete a tabela:

REFERÊNCIA BÍBLICA	"DESPOJAR-SE" DEFICIÊNCIA DE CARÁTER	"REVESTIR-SE" QUALIDADES DE CARÁTER
Efésios 4.25		
Efésios 4.26,27		
Efésios 4.28		
Efésios 4.29		
Efésios 4.31,32		
Efésios 5.11		
Efésios 5.4		
Efésios 5.18		
Filipenses 4.6		
Colossenses 3.8,12,13,14		
Romanos 13.12-14		

Como vimos anteriormente, Deus outorga aos crentes o Espírito Santo para convencê-los do pecado e ajudá-los a cumprir os desejos de dEle. Como resultado, existe algo que Deus exige do crente que este não possa fazer? (Veja Filipenses 4.13) Portanto, Deus nunca nos pedirá que façamos algo que Ele mesmo não nos dará a graça para realizá-lo. Às vezes, podemos nos sentir indispostos a obedecer a Deus; contudo, se Lhe obedecermos (em vez de obedecermos aos nossos sentimentos), Ele nos dará graça.

Anote os pecados específicos em sua vida dos quais você sabe que precisa "despojar-se":

_____   _____   _____
_____   _____   _____
_____   _____   _____
_____   _____   _____

Tome algum tempo agora para confessá-los a Deus.

Anote abaixo as qualidades com as quais você deve se "revestir" (o antídoto bíblico), a fim de que elas ocupem o lugar desses pecados:

_____   _____   _____
_____   _____   _____
_____   _____   _____
_____   _____   _____

Escreva algumas ações práticas que você pode realizar para "revestir-se" de um caráter piedoso:

1 _____
2 _____
3 _____
4 _____
5 _____

Baseado no que você aprendeu neste estudo, escreva a sua oração:

_____

_____

_____

_____

_____

_____

_____

_____

_____

_____

_____

_____

_____

_____

_____

_____

_____

_____

_____

_____

_____

Esboço biográfico de
Martha Peace

Martha nasceu, cresceu e foi educada na região de Atlanta. Formou-se com mérito no Grady Memorial Hospital School of Nursing, após cursar três anos de enfermagem, e na Georgia State University, com graduação superior, em um curso de quatro anos. Trabalhou treze anos como enfermeira, especialista em queimaduras pediátricas, terapia intensiva e terapia coronária. Converteu-se a Cristo em junho de 1979. Dois anos depois, Martha terminou sua carreira em enfermagem e começou a focalizar-se em sua família e em uma classe de estudo bíblico com senhoras. Durante cinco anos, ela ministrou estudos dos livros da Bíblia, versículo por versículo. Recebeu treinamento e certificado da N.A.N.C. – National Association of Nouthetic Counselors (Associação Nacional de Conselheiros Noutéticos[1]). Esta associação foi iniciada pelo Dr. Jay Adams com o propósito de treinar e certificar homens e mulheres como conselheiros bíblicos.

Martha é mestra e exortadora muito dotada. Trabalhou oito anos como conselheira noutética, no Atlanta Biblical Counseling Center, onde aconselhou mulheres. Lecionou por seis anos em uma classe de mulheres no Carver Bible Institute and College, em Atlanta, onde ministrou cursos

---

1 A palavra noutético é a transliteração da palavra grega $\nu o \upsilon \theta \epsilon \sigma \iota \alpha$, que significa admoestar, advertir, aconselhar.

como: "A Esposa Excelente", "Criar Filhos Sem Criar um Caim", "Introdução ao Aconselhamento Bíblico", "Aconselhamento Bíblico Avançado", "Pureza Pessoal" e "O Livro de Ester". Além de *A Esposa Excelente*, Martha escreveu *Tornando-se Uma Mulher Como a de Tito 2* e *Atitudes que Transformam o Coração*. Atualmente, ela trabalha em tempo parcial na Faculdade do Master's College, em Valência, Califórnia.

Martha é ativa, juntamente com seu marido, na Igreja Bíblica da Fé, em Sharpsburg, na Geórgia, onde ministra estudos bíblicos para senhoras. Além disso, conduz seminários para grupos de senhoras, abordando temas como "Tendo Uma Visão Elevada de Deus" e "Problemas que as Mulheres Enfrentam Hoje".

Martha casou-se com seu amado da época do colegial, Sanford Peace, com quem está casada há 39 anos. Ele é controlador de tráfego aéreo na FAA, mas seu verdadeiro trabalho é como presbítero na Igreja Bíblica da Fé. Eles têm dois filhos, Anna, casada com Tony Maupin, e David, casado com Jamee Peace. Eles têm dez netos: Nathan, Tommy, as gêmeas Kelsei e Jordan, Caleb, Cameron, Carter, Matthew, Kylee e Noah.

FIEL
MINISTÉRIO

O Ministério Fiel tem como propósito servir a Deus através do serviço ao povo de Deus, a Igreja.

Em nosso site, na internet, disponibilizamos centenas de recursos gratuitos, como vídeos de pregações e conferências, artigos, e-books, livros em áudio, blog e muito mais.

Oferecemos ao nosso leitor materiais que, cremos, serão de grande proveito para sua edificação, instrução e crescimento espiritual.

Assine também nosso informativo e faça parte da comunidade Fiel. Através do informativo, você terá acesso a vários materiais gratuitos e promoções especiais exclusivos para quem faz parte de nossa comunidade.

Visite nosso website

www.ministeriofiel.com.br

e faça parte da comunidade Fiel

Esta obra foi composta em Cheltenham Std Book 10.5, e impressa
na Promove Artes Gráficas sobre o papel Pólen Natural 70g/m²,
para Editora Fiel, em Maio de 2023